रिच डैड

पुअर डैड

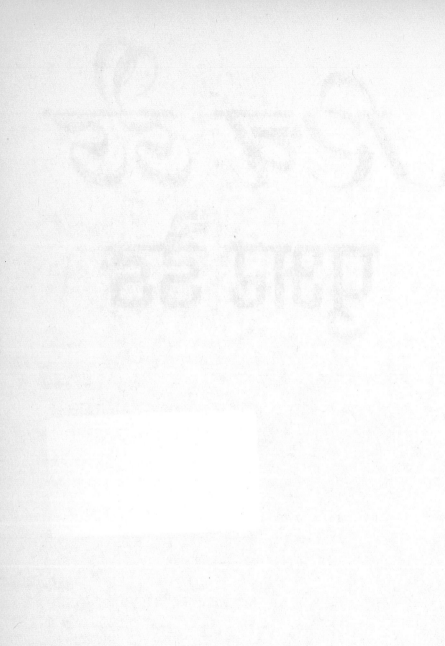

रिच डैड

पुअर डैड

पैसे के बारे में अमीर लोग अपने बच्चों को क्या सिखाते हैं,
जो ग़रीब और मध्य वर्ग के माता–पिता नहीं सिखाते !

रॉबर्ट टी. कियोसाकी

और शेरॉन एल. लेक्टर, सी.पी.ए.

MANJUL

मंजुल पब्लिशिंग हाउस

This publication is designed to provide competent and reliable information regarding the subject matter covered. However, it is sold with the understanding that the author and publisher are not engaged in rendering legal, financial, or other professional advice. Laws and practices often vary from country to country, and if legal or other expert assistance is required, the services of a professional should be sought. The author and publisher specifically disclaim any liability that is incurred from the use or application of the contents of this book.

Copyright © 1997, 1998 by Robert T. Kiyosaki and Sharon L. Lechter

Published by Manjul Publishing House Pvt. Ltd.
In association with CASHFLOW Technologies Inc. & GoldPress, Netherland, B.V.

"CASHFLOW" is the trademark of Cashflow Technologies, Inc.

First published in India by

Manjul Publishing House Pvt. Ltd.
Corporate Office:
2nd Floor, Usha Preet Complex,
42 Malviya Nagar, Bhopal 462 003 - India
E-mail: manjul@manjulindia.com Website: www.manjulindia.com
Marketing Office:
7/32, Ground Floor, Ansari Road, Daryaganj, New Delhi 110 002
Email: booksupplyco@gmail.com

Kiyosaki Robert T. and Lechter,Sharon L.
Hindi language edition of international bestseller Rich Dad Poor Dad : What the Rich Teach Their Kids About Money That the Poor and Middle Class Do Not /
Robert T. Kiyosaki with Sharon L. Lechter

This edition first published in 2002

Translation by Dr. Sudhir Dixit

ISBN   978-81-86775-21-9

Printed & bound in India by Thomson Press (India) Ltd.

Designed by Insync Graphic Studio, Inc. & Aquarius Inc.

"अमीरी की चोटी पर पहुँचने के लिए आपको *रिच डैड, पुअर डैड* पढ़नी ही चाहिए। इससे आपको बाज़ार की और पैसे की व्यावहारिक समझ मिलेगी, जिससे आपका आर्थिक भविष्य सुधर सकता है।"

– ज़िग ज़िग्लर
विश्वप्रसिद्ध लेखक और वक्ता

"अगर आपको अंदर की बात जाननी हो कि किस तरह अमीर बना जाए और बने रहा जाए तो यह पुस्तक पढ़ें! अपने बच्चों को रिश्वत दें (पैसे की भी रिश्वत, अगर इसके बिना काम न चले) ताकि वे भी इसे पढ़ें।"

– मार्क विक्टर हैन्सन
सह-लेखक, न्यूयॉर्क टाइम्स
नं. 1 बेस्टसेलिंग *चिकन सूप फ़ॉर द सोल*® सीरीज़

"*रिच डैड, पुअर डैड* पैसे पर लिखी गई कोई साधारण किताब नहीं है... यह पढ़ने में आसान है और इसके मुख्य सबक़- जैसे, अमीर बनने में एकाग्रता और हिम्मत की ज़रूरत होती है, बहुत ही आसान हैं।"

– *होनोलूलू मैग्ज़ीन*

"काश कि मैंने यह पुस्तक अपनी जवानी में पढ़ी होती! या शायद इससे भी अच्छा यह होता कि यह पुस्तक मेरे माता-पिता ने पढ़ी होती! यह तो इस तरह की पुस्तक है कि आप इसकी एक-एक कॉपी अपने हर बच्चे को देते हैं और कुछ कॉपी ख़रीदकर रख लेते हैं ताकि जब आपके नाती-पोते हों और वे 8 या 9 साल के हो जाएँ तो आप इसे उपहार में दे सकें।"

– स्यू ब्रॉन
'टेनेन्ट चेक ऑफ़ अमेरिका' के प्रेसिडेंट

"*रिच डैड, पुअर डैड* अमीरी का शॉर्टकट नहीं बताती। यह सिखाती है कि आप पैसे की समझ कैसे विकसित करें, किस तरह अपनी पैसे की ज़िम्मेदारी निभाएँ और इसके बाद किस तरह अमीर बनें। अगर आप अपनी आर्थिक प्रतिभा को जगाना चाहते हैं तो इसे ज़रूर पढ़ें।"

– डॉ. एड कोकेन
लेक्चरर ऑन फ़ाइनेन्स, आर.एम.आई.टी यूनिवर्सिटी, मेलबोर्न

"काश कि मैंने यह पुस्तक बीस साल पहले पढ़ी होती!"

— लैरिसन क्लार्क, डायमंड की होम्स
इन्क. मैग्ज़ीन के अमेरिका में सबसे तेज़ी से बढ़ रहे
भवन निर्माता, 1995

"जो भी व्यक्ति भविष्य में अमीर बनना चाहता है, उसे अपनी शुरुआत *रिच डैड, पुअर डैड* से करनी चाहिए।"

— यू.एस.ए. टुडे

समर्पण

यह पुस्तक सभी माता-पिताओं को समर्पित है,
क्योंकि वही बच्चे के सबसे महत्वपूर्ण शिक्षक होते हैं।

विषय–वस्तु

प्रस्तावना

इसकी बहुत ज़रूरत है

क्या स्कूल बच्चों को असली ज़िंदगी के लिए तैयार करता है? मेरे मम्मी-डैडी कहते थे, "मेहनत से पढ़ो और अच्छे नंबर लाओ क्योंकि ऐसा करोगे तो एक अच्छी तनख़्वाह वाली नौकरी मिल जाएगी।" उनके जीवन का लक्ष्य यही था कि मेरी बड़ी बहन और मेरी कॉलेज की शिक्षा पूरी हो जाए। उनका मानना था कि अगर कॉलेज की शिक्षा पूरी हो गई तो हम ज़िंदगी में ज़्यादा कामयाब हो सकेंगे। जब मैंने 1976 में अपना डिप्लोमा हासिल किया - मैं फ़्लोरिडा स्टेट युनिवर्सिटी में अकाउंटिंग में ऑनर्स के साथ ग्रेजुएट हुई और अपनी कक्षा में काफ़ी ऊँचे स्थान पर रही - तो मेरे मम्मी-डैडी का लक्ष्य पूरा हो गया था। यह उनकी ज़िंदगी की सबसे बड़ी उपलब्धि थी। "मास्टर प्लान" के हिसाब से, मुझे एक "बिग 8" अकाउंटिंग फ़र्म में नौकरी भी मिल गई। अब मुझे उम्मीद थी एक लंबे करियर और कम उम्र में रिटायरमेंट की।

मेरे पति माइकल भी इसी रास्ते पर चले थे। हम दोनों ही बहुत मेहनती परिवारों से आए थे जो बहुत अमीर नहीं थे। माइकल ने ऑनर्स के साथ ग्रेजुएशन किया था, एक बार नहीं बल्कि दो बार- पहली बार इंजीनियर के रूप में और फिर लॉ स्कूल से। उन्हें जल्दी ही पेटेंट लॉ में विशेषज्ञता रखने वाली वॉशिंगटन, डी.सी. की एक मानी हुई लॉ फ़र्म में नौकरी मिल गई। और इस तरह उनका भविष्य भी सुनहरा लग रहा था। उनके करियर का नक़्शा साफ़ था और यह बात तय थी कि वह भी जल्दी रिटायर हो सकते थे।

हालाँकि हम दोनों ही अपने करियर में सफल रहे, परंतु हम जो सोचते थे, हमारे साथ ठीक वैसा ही नहीं हुआ। हमने कई बार नौकरियाँ बदलीं - हालाँकि हर बार नौकरी बदलने के कारण सही थे - परंतु हमारे लिए किसी ने भी पेंशन योजना में निवेश नहीं किया। हमारे रिटायरमेंट फ़ंड हमारे ख़ुद के लगाए पैसों से ही बढ़ रहे हैं।

हमारी शादी बहुत सफल रही है और हमारे तीन बच्चे हैं। उनमें से दो कॉलेज में हैं और तीसरा अभी हाई स्कूल में गया ही है। हमने अपने बच्चों को सबसे अच्छी शिक्षा दिलाने में बहुत सा पैसा लगाया।

1996 में एक दिन मेरा बेटा स्कूल से घर लौटा। स्कूल से उसका मोहभंग हो गया था। वह पढ़ाई से ऊब चुका था। "मैं उन विषयों को पढ़ने में इतना ज़्यादा समय क्यों बर्बाद करूँ जो असल ज़िंदगी में मेरे कभी काम नहीं आएँगे ?" उसने विरोध किया।

बिना सोचे-विचारे ही मैंने जवाब दिया, "क्योंकि अगर तुम्हारे अच्छे नंबर नहीं आए तो तुम कभी कॉलेज नहीं जा पाओगे।"

"चाहे मैं कॉलेज जाऊँ या न जाऊँ," उसने जवाब दिया, "मैं अमीर बनकर दिखाऊँगा।"

"अगर तुम कॉलेज से ग्रैजुएट नहीं हुए तो तुम्हें कोई अच्छी नौकरी नहीं मिलेगी," मैंने एक माँ की तरह चिंतित और आतंकित होकर कहा। "बिना अच्छी नौकरी के तुम किस तरह अमीर बनने के सपने देख सकते हो ?"

मेरे बेटे ने मुस्कराकर अपने सिर को बोरियत भरे अंदाज़ में हिलाया। हम यह चर्चा पहले भी कई बार कर चुके थे। उसने अपने सिर को झुकाया और अपनी आँखें घुमाने लगा। मेरी समझदारी भरी सलाह एक बार फिर उसके कानों से भीतर नहीं गई थी।

हालाँकि वह स्मार्ट और प्रबल इच्छाशक्ति वाला युवक था, परंतु वह नम्र और शालीन भी था।

"मम्मी," उसने बोलना शुरू किया और भाषण सुनने की बारी अब मेरी थी। "समय के साथ चलिए! अपने चारों तरफ़ देखिए; सबसे अमीर लोग अपनी शिक्षा के कारण इतने अमीर नहीं बने हैं। माइकल जॉर्डन और मैडोना को देखिए। यहाँ तक कि बीच में ही हार्वर्ड छोड़ देने वाले बिल गेट्स ने माइक्रोसॉफ़्ट क़ायम किया। आज वे अमेरिका के सबसे अमीर व्यक्ति हैं और अभी उनकी उम्र भी तीस से चालीस के बीच ही है। और उस बेसबॉल पिचर के बारे में तो आपने सुना ही होगा जो हर साल चालीस लाख डॉलर से ज़्यादा कमाता है जबकि उस पर 'दिमाग़ी तौर पर कमज़ोर" होने का लेबल लगा हुआ है।

हम दोनों काफ़ी समय तक चुप रहे। अब मुझे यह समझ में आने लगा था कि मैं अपने बच्चे को वही सलाह दे रही थी जो मेरे माता-पिता ने मुझे दी थी। हमारे चारों तरफ़ की दुनिया बदल रही थी, परंतु हमारी सलाह नहीं बदली थी।

अच्छी शिक्षा और अच्छे ग्रेड हासिल करना अब सफलता की गारंटी नहीं रह गए थे और हमारे बच्चों के अलावा यह बात किसी की समझ में नहीं आई थी।

"मम्मी," उसने आगे कहा, "मैं डैडी और आपकी तरह कड़ी मेहनत नहीं करना चाहता। आपको काफ़ी पैसा मिलता है और हम एक शानदार मकान

में रहते हैं जिसमें बहुत से क़ीमती सामान हैं। अगर मैं आपकी सलाह मानूँगा तो मेरा हाल भी आपकी ही तरह होगा। मुझे भी ज़्यादा मेहनत करनी पड़ेगी ताकि मैं ज़्यादा टैक्स भर सकूँ और क़र्ज़ में डूब जाऊँ। वैसे भी आज की दुनिया में नौकरी की सुरक्षा बची नहीं है। मैं यह जानता हूँ कि छोटे और सही आकार की फ़र्म कैसी होती है। मैं यह भी जानता हूँ कि आज के दौर में कॉलेज के स्नातकों को कम तनख़्वाह मिलती है जबकि आपके ज़माने में उन्हें ज़्यादा तनख़्वाह मिला करती थी। डॉक्टरों को देखिए। वे अब उतना पैसा नहीं कमाते जितना पहले कभी कमाया करते थे। मैं जानता हूँ कि मैं रिटायरमेंट के लिए सामाजिक सुरक्षा या कंपनी पेंशन पर भरोसा नहीं कर सकता। अपने सवालों के मुझे नए जवाब चाहिए।"

वह सही था। उसे नए जवाब चाहिए थे और मुझे भी। मेरे माता-पिता की सलाह उन लोगों के लिए सही हो सकती थी जो 1945 के पहले पैदा हुए थे पर यह उन लोगों के लिए विनाशकारी साबित हो सकती थी जिन्होंने तेज़ी से बदल रही दुनिया में जन्म लिया था। अब मैं अपने बच्चों से यह सीधी सी बात नहीं कह सकती थी, "स्कूल जाओ, अच्छे ग्रेड हासिल करो और किसी सुरक्षित नौकरी की तलाश करो।"

मैं जानती थी कि मुझे अपने बच्चों की शिक्षा को सही दिशा देने के लिए नए तरीक़ों की खोज करनी होगी।

एक माँ और एक अकाउंटेंट होने के नाते मैं इस बात से परेशान थी कि स्कूल में बच्चों को धन संबंधी शिक्षा या वित्तीय शिक्षा नहीं दी जाती। हाई स्कूल ख़त्म होने से पहले ही आज के युवाओं के पास अपना क्रेडिट कार्ड होता है। यह बात अलग है कि उन्होंने कभी धन संबंधी पाठ्यक्रम में भाग नहीं लिया होता है और उन्हें यह भी नहीं पता होता है कि इसे किस तरह निवेश किया जाता है। इस बात का ज्ञान तो दूर की बात है कि क्रेडिट कार्ड पर चक्रवृद्धि ब्याज की गणना किस तरह की जाती है। इसे आसान भाषा में कहें तो उन्हें धन संबंधी शिक्षा नहीं मिलती और यह ज्ञान भी नहीं होता कि पैसा किस तरह काम करता है। इस तरह वे उस दुनिया का सामना करने के लिए कभी तैयार नहीं हो पाते जो उनका इंतज़ार कर रही है। एक ऐसी दुनिया जिसमें बचत से ज़्यादा ख़र्च को महत्व दिया जाता है।

जब मेरा सबसे बड़ा बेटा कॉलेज के शुरुआती दिनों में अपने क्रेडिट कार्ड को लेकर क़र्ज़ में डूब गया तो मैंने उसके क्रेडिट कार्ड को नष्ट करने में उसकी मदद की। साथ ही मैं ऐसी तरकीब भी खोजने लगी जिससे मेरे बच्चों में पैसे की समझ आ सके।

पिछले साल एक दिन मेरे पति ने मुझे अपने ऑफ़िस से फ़ोन किया। "मेरे सामने एक सज्जन बैठे हैं और मुझे लगता है कि तुम उससे मिलना

चाहोगी।" उन्होंने कहा, "उनका नाम रॉबर्ट कियोसाकी है। वे एक व्यवसायी और निवेशक हैं तथा वे एक शैक्षणिक उत्पाद का पेटेंट करवाना चाहते हैं। मुझे लगता है कि तुम इसी चीज़ की तलाश कर रही थीं।"

जिसकी मुझे तलाश थी

मेरे पति माइक रॉबर्ट कियोसाकी द्वारा बनाए जा रहे नए शैक्षणिक उत्पाद *कैशफ़्लो* से इतने प्रभावित थे कि उन्होंने इसके परीक्षण में हमें बुलवा लिया। यह एक शैक्षणिक खेल था, इसलिए मैंने स्थानीय विश्वविद्यालय में पढ़ रही अपनी 19 वर्षीय बेटी से भी पूछा कि क्या वह मेरे साथ चलेगी और वह तैयार हो गई।

इस खेल में हम लगभग पंद्रह लोग थे, जो तीन समूहों में विभाजित थे।

माइक सही थे। मैं इसी तरह के शैक्षणिक उत्पाद की खोज कर रही थी। यह किसी रंगीन मोनोपॉली बोर्ड की तरह लग रहा था जिसके बीच में एक बड़ा सा चूहा था। परंतु मोनोपॉली से यह इस तरह अलग था कि इसमें दो रास्ते थे : एक अंदर और दूसरा बाहर। खेल का लक्ष्य था अंदर वाले रास्ते से बाहर निकलना - जिसे रॉबर्ट 'चूहा दौड़' कहते थे- और बाहरी रास्ते पर पहुँचना, या 'तेज़ रास्ते' पर जाना। रॉबर्ट के मुताबिक़ तेज़ रास्ता हमें यह बताता है कि असल ज़िंदगी में अमीर लोग किस तरह पैसे का खेल खेलते हैं।

रॉबर्ट ने हमें 'चूहा दौड़' के बारे में बताया :

"अगर आप किसी भी औसत रूप से शिक्षित, कड़ी मेहनत करने वाले आदमी की ज़िंदगी को देखें, तो उसमें आपको एक-सा ही सफ़र दिखेगा। बच्चा पैदा होता है। स्कूल जाता है। माता-पिता ख़ुश हो जाते हैं, क्योंकि बच्चे को स्कूल में अच्छे नंबर मिलते हैं और उसका दाख़िला कॉलेज में हो जाता है। बच्चा स्नातक हो जाता है और फिर योजना के अनुसार काम करता है। वह किसी आसान, सुरक्षित नौकरी या करियर की तलाश करता है। बच्चे को ऐसा ही काम मिल जाता है। शायद वह डॉक्टर या वकील बन जाता है। या वह सेना में भर्ती हो जाता है या फिर वह सरकारी नौकरी करने लगता है। बच्चा पैसा कमाने लगता है, उसके पास थोक में क्रेडिट कार्ड आने लगते हैं और अगर अब तक उसने ख़रीदारी करना शुरू नहीं किया है तो अब जमकर ख़रीदारी शुरू हो जाती है।

"ख़र्च करने के लिए पैसे पास में होते हैं तो वह उन जगहों पर जाता है जहाँ उसकी उम्र के ज़्यादातर नौजवान जाते हैं- लोगों से मिलते हैं, डेटिंग करते हैं और कभी-कभार शादी भी कर लेते हैं। अब ज़िंदगी में मज़ा आ जाता है, क्योंकि आजकल पुरुष और महिलाएँ दोनों नौकरी करते हैं। दो

तनख़्वाहें बहुत सुखद लगती हैं। पति-पत्नी दोनों को लगता है कि उनकी ज़िंदगी सफ़ल हो गई है। उन्हें अपना भविष्य सुनहरा नज़र आता है। अब वे घर, कार, टेलीविज़न ख़रीदने का फ़ैसला करते हैं, छुट्टियाँ मनाने कहीं चले जाते हैं और फिर उनके बच्चे हो जाते हैं। बच्चों के साथ उनके ख़र्चे भी बढ़ जाते हैं। ख़ुशहाल पति-पत्नी सोचते हैं कि ज़्यादा पैसा कमाने के लिए अब उन्हें ज़्यादा मेहनत करनी चाहिए। उनका करियर अब उनके लिए पहले से ज़्यादा मायने रखता है। वे अपने काम में ज़्यादा मेहनत करने लगते हैं ताकि उन्हें प्रमोशन मिल जाए या उनकी तनख़्वाह बढ़ जाए। तनख़्वाह बढ़ती है पर उसके साथ ही दूसरा बच्चा पैदा हो जाता है। अब उन्हें एक बड़े घर की ज़रूरत महसूस होती है। वे नौकरी में और भी ज़्यादा मेहनत करते हैं, बेहतर कर्मचारी बन जाते हैं और ज़्यादा मन लगाकर काम करने लगते हैं। ज़्यादा विशेषज्ञता हासिल करने के लिए वे एक बार फिर किसी स्कूल में जाते हैं ताकि वे ज़्यादा पैसे कमा सकें। हो सकता है कि वे दूसरा काम भी खोज लें। उनकी आमदनी बढ़ जाती है, परंतु उस आमदनी पर उन्हें इन्कम टैक्स भी चुकाना पड़ता है। यही नहीं, उन्होंने जो बड़ा घर ख़रीदा है उस पर भी टैक्स देना होता है। इसके अलावा उन्हें सामाजिक सुरक्षा का टैक्स तो चुकाना ही है। इसी तरह, बहुत से टैक्स चुकाते-चुकाते उनकी तनख़्वाह चुक जाती है। वे अपनी बढ़ी हुई तनख़्वाह लेकर घर आते हैं और हैरान होते हैं कि इतना सारा पैसा आख़िर कहाँ चला जाता है। भविष्य के लिए बचत के हिसाब से वे कुछ म्यूचुअल फ़ंड भी ख़रीद लेते हैं और अपने क्रेडिट कार्ड से घर का किराना ख़रीदते हैं। उनके बच्चों की उम्र अब 5 या 6 साल हो जाती है। यह चिंता भी उन्हें सताने लगती है कि बच्चों के कॉलेज की शिक्षा के लिए भी बचत ज़रूरी है। इसके साथ ही उन्हें अपने रिटायरमेंट के लिए पैसा बचाने की चिंता भी सताने लगती है।"

"35 साल पहले पैदा हुए यह ख़ुशहाल दंपति अब अपनी नौकरी के बाक़ी दिन चूहा दौड़ में फँसकर बिताते हैं। वे अपनी कंपनी के मालिकों के लिए काम करते हैं, सरकार को टैक्स चुकाने के लिए काम करते हैं, और बैंक में अपनी गिरवी संपत्ति तथा क्रेडिट कार्ड के क़र्ज़ को चुकाने के लिए काम करते हैं।

"फिर वे अपने बच्चों को यह सलाह देते हैं कि उन्हें मन लगाकर पढ़ना चाहिए, अच्छे नंबर लाने चाहिए और किसी सुरक्षित नौकरी की तलाश करनी चाहिए। वे पैसे के बारे में कुछ भी नहीं सीखते और इसीलिए वे ज़िंदगी भर कड़ी मेहनत करते रहते हैं। यह प्रक्रिया पीढ़ी दर पीढ़ी चलती रहती है। इसे 'चूहा दौड़' कहते हैं।"

"चूहा दौड़" से निकलने का एक ही तरीक़ा है और वह यह कि आप अकाउंट्स और इन्वेस्टमेंट दोनों क्षेत्रों में निपुण हो जाएँ। दिक़्क़त यह है कि इन दोनों ही विषयों को बोरिंग और कठिन माना जाता है। मैं ख़ुद एक सी.पी.ए. हूँ

... बिग 8 अकाउंटिंग फ़र्म के लिए काम किया है। मुझे यह देखकर ताज्जुब हुआ कि रॉबर्ट ने इन दोनों बोरिंग और कठिन विषयों को सीखना कितना रोचक, सरल और रोमांचक बना दिया था। सीखने की प्रक्रिया इतनी अच्छी तरह छुपा ली गई थी कि जब हम "चूहा दौड़" से बाहर निकलने के लिए जी जान लगा रहे थे तो हमें यह ध्यान ही नहीं रहा कि हम कुछ सीख रहे थे।

शुरू में तो हम एक नए शैक्षणिक खेल का परीक्षण कर रहे थे, परंतु जल्दी ही इस खेल में मुझे और मेरी बेटी को मज़ा आने लगा। खेल के दौरान हम दोनों ऐसे विषयों पर बात कर रहे थे जिनके बारे में हमने पहले कभी बातें नहीं की थीं। एक लेखापाल होने के कारण इन्कम स्टेटमेंट और बैलेंस शीट से जुड़ा खेल खेलने में मुझे कोई परेशानी नहीं हुई। मैंने खेल के नियम और इसकी बारीकियाँ समझाने में अपनी बेटी और दूसरे लोगों की मदद भी की। उस रोज़ मैं 'चूहा दौड़' से सबसे पहले बाहर निकली और केवल मैं ही बाहर निकल पाई। बाहर निकलने में मुझे 50 मिनट का समय लगा, हालाँकि खेल लगभग तीन घंटे तक चला।

मेरी टेबल पर एक बैंकर बैठा था। इसके अलावा एक व्यवसायी था, और एक कंप्यूटर प्रोग्रामर भी था। मुझे यह देखकर बहुत हैरत हुई कि इन लोगों को अकाउंटिंग या इन्वेस्टमेंट के बारे में कितनी कम जानकारी है, जबकि ये विषय उनकी ज़िंदगी में कितनी ज़्यादा एहमियत रखते हैं। मेरे मन में यह सवाल भी उठ रहा था कि वे असल ज़िंदगी में अपने पैसे-धेले के कारोबार को कैसे सँभालते होंगे। मैं यह समझ सकती थी कि मेरी 19 साल की बेटी क्यों नहीं समझ सकती, पर ये लोग तो उससे दुगनी उम्र के थे और उन्हें ये बातें समझ में आनी चाहिए थीं।

'चूहा दौड़' से बाहर निकलने के बाद मैं दो घंटे तक अपनी बेटी और इन शिक्षित, अमीर वयस्कों को पाँसा फेंकते और अपना बाज़ार फैलाते देखती रही। हालाँकि मैं ख़ुश थी कि वे लोग कुछ नया सीख रहे थे, लेकिन मैं इस बात से बहुत परेशान और विचलित भी थी कि वयस्क लोग सामान्य अकाउंटिंग और इन्वेस्टमेंट के मूलभूत बिंदुओं के बारे में कितना कम जानते थे। उन्हें अपने इन्कम स्टेटमेंट और अपनी बैलेंस शीट के आपसी संबंध को समझने में ही बहुत समय लगा। अपनी संपत्ति ख़रीदते और बेचते समय उन्हें ध्यान ही नहीं रहा कि हर सौदे से उनकी महीने की आमदनी पर असर पड़ रहा है। मैंने सोचा, असल ज़िंदगी में ऐसे करोड़ों लोग होंगे जो पैसे के लिए सिर्फ़ इसलिए परेशान हो रहे हैं, क्योंकि उन्होंने ये दोनों विषय कभी नहीं पढ़े।

मैंने मन में सोचा, भगवान का शुक्र है कि हमें मज़ा आ रहा है और हमारा लक्ष्य खेल में जीतना है। जब खेल ख़त्म हो गया तो रॉबर्ट ने हमें पंद्रह मिनट तक *कैशफ़्लो* पर चर्चा करने और इसकी समीक्षा करने के लिए कहा।

मेरी टेबल पर बैठा व्यवसायी ख़ुश नहीं था। उसे खेल पसंद नहीं आया था। "मुझे यह सब जानने की कोई ज़रूरत नहीं है," उसने ज़ोर से कहा। "मेरे पास इन सबके लिए अकाउंटेंट, बैंकर और वकील हैं, जिन्हें यह सब मालूम है।"

रॉबर्ट का जवाब था, "क्या आपने ग़ौर किया है कि ऐसे बहुत से अकाउंटेंट हैं जो अमीर नहीं हैं? और यही हाल बैंकर्स, वकीलों, स्टॉकब्रोकर्स और रियल एस्टेट ब्रोकर्स का भी है। वे बहुत कुछ जानते हैं और प्रायः वे लोग स्मार्ट होते हैं परंतु उनमें से ज़्यादातर अमीर नहीं होते। चूँकि हमारे स्कूल हमें वह सब नहीं सिखाते जो अमीर लोग जानते हैं, इसलिए हम इन लोगों से सलाह लेते हैं। परंतु एक दिन जब आप किसी हाईवे पर कार से जाते हैं, आप ट्रैफ़िक जाम में फँस जाते हैं। आप बाहर निकलने के लिए छटपटाते हैं। जब आप अपनी दाईं तरफ़ देखते हैं तो वहाँ आप देखते हैं कि आपका अकाउंटेंट भी उसी ट्रैफ़िक जाम में फँसा हुआ है। फिर आप अपनी बाईं तरफ़ देखते हैं और आपको वहाँ अपना बैंकर भी उसी हाल में नज़र आता है। इससे आपको हालात का अंदाज़ा हो जाएगा।"

कंप्यूटर प्रोग्रामर भी इस खेल से प्रभावित नहीं हुआ था। "यह सीखने के लिए मैं सॉफ़्टवेयर ख़रीद सकता हूँ।"

बैंकर ज़रूर प्रभावित हुआ था। "मैंने स्कूल में अकाउंटिंग सीखी थी, परंतु मैं अब तक यह नहीं समझ पाया था कि इसे असल ज़िंदगी में किस तरह काम में लाया जाए। अब मैं समझ गया हूँ। मुझे 'चूहा दौड़' से बाहर निकलने के लिए ख़ुद को तैयार करने की ज़रूरत है।"

परंतु मेरी पुत्री के विचारों से मैं सबसे ज़्यादा रोमांचित हुई। उसने कहा, "मुझे सीखने में बड़ा मज़ा आया। मैंने इस बारे में बहुत कुछ सीखा कि पैसा असली ज़िंदगी में किस तरह काम करता है और इसका निवेश किस तरह करना चाहिए।"

फिर उसने आगे कहा, "अब मैं जानती हूँ कि मैं अपने काम करने के लिए किस तरह का व्यवसाय चुनूँ। और यह व्यवसाय चुनने का कारण नौकरी की सुरक्षा, उससे मिलने वाले फ़ायदे या तनख़्वाह नहीं होंगे। अगर मैं इस खेल में सिखाई जाने वाली बातें सीख जाती हूँ तो मैं कुछ भी करने के लिए आज़ाद हूँ और वह सीखने के लिए आज़ाद हूँ जो मैं दिल से सीखना चाहती हूँ। अभी तक मुझे उस चीज़ को सीखना पड़ता था जिससे मुझे नौकरी पाने में मदद मिले। अगर मैं यह खेल सीख जाती हूँ तो मुझे नौकरी की सुरक्षा और सामाजिक सुरक्षा की ज़्यादा चिंता नहीं होगी, जैसी कि मेरी बहुत सी सहेलियों को होती है।"

खेल ख़त्म होने के बाद मुझे रॉबर्ट से बात करने के लिए ज़्यादा समय

नहीं मिला। हमने उनकी योजना पर आगे बातें करने के लिए बाद में मिलने का फ़ैसला किया। इतना तो मैं जानती थी कि इस खेल के बहाने रॉबर्ट यह चाहते थे कि लोगों में पैसे की बेहतर समझ विकसित हो जाए। यही कारण था कि मैं उनकी योजनाओं के बारे में ज़्यादा जानने के लिए उत्सुक थी।

मेरे पति और मैंने रॉबर्ट और उनकी पत्नी के साथ अगले हफ़्ते डिनर मीटिंग रख ली। हालाँकि यह हमारा पहला सामाजिक मेल-जोल था, फिर भी हमें ऐसा महसूस हो रहा था जैसे हम एक-दूसरे को बरसों से जानते हों।

हमने पाया कि हममें बहुत सी बातें एक जैसी हैं। हमने बहुत से विषयों पर बातें कीं- खेलों, नाटकों, रेस्तराँओं और सामाजिक-आर्थिक विषयों पर। हमने बदलती हुई दुनिया के बारे में भी बातें कीं। हमने इस मुद्दे पर बहुत समय तक विचार किया कि ज़्यादातर अमेरिकी कैसे अपने रिटायरमेंट के लिए बहुत कम पैसा बचा पाते हैं या बिलकुल भी नहीं बचा पाते। हमने सामाजिक सुरक्षा और मेडिकेयर की लगभग दीवालिया हालत पर भी विचार किया। क्या हमारे बच्चों को 7.5 करोड़ वृद्ध लोगों के रिटायरमेंट के लिए टैक्स चुकाना होगा? हम हैरान थे कि लोग पेंशन योजना के भरोसे बैठकर कितना बड़ा ख़तरा मोल ले रहे हैं।

रॉबर्ट की सबसे बड़ी चिंता यह थी कि अमीरों और ग़रीबों के बीच फ़ासला लगातार बढ़ता जा रहा है। ऐसा न सिर्फ़ अमेरिका में हो रहा है, बल्कि पूरी दुनिया में हो रहा है। रॉबर्ट स्वशिक्षित और स्वनिर्मित व्यवसायी थे। वे दुनिया भर में निवेश कर चुके थे और 47 वर्ष की उम्र में रिटायर होने में सफल हो गए थे। वे काम इसलिए कर रहे थे क्योंकि उन्हें भी वही चिंता थी, जो मुझे अपने बच्चों को लेकर सता रही थी। वे जानते हैं कि दुनिया बदल चुकी है परंतु इसके बावजूद शिक्षा पद्धतियाँ बिलकुल भी नहीं बदली थीं। रॉबर्ट के अनुसार, बच्चे सालों तक दक़ियानूसी शिक्षा पद्धति में अपना समय गुज़ारते हैं और ऐसे विषय पढ़ते हैं जो उनके जीवन में कभी भी, कहीं भी काम नहीं आने वाले हैं और वे ऐसी दुनिया के लिए तैयारी करते हैं जिसका अब नामोनिशान भी नहीं बचा है।

"आज, आप किसी भी बच्चे को जो सबसे ख़तरनाक सलाह दे सकते हैं वह यह है, 'स्कूल जाओ, अच्छे नंबर लाओ और कोई सुरक्षित नौकरी ढूँढ़ो।'" उन्होंने कहा, "यह पुरानी सलाह है और यह ख़राब सलाह है। अगर आप यह देख सकते हैं कि एशिया, यूरोप, दक्षिण अमेरिका में क्या हो रहा है तो आप भी उतनी ही चिंतित होंगी जितना कि मैं।"

रॉबर्ट के अनुसार यह बुरी सलाह है, "क्योंकि अगर आप चाहते हैं कि आपके बच्चे का भविष्य आर्थिक रूप से सुरक्षित हो, तो आप पुराने नियमों के सहारे नए खेल को नहीं खेल सकते। यह बहुत ख़तरनाक होगा।"

मैंने उससे पूछा कि "पुराने नियमों" से उसका क्या मतलब है?

"मेरी तरह के लोग अलग तरह के नियमों से खेलते हैं और आपकी तरह के लोग पुराने नियमों की लीक पर ही चलते रहते हैं," उन्होंने कहा, "क्या होता है जब कोई कॉरपोरेशन स्टाफ़ कम करने की घोषणा करता है?"

"लोगों को नौकरी से निकाल दिया जाता है। परिवार तबाह हो जाते हैं। बेरोज़गारी बढ़ जाती है।"

"हाँ, परंतु कंपनी पर इसका क्या असर पड़ता है, ख़ासकर जब वह कंपनी स्टॉक एक्सचेंज में दर्ज हो?"

"जब स्टाफ़ कम करने की घोषणा होती है तो स्टॉक की क़ीमत बढ़ जाती है," मैंने कहा। "जब कंपनी तनख़्वाह का ख़र्च कम करती हैं तो बाज़ार इस बात को पसंद करता है, ऐसा चाहे स्टाफ़ कम करके किया जाए या फिर कंप्यूटर के माध्यम से किया जाए।"

उन्होंने कहा, "आप ठीक कह रही हैं। और जब स्टॉक की क़ीमतें बढ़ती हैं तो मेरी तरह के लोग यानी जिनके पास उस कंपनी के शेयर होते हैं वे ज़्यादा अमीर हो जाते हैं। अलग तरह के नियमों से मेरा यही आशय था। कर्मचारी हारते हैं; मालिक और निवेशक जीतते हैं।"

रॉबर्ट कर्मचारी और मालिक के बीच के फ़र्क़ को समझा रहे थे। यह फ़र्क़ था अपनी क़िस्मत पर ख़ुद अपना नियंत्रण होना या फिर अपनी क़िस्मत पर किसी दूसरे का नियंत्रण होना।

"परंतु ज़्यादातर लोग यह नहीं समझ पाते हैं कि ऐसा क्यों होता है," मैंने कहा, "उन्हें लगता है कि यह ठीक नहीं है।"

उसका जवाब था, "इसीलिए तो बच्चों से यह कहना मूर्खता है, 'अच्छी शिक्षा प्राप्त करो।' यह सोचना मूर्खता है कि स्कूलों में दी जा रही शिक्षा से बच्चे उस दुनिया का सामना करने के लिए तैयार हो जाएँगे जिसमें वे कॉलेज के बाद पहुँचने वाले हैं। हर बच्चे को ज़्यादा शिक्षा की ज़रूरत है। एक अलग तरह की शिक्षा की। और उन्हें नए नियमों को जानने की भी ज़रूरत है। अलग तरह के नियमों को जानने की।"

"धन के कुछ नियम होते हैं जिनसे अमीर लोग खेलते हैं और धन के कुछ और नियम होते हैं जिनसे बाक़ी 95 फ़ीसदी लोग खेलते हैं। और ये 95 फ़ीसदी लोग उन नियमों को अपने घर और स्कूल में सीखते हैं। इसीलिए आजकल किसी बच्चे से यह कहना ख़तरनाक है, 'मन लगाकर पढ़ो और अच्छी नौकरी खोजो।' आज बच्चों को अलग तरह की शिक्षा की ज़रूरत है और आज की शिक्षा नीति उन्हें कुछ मूलभूत बातें नहीं सिखा पा रही है। इस

बात से कोई फ़र्क़ नहीं पड़ता कि क्लासरूम में कितने कंप्यूटर रखे हैं या स्कूल कितना पैसा ख़र्च कर रहे हैं। जब शिक्षा नीति में वह विषय ही नहीं है, तो उसे किस तरह पढ़ाया जा सकता है।"

अब सवाल यह उठता है कि किस तरह माता-पिता अपने बच्चों को वह सिखा सकते हैं जो वे स्कूल में नहीं सीख पाते? आप अपने बच्चे को अकाउंटिंग किस तरह सिखाते हैं? क्या इससे वे बोर नहीं हो जाते? और आप उन्हें किस तरह निवेश करना सिखाएँगे जब एक पालक के रूप में आप ख़ुद निवेश के ख़तरे से डरते हैं? अपने बच्चों को सुरक्षित जीवन के लिए तैयार करने के बजाय मैंने यह बेहतर समझा कि उन्हें रोमांचक जीवन के लिए तैयार किया जाए।

"तो आप किस तरह किसी बच्चे को धन और उन सब चीज़ों के बारे में सिखा सकते हैं जिन पर हमने अभी विचार किया है?" मैंने रॉबर्ट से पूछा। "हम किस तरह इसे माता-पिता के लिए आसान बना सकते हैं, ख़ासकर तब जब उन्हें ख़ुद ही इसकी समझ न हो।"

उन्होंने कहा, "मैंने इस विषय पर एक पुस्तक लिखी है।"

"वह पुस्तक कहाँ है?"

"मेरे कंप्यूटर में। यह बरसों से वहीं बिखरी पड़ी है। मैं कभी-कभार उसमें कुछ बातें जोड़ देता हूँ परंतु मैं आज तक उसे कभी इकट्ठा नहीं कर पाया। मैंने इस पुस्तक को तब लिखना शुरू किया था जब मेरी पहली पुस्तक बेस्टसेलर हो गई थी, परंतु मैं अभी तक अपनी नई पुस्तक को पूरा नहीं कर पाया हूँ। यह अभी भी खंडों में है।"

और वह पुस्तक निश्चित रूप से खंडों में ही थी। उन बेतरतीब खंडों को पढ़ने के बाद मैंने यह फ़ैसला किया कि पुस्तक निश्चित रूप से बेहतरीन थी और समाज में इसकी बहुत ज़रूरत थी, ख़ासकर ऐसे समय में जब दुनिया तेज़ी से बदल रही थी। हम दोनों तत्काल इस निर्णय पर पहुँचे कि मैं रॉबर्ट की पुस्तक में सह-लेखक बन जाऊँ।

मैंने उनसे पूछा कि उनके विचार से किसी बच्चे को कितनी वित्तीय शिक्षा की ज़रूरत होती है। उन्होंने कहा कि यह बच्चे पर निर्भर करता है। अपने बचपन में ही उन्होंने यह जान लिया था कि वे अमीर बनना चाहते थे और उन्हें एक ऐसे पितास्वरूप व्यक्ति मिल गए थे जो अमीर थे और जो उनका मार्गदर्शन करने के इच्छुक भी थे। रॉबर्ट का कहना था कि शिक्षा ही सफलता की नींव है। जिस तरह स्कूल में सीखी गई बातें बहुत महत्त्वपूर्ण होती हैं, उसी तरह धन संबंधी समझ और बोलने की कला भी महत्त्वपूर्ण होती हैं।

आगे की कहानी रॉबर्ट के दो डैडियों के बारे में है, जिनमें से एक अमीर

हैं और दूसरे ग़रीब। इनके ज़रिए रॉबर्ट उन रहस्यों को बताएँगे जो उन्होंने अपने जीवन में सीखे हैं। दोनों डैडियों के बीच का अंतर एक ख़ास बात उजागर करता है। इस पुस्तक को मैंने बढ़ाया है, इसमें कुछ जोड़ा और घटाया है और इसे व्यवस्थित करने का काम किया है। जो अकाउंटेंट इस पुस्तक को पढें, उनसे मेरा यही अनुरोध है कि वे अपने किताबी ज्ञान को एक तरफ़ रख दें और अपने दिमाग़ में रॉबर्ट के सिद्धांतों को घुस जाने दें। हालाँकि उनमें से कई सिद्धांत पहली नज़र में ग़लत लगेंगे, अकाउंट्स के सिद्धांतों की बुनियादी बातों को चुनौती देते लगेंगे, परंतु यह याद रखें कि वे एक महत्वपूर्ण दृष्टि देते हैं कि किस तरह सच्चे निवेशक अपने निवेश के फ़ैसलों का विश्लेषण करते हैं।

जब हम अपने बच्चों को "स्कूल जाने, मेहनत से पढ़ने और अच्छी नौकरी पाने" की सलाह देते हैं तो अक्सर हम ऐसा सांस्कृतिक आदतों के कारण करते हैं। ऐसा करना हमेशा सही चीज़ मानी गई है। जब मैं रॉबर्ट से मिली, तो उनके विचारों ने शुरू में तो मुझे चौंका दिया। दो डैडियों के साथ पले-बढ़े रॉबर्ट के सामने दो अलग-अलग लक्ष्य होते थे। उनके पढ़े-लिखे डैडी उन्हें कॉरपोरेशन में नौकरी करने की सलाह देते थे। उनके अमीर डैडी उन्हें कॉरपोरेशन का मालिक बनने की सलाह देते थे। दोनों ही कामों में शिक्षा की ज़रूरत थी, परंतु पढ़ाई के विषय बिलकुल अलग-अलग थे। पढ़े-लिखे डैडी रॉबर्ट को स्मार्ट बनने के लिए प्रोत्साहित करते थे। अमीर डैडी रॉबर्ट को यह जानने के लिए प्रोत्साहित करते थे कि किस तरह स्मार्ट लोगों की सेवाएँ ली जाएँ।

दो डैडियों के होने से कई समस्याएँ भी पैदा हुईं। रॉबर्ट के असली डैडी हवाई राज्य में शिक्षाप्रमुख थे। जब रॉबर्ट 16 साल के हुए तो उन्हें इस बात की कोई ख़ास चिंता नहीं सता रही थी, "अगर तुम्हें अच्छे नंबर नहीं मिलते तो तुम्हें कोई अच्छी नौकरी नहीं मिलेगी।" वे पहले से ही जानते थे कि उनके करियर का लक्ष्य था कॉरपोरेशन का मालिक बनना, न कि उसमें नौकरी करना। सच तो यह है कि अगर हाई स्कूल में समझदार और मेहनती परामर्शदाता नहीं मिला होता तो रॉबर्ट कभी कॉलेज भी नहीं गए होते। वे इस बात को मानते हैं। वे दौलत कमाने के लिए बेताब थे परंतु वे आख़िरकार मान ही गए कि कॉलेज की शिक्षा से भी उन्हें फ़ायदा हो सकता है।

दरअसल इस पुस्तक में दिए गए विचार शायद बहुत से माता-पिताओं को क्रांतिकारी और अतिशयोक्तिपूर्ण लगेंगे। कई लोगों को तो अपने बच्चों को स्कूल में रखने में ही काफ़ी मेहनत करनी पड़ रही है। परंतु बदलते हुए समय को देखते हुए हमें नए और जोखिम भरे विचारों की तरफ़ ध्यान देने की ज़रूरत है। अपने बच्चों को कर्मचारी बनने की सलाह देने का मतलब यह है कि हम उन्हें ज़िंदगी भर अपनी ख़ून-पसीने की कमाई से इन्कम टैक्स व और भी न जाने कितने टैक्स चुकाने की सलाह देते हैं और इसके बाद भी पेंशन की कोई

गारंटी नहीं होती। और यह सच है कि आज के ज़माने में टैक्स किसी व्यक्ति का सबसे बड़ा ख़र्च है। हक़ीक़त में, ज़्यादातर परिवार तो जनवरी से आधी मई तक सिर्फ़ अपने टैक्स चुकाने के लिए ही सरकार की नौकरी करते हैं। आज नए विचारों की बहुत ज़रूरत है और यह पुस्तक हमें नए विचार देती है।

रॉबर्ट का दावा है कि अमीर लोग अपने बच्चों को अलग तरह की शिक्षा देते हैं। वे अपने बच्चों को घर पर सिखाते हैं, डिनर टेबल पर। हो सकता है कि यह विचार वे न हों जिन पर आप अपने बच्चों के साथ बातें करते हों, परंतु उन पर नज़र डालने के लिए धन्यवाद। और मैं आपको सलाह देती हूँ कि आप खोज करते रहें। एक माँ और एक सी.पी.ए. होने के नाते मैं तो यही सोचती हूँ कि अच्छे नंबर लाना और एक बढ़िया नौकरी पा लेना एक पुराना विचार है। हमें अपने बच्चों को नए तरह के विचार देने होंगे। हमें उन्हें अलग तरह की शिक्षा देनी होगी। शायद हम अपने बच्चों को यह सिखाएँ कि अच्छे कर्मचारी होने के साथ-साथ वे अपना ख़ुद का निवेश कॉरपोरेशन भी खोल सकें। दोनों का यह तालमेल बढ़िया रहेगा।

एक माँ होने के नाते मुझे उम्मीद है कि यह पुस्तक सभी अभिभावकों के लिए फ़ायदेमंद होगी। रॉबर्ट लोगों को यह बताना चाहते हैं कि कोई भी व्यक्ति अगर ठान ले, तो अमीर बन सकता है। अगर आप एक माली या गेटकीपर हैं या पूरी तरह बेरोज़गार हैं तो भी आपमें ख़ुद को और अपने परिवार के लोगों को धन संबंधी बातें सिखाने की क़ाबिलियत है। यह याद रखें कि धन संबंधी बुद्धि वह दिमाग़ी तरीक़ा है जिससे हम अपनी धन संबंधी समस्याओं को सुलझाते हैं।

आज हम ऐसे विश्वव्यापी तकनीकी परिवर्तनों का सामना कर रहे हैं, जिनका सामना हमने आज से पहले कभी नहीं किया। किसी के पास भी जादू की पुड़िया नहीं है, परंतु एक बात तो तय है : ऐसे परिवर्तन हमारे सामने आने वाले हैं जो हमारे यथार्थ से परे हैं। कौन जाने भविष्य हमारे लिए क्या लाता है ? पर जो भी हो, हमारे पास दो मूलभूत विकल्प मौजूद हैं : या तो हम सुरक्षा की राह पर चलें या फिर हम स्मार्ट बनकर ख़ुद को धन संबंधी क्षेत्रों में शिक्षित करें और अपने बच्चों की धन संबंधी प्रतिभा को भी जागृत करें।

– शेरॉन लेक्टर

रिच डैड, पुअर डैड

अध्याय एक

रिच डैड, पुअर डैड

रॉबर्ट कियोसाकी के अनुसार

मेरे दो डैडी थे, एक अमीर और दूसरे ग़रीब। एक बहुत पढ़े-लिखे थे और समझदार थे। वे पीएच.डी. थे और उन्होंने अपने चार साल के अंडरग्रैजुएट कार्य को दो साल से भी कम समय में कर लिया था। इसके बाद वे आगे पढ़ने के लिए स्टेनफ़ोर्ड युनिवर्सिटी, युनिवर्सिटी ऑफ़ शिकागो तथा नॉर्थवेस्टर्न युनिवर्सिटी गए और यह सब उन्होंने पूरी तरह से स्कॉलरशिप के सहारे ही किया। मेरे दूसरे डैडी आठवीं से आगे नहीं पढ़े थे।

दोनों ही अपने करियर में सफल थे। दोनों ने ज़िंदगी भर कड़ी मेहनत की थी। दोनों ने ही काफ़ी पैसा कमाया था। परंतु उनमें से एक पूरी ज़िंदगी पैसे के लिए परेशान होता रहा। दूसरा *हवाई* के सबसे अमीर व्यक्तियों में से एक बन गया। एक के मरने पर उसके परिवार, चर्च और ज़रूरतमंदों को करोड़ों डॉलर की दौलत मिली। दूसरा अपने पीछे क़र्ज़ छोड़कर मरा।

मेरे दोनों डैडी इरादे के पक्के, चमत्कारी और प्रभावशाली थे। दोनों ने मुझे सलाह दी, परंतु उनकी सलाह एक-सी नहीं थी। दोनों ही शिक्षा पर बहुत ज़ोर देते थे, परंतु उनके द्वारा सुझाए गए पढ़ाई के विषय अलग-अलग थे।

अगर मेरे पास केवल एक ही डैडी होते, तो मैं या तो उनकी सलाह मान लेता या फिर उसे ठुकरा देता। चूँकि सलाह देने वाले दो थे, इसलिए मेरे पास दो विरोधाभासी विचार होते थे। (एक अमीर आदमी का और दूसरा ग़रीब आदमी का)।

किसी भी एक विचार को सीधे-सीधे मान लेने या न मानने के बजाय मैं उनकी सलाहों पर काफ़ी सोचा करता था, उनकी तुलना करता था और फिर ख़ुद के लिए फ़ैसला किया करता था।

समस्या यह थी कि अमीर डैडी अभी अमीर नहीं थे और ग़रीब डैडी अभी ग़रीब नहीं थे। दोनों ही अपने करियर शुरू कर रहे थे और दोनों ही दौलत तथा परिवार के लिए मेहनत कर रहे थे। परंतु पैसे के बारे में दोनों के विचार और नज़रिए एकदम अलग थे।

उदाहरण के तौर पर एक डैडी कहते थे, "पैसे का मोह ही सभी बुराइयों की जड़ है।" जबकि दूसरे डैडी कहा करते थे, "पैसे की कमी ही सभी बुराइयों की जड़ है।"

जब मैं छोटा था, तो मुझे दोनों डैडियों की अलग-अलग सलाहों से दिक़्क़त होती थी। एक अच्छा बच्चा होने के नाते मैं दोनों की बातें सुनना चाहता था। परेशानी यह थी कि दोनों एक-सी बातें नहीं कहते थे। उनके विचारों में ज़मीन-आसमान का फ़र्क़ था, ख़ासकर पैसे के मामले में। मैं काफ़ी लंबे समय तक यह सोचा करता कि उनमें से किसने क्या कहा, क्यों कहा और उसका परिणाम क्या होगा।

मेरा बहुत-सा समय सोच-विचार में ही गुज़र जाता था। मैं ख़ुद से बार-बार इस तरह के सवाल पूछा करता, "उन्होंने ऐसा क्यों कहा?" और फिर दूसरे डैडी की कही हुई बातों के बारे में भी इसी तरह के सवाल पूछता। काश मैं यह बोल सकता, "हाँ, वे बिलकुल सही हैं। मैं उनकी बातों से पूरी तरह सहमत हूँ।" या यह कहकर मैं सीधे उनकी बात ठुकरा सकता, "बुड्ढे को यह नहीं पता कि वह क्या कह रहा है।" चूँकि दोनों ही मुझे प्यारे थे, इसलिए मुझे ख़ुद के लिए सोचने पर मजबूर होना पड़ा। इस तरह सोचना मेरी आदत बन गई जो आगे चलकर मेरे लिए बहुत फ़ायदेमंद साबित हुई। अगर मैं एक तरह से ही सोच पाता तो यह मेरे लिए इतना फ़ायदेमंद नहीं होता।

धन-दौलत का विषय स्कूल में नहीं, बल्कि घर पर पढ़ाया जाता है। शायद इसीलिए अमीर लोग और ज़्यादा अमीर होते जाते हैं, जबकि ग़रीब और ज़्यादा ग़रीब होते जाते हैं और मध्य वर्ग क़र्ज़ में डूबा रहता है। हममें से ज़्यादातर लोग पैसे के बारे में अपने माता-पिता से सीखते हैं। कोई ग़रीब पिता अपने बच्चे को पैसे के बारे में क्या सिखा सकता है? वह सिर्फ़ इतना ही कह सकता है, "स्कूल जाओ और मेहनत से पढ़ो।" हो सकता है वह बच्चा अच्छे नंबरों से कॉलेज की पढ़ाई पूरी कर ले। फिर भी पैसे के मामले में उसकी मानसिकता और उसका सोचने का ढँग एक ग़रीब आदमी जैसा ही बना रहेगा। यह सब उसने तब सीखा था जब वह छोटा बच्चा था।

धन का विषय स्कूलों में नहीं पढ़ाया जाता। स्कूलों में शैक्षणिक और व्यावसायिक निपुणताओं पर ज़ोर दिया जाता है, न कि धन संबंधी निपुणता पर। इससे यह साफ़ हो जाता है कि जिन स्मार्ट बैंकर्स, डॉक्टर्स और अकाउंटेंट्स के स्कूल में अच्छे नंबर आते हैं वे ज़िंदगी भर पैसे के लिए संघर्ष क्यों करते हैं। हमारे देश पर जो भारी क़र्ज़ लदा हुआ है वह काफ़ी हद तक उन उच्च शिक्षित राजनेताओं और सरकारी अधिकारियों के कारण है जो आर्थिक नीतियाँ बनाते हैं और मज़े की बात यह है कि वे धन के बारे में बहुत कम जानते हैं।

मैं अक्सर नई सदी में आने वाली समस्याओं के बारे में सोचता हूँ। तब क्या होगा जब हमारे पास ऐसे करोड़ों लोग होंगे जिन्हें आर्थिक और चिकित्सकीय मदद की ज़रूरत होगी। धन संबंधी मदद के लिए या तो वे अपने परिवारों पर या फिर सरकार पर निर्भर होंगे। क्या होगा जब मेडिकेयर और सोशल सिक्युरिटी के पास का पैसा ख़त्म हो जाएगा? किस तरह कोई देश तरक़्क़ी कर पाएगा अगर पैसे के बारे में पढ़ाई की ज़िम्मेदारी माता-पिता के ऊपर छोड़ दी जाएगी- जिनमें से ज़्यादातर ग़रीब हैं या ग़रीब होंगे?

चूँकि मेरे पास दो प्रभावशाली डैडी थे, इसलिए मैंने दोनों से ही सीखा। मुझे दोनों की सलाह पर सोचना पड़ता था। इस तरह से सोचते-सोचते मैंने यह भी जान लिया कि किसी व्यक्ति के विचार उसकी ज़िंदगी पर कितना ज़बर्दस्त प्रभाव डाल सकते हैं। उदाहरण के तौर पर, एक डैडी को यह कहने की आदत थी, "मैं इसे नहीं ख़रीद सकता।" दूसरे डैडी इन शब्दों के इस्तेमाल से चिढ़ते थे। वे ज़ोर देकर कहा करते थे कि मुझे इसके बजाय यह कहना चाहिए, "मैं इसे कैसे ख़रीद सकता हूँ?" पहला वाक्य नकारात्मक है और दूसरा प्रश्नवाचक। एक में बात ख़त्म हो जाती है और दूसरे में आप सोचने के लिए मजबूर हो जाते हैं। मेरे जल्द-ही-अमीर-बनने-वाले डैडी ने मुझे समझाया कि जब हम कहते हैं, "मैं इसे नहीं ख़रीद सकता" तो हमारा दिमाग़ काम करना बंद कर देता है। इसके बजाय जब हम यह सवाल पूछते हैं, "मैं इसे कैसे ख़रीद सकता हूँ" तो हमारा दिमाग़ काम करने लगता है। उनका यह मतलब नहीं था कि आपका जिस चीज़ पर दिल आ जाए उसे ख़रीद ही लें। वे लगभग दीवानगी की हद तक अपने दिमाग़ को कसरत करवाना चाहते थे क्योंकि उनके ख़्याल से दिमाग़ दुनिया का सबसे ताक़तवर कंप्यूटर है। "मेरा दिमाग़ हर रोज़ तेज़ होता जाता है क्योंकि मैं इसकी कसरत करता रहता हूँ। यह जितना तेज़ होता जाता है, मैं इसकी मदद से उतना ही ज़्यादा पैसा कमा सकता हूँ।" उनका मानना था कि 'मैं इसे नहीं ख़रीद सकता' कहना दिमाग़ी आलस की पहचान है।

हालाँकि दोनों ही डैडी अपने काम में कड़ी मेहनत करते थे, परंतु मैंने देखा कि पैसे के मामले में एक डैडी की आदत यह थी कि वे अपने दिमाग़ को सुला देते थे और दूसरे डैडी अपने दिमाग़ को लगातार कसरत करवाते रहते थे। इसका दीर्घकालीन परिणाम यह हुआ कि एक डैडी आर्थिक रूप से बहुत अमीर होते चले गए जबकि दूसरे डैडी लगातार कमज़ोर होते गए। इसे इस तरह से समझें कि एक व्यक्ति हर रोज़ कसरत करने के लिए जिम जाता है, जबकि दूसरा व्यक्ति अपने सोफ़े पर बैठकर टीवी देखता रहता है। शरीर की सही कसरत से आप ज़्यादा तंदुरुस्त हो सकते हैं और दिमाग़ की सही कसरत से आप ज़्यादा अमीर हो सकते हैं। आलस्य से स्वास्थ्य और धन दोनों का नुक़सान होता है।

मेरे दोनों डैडियों की विचारधारा में ज़मीन-आसमान का अंतर था। एक डैडी की सोच थी कि अमीरों को ज़्यादा टैक्स देना चाहिए ताकि बेचारे ग़रीबों को ज़्यादा फ़ायदा मिल सके। जबकि दूसरे डैडी कहते थे, "टैक्स उन लोगों को सज़ा देता है जो उत्पादन करते हैं और उन लोगों को इनाम देता है जो उत्पादन नहीं करते।"

एक डैडी सिखाते थे, "मेहनत से पढ़ो ताकि तुम्हें किसी अच्छी कंपनी में नौकरी मिल जाए।" जबकि दूसरे डैडी की सीख यह थी, "मेहनत से पढ़ो ताकि तुम्हें किसी अच्छी कंपनी को ख़रीदने का मौक़ा मिल जाए।"

एक डैडी कहते थे, "मैं इसलिए अमीर नहीं हूँ क्योंकि मुझे बाल-बच्चों को पालना पड़ता है।" दूसरे डैडी कहते थे, "मुझे इसलिए अमीर बनना है क्योंकि मुझे बाल-बच्चों को पालना है।"

एक डैडी डिनर की टेबल पर पैसे और बिज़नेस के बारे में बात करने के लिए हमेशा प्रोत्साहित करते थे। दूसरे डैडी भोजन करते समय पैसे की बातें करने के लिए मना करते थे।

एक का कहना था, "जहाँ पैसे का सवाल हो, सुरक्षित क़दम उठाओ, ख़तरा मत उठाओ।" दूसरे का कहना था, "ख़तरों का सामना करना सीखो।"

एक का मानना था, "हमारा घर ही हमारा सबसे बड़ा निवेश और हमारी सबसे बड़ी संपत्ति है।" दूसरे का मानना था, "मेरा घर मेरा दायित्व है, और अगर आपका घर आपकी नज़र में आपका सबसे बड़ा निवेश है, तो आप ग़लत हैं।"

दोनों ही डैडी अपने बिल समय पर चुकाते थे, परंतु उनमें से एक सबसे पहले अपने बिल चुकाता था, जबकि दूसरा सबसे आख़िर में।

एक डैडी का यह मानना था कि कंपनी या सरकार को आपका ध्यान रखना चाहिए और आपकी ज़रूरतों को पूरा करना चाहिए। वे हमेशा तनख़्वाह में बढ़ोतरी, रिटायरमेंट योजनाओं, मेडिकल लाभ, बीमारी की छुट्टी, छुट्टियों के दिन और बाक़ी सुविधाओं के बारे में चिंतित रहते थे। वे अपने दो चाचाओं से बहुत प्रभावित थे जो सेना में चले गए थे और बीस साल के सक्रिय जीवन के बाद उन्होंने अपने रिटायरमेंट और जीवन भर के आराम का इंतज़ाम कर लिया था। वे मेडिकल लाभ के विचार को पसंद करते थे और सेना द्वारा अपने रिटायर्ड कर्मचारियों को दी जा रही सुविधाओं की भी तारीफ़ करते थे। उन्हें विश्वविद्यालय का टेन्योर सिस्टम भी काफ़ी पसंद था। कई बार नौकरी से आजीवन मिल रही सुरक्षा और नौकरी के लाभ नौकरी से ज़्यादा महत्वपूर्ण हो जाते हैं। वे अक्सर यह कहते थे, "मैंने सरकार के लिए बहुत मेहनत से काम किया है और इसलिए बदले में मुझे ये लाभ मिलने चाहिए।"

दूसरे डैडी पूरी तरह से आर्थिक स्वावलंबन में विश्वास करते थे। वे 'सुविधाभोगी' मानसिकता के विरोधी थे। वे यह मानते थे कि इस तरह की मानसिकता लोगों को कमज़ोर और आर्थिक रूप से ज़रूरतमंद बनाती है। उनका दृढ़ विश्वास था कि आदमी को आर्थिक रूप से सक्षम होना चाहिए।

एक डैडी कुछ डॉलर बचाने के लिए परेशान रहे। दूसरे डैडी एक के बाद एक निवेश करते रहे।

एक डैडी ने मुझे बताया कि अच्छी नौकरी तलाशने के लिए अच्छा सा बायोडाटा कैसे लिखा जाए। दूसरे ने मुझे यह सिखाया कि कैसे मज़बूत व्यावसायिक और वित्तीय योजनाएँ लिखी जाएँ जिससे मैं नौकरियाँ दे सकूँ।

दो प्रभावशाली डैडियों के साथ रहने के कारण मुझे यह विश्लेषण करने का मौक़ा मिला कि उनके विचारों का उनके जीवन पर कितना प्रभाव हो रहा है। मैंने पाया कि दरअसल लोग अपने विचारों से ही अपने जीवन को दिशा देते हैं।

उदाहरण के तौर पर, मेरे ग़रीब डैडी हमेशा कहा करते थे, "मैं कभी अमीर नहीं बन पाऊँगा।" और उनकी यह भविष्यवाणी सही साबित हुई। दूसरी तरफ़, मेरे अमीर डैडी हमेशा ख़ुद को अमीर समझते थे। वे इस तरह की बातें करते थे, "मैं अमीर हूँ और अमीर लोग ऐसा नहीं करते।" एक बड़े आर्थिक झटके के बाद जब वे दीवालिएपन की कगार पर थे, तब भी वे ख़ुद को अमीर आदमी ही कहते रहे। वे अपने समर्थन में यह कहते थे, "ग़रीब होने और पैसा न होने में फ़र्क़ होता है। पैसा पास में न होना अस्थायी होता है, जबकि ग़रीबी स्थायी है।"

मेरे ग़रीब डैडी यह भी कहते थे, "मेरी पैसे में कोई रुचि नहीं है" या "पैसा महत्वपूर्ण नहीं है।" मेरे अमीर डैडी हमेशा कहते थे, "पैसे में बहुत ताक़त है।"

हो सकता है हमारे विचारों की ताक़त को कभी भी मापा न जा सके, या फिर उन्हें पूरी तरह से समझा न जा सके। फिर भी बचपन में ही मैं यह समझ गया था कि हमें अपने विचारों पर ध्यान देना चाहिए और अपनी अभिव्यक्ति पर भी। मैंने देखा कि मेरे ग़रीब डैडी इसलिए ग़रीब नहीं थे क्योंकि वे कम कमाते थे, बल्कि इसलिए ग़रीब थे क्योंकि उनके विचार और काम ग़रीबों की तरह थे। दो डैडी होने के कारण बचपन से ही मैं इस बारे में बहुत सावधान हो चला था कि मैं किस तरह की विचारधारा अपनाऊँ। मैं किसकी बात मानूँ- अपने अमीर डैडी की या अपने ग़रीब डैडी की?

हालाँकि दोनों ही शिक्षा और ज्ञान को बहुत महत्वपूर्ण मानते थे, परंतु क्या सीखा जाए इस बारे में दोनों की राय अलग-अलग थी। एक चाहते थे

कि मैं पढ़ाई में कड़ी मेहनत करूँ, डिग्री लूँ और पैसे कमाने के लिए अच्छी सी नौकरी ढूँढ़ लूँ। वे चाहते थे कि मैं एक पेशेवर अधिकारी, वकील या अकाउंटेंट बन जाऊँ या एम.बी.ए. कर लूँ। दूसरे डैडी मुझे प्रोत्साहित करते थे कि मैं अमीर बनने का रहस्य सीख लूँ। यह समझ लूँ कि पैसा किस तरह काम करता है और यह जान लूँ कि इससे अपने लिए कैसे काम लिया जाता है। "मैं पैसे के लिए काम नहीं करता!" इन शब्दों को वे बार-बार दोहराया करते थे, "पैसा मेरे लिए काम करता है!"

9 वर्ष की उम्र में मैंने यह फ़ैसला किया कि पैसे के बारे में मैं अपने अमीर डैडी की बात सुनूँगा और उनसे सीखूँगा। यह फ़ैसला करने का मतलब था अपने ग़रीब डैडी की बातों पर ध्यान न देना, हालाँकि उनके पास कॉलेज की बहुत सी डिग्रियाँ थीं जो मेरे अमीर डैडी के पास नहीं थीं।

रॉबर्ट फ़्रॉस्ट का सबक़

रॉबर्ट फ़्रॉस्ट मेरे पसंदीदा कवि हैं। हालाँकि मुझे उनकी बहुत सी कविताएँ पसंद हैं, परंतु द रोड नॉट टेकन मुझे सबसे ज़्यादा पसंद है। मैं इसकी शिक्षा का इस्तेमाल हर रोज़ करता हूँ :

द रोड नॉट टेकन
(वह राह जिसे चुना नहीं गया)

पीले जंगल में दो राहें बँटती थीं,
और अफ़सोस कि मुझे एक को चुनना था।
और मैं अकेला पथिक खड़ा रहा, देर तक
यह देखते हुए कि यह राह कहाँ तक जाती है
झुरमुटों में मुड़ने के पहले;

फिर मैंने दूसरी राह चुनी, उतनी ही सुंदर,
और शायद बेहतर भी,
क्योंकि यहाँ घास ज़्यादा थी और कम लोग गुज़रे थे
हालाँकि लोगों के गुज़रने से यहाँ भी
उतना ही नुक़सान हुआ था।

और दोनों ही उस सुबह बराबर थीं
पत्तियों पर काले क़दम नहीं थे।
और मैंने पहली को अगले दिन के लिए रखा!
पर यह जानते हुए कि किस तरह रास्ते निकलते हैं,
मुझे शक था कि मैं कभी लौटूँगा।

मैं आह भरकर यह कहूँगा
आज से सदियों बाद शायद;
एक जंगल में दो राहें बँटती थीं, और मैंने–
मैंने कम चली हुई राह को चुना,
और इसी बात से सारा फ़र्क़ पड़ा।

– रॉबर्ट फ़्रॉस्ट (1916)

और इसी बात से सारा फ़र्क़ पड़ा।

बहुत समय गुज़र चुका है, पर मैं अब भी अक्सर रॉबर्ट फ़्रॉस्ट की कविता पर चिंतन करता रहता हूँ। पैसे के बारे में अपने पढ़े-लिखे डैडी की

सलाह और नज़रिए को न सुनने का मेरा फ़ैसला दुखद था परंतु यह एक ऐसा फ़ैसला था जिसने मेरी ज़िंदगी की दिशा तय कर दी।

एक बार मैंने यह फ़ैसला कर लिया कि मुझे किसकी बात सुननी है, तो उसके बाद मेरी धन संबंधी शिक्षा शुरू हो गई। मेरे अमीर डैडी ने मुझे 30 साल से भी ज़्यादा समय तक सिखाया, तब तक जब तक कि मेरी उम्र 39 साल नहीं हो गई। और इसके बाद उन्होंने सिखाना बंद कर दिया। उन्होंने यह देख लिया था कि मैं वह सब समझ चुका हूँ जो वे मेरी मोटी बुद्धि में भरने की कोशिश कर रहे थे।

पैसा एक तरह की ताक़त है। परंतु इससे भी बड़ी ताक़त है वित्तीय शिक्षा। पैसा तो आता और जाता रहता है, परंतु अगर आप यह जानते हैं कि पैसा किस तरह से काम करता है, तो आप ज़्यादा ताक़तवर हो जाते हैं और आप दौलत कमाना शुरू कर सकते हैं। केवल सकारात्मक चिंतन से ही समस्या हल नहीं हो सकती क्योंकि ज़्यादातर लोग स्कूल में पढ़ते हैं और वहाँ वे कभी यह नहीं सीख पाते कि पैसा किस तरह से काम करता है, इसलिए वे पैसे के लिए काम करने में अपनी सारी ज़िंदगी बर्बाद कर देते हैं।

मेरी शिक्षा जब शुरू हुई थी तब मैं केवल नौ साल का था और इसी कारण मेरे अमीर डैडी ने मुझे जो पाठ पढ़ाए थे वे बहुत आसान थे। और सारी बातों को छोड़कर विचार किया जाए तो उन्होंने मुझे 30 सालों तक कुल 6 महत्वपूर्ण पाठ पढ़ाए। यह पुस्तक उन्हीं 6 पाठों के बारे में है और इसे भी उतना ही आसान बनाने की कोशिश की गई है जितना कि मेरे अमीर डैडी ने इन्हें मेरे लिए आसान बनाया था। यह पाठ आपके लिए जवाब की तरह नहीं लिखे गए हैं, बल्कि मार्गदर्शक की तरह लिखे गए हैं। ऐसे मार्गदर्शक जो ज़्यादा अमीर बनने में आपकी और आपके बच्चों की मदद करेंगे चाहे बदलती हुई इस अनिश्चित दुनिया में कुछ भी होता रहे।

सबक़ 1 : अमीर लोग पैसे के लिए काम नहीं करते

सबक़ 2 : पैसे की समझ क्यों सिखाई जानी चाहिए?

सबक़ 3 : अपने काम से काम रखो

सबक़ 4 : टैक्स का इतिहास और कॉरपोरेशन्स की ताक़त

सबक़ 5 : अमीर लोग पैसे का आविष्कार करते हैं

सबक़ 6 : सीखने के लिए काम करें – पैसे के लिए काम न करें

अध्याय दो

सबक़ एक :

अमीर लोग पैसे के लिए
काम नहीं करते

"डैडी, क्या आप मुझे बता सकते हैं कि अमीर कैसे बना जाए?"

यह सुनते ही मेरे डैडी ने अपना शाम का अख़बार नीचे रख दिया। "बेटे, तुम अमीर क्यों बनना चाहते हो?"

"क्योंकि आज जिमी की मम्मी अपनी नई कैडिलक कार में आईं और वे लोग पिकनिक पर अपने समुद्र तट वाले घर पर जा रहे थे। जिमी अपने साथ अपने तीन दोस्तों को ले गया, परंतु माइक और मुझे नहीं ले गया। उसने हमसे यह कहा कि वह हमें इसलिए नहीं ले जाएगा क्योंकि हम लोग 'ग़रीब बच्चे' थे।"

"उसने ऐसा कहा?" डैडी ने अविश्वास से पूछा।

"हाँ, बिलकुल ऐसा।" मैंने दर्द भरी आवाज़ में कहा।

डैडी ने अपना सिर हिलाया, नाक तक चश्मे को चढ़ाया और फिर अख़बार पढ़ने लगे। मैं उनके जवाब का इंतज़ार करता रहा।

यह 1956 की बात है। तब मैं नौ साल का था। क़िस्मत की बात थी कि मैं उसी पब्लिक स्कूल में जाता था जिसमें अमीर लोगों के बच्चे पढ़ते थे। हम शुगर प्लांटेशन के क़स्बे में रहते थे। प्लांटेशन के मैनेजर और क़स्बे के बाक़ी अमीर लोग जैसे डॉक्टर, बिज़नेसमैन और बैंकर अपने बच्चों को पहली क्लास से छठी क्लास तक इसी स्कूल में भेजते थे। छठी क्लास के बाद बच्चों को प्रायवेट स्कूलों में भेजा जाता था। अगर मेरा परिवार सड़क के दूसरे छोर पर रह रहा होता तो मुझे अलग तरह के स्कूल में भेजा जाता जहाँ मेरे जैसे परिवारों के बच्चे पढ़ते थे। छठी क्लास के बाद इन बच्चों की तरह मैंने भी पब्लिक इंटरमीडिएट और हाई स्कूल किया होता क्योंकि उनकी ही तरह मेरे लिए भी प्रायवेट स्कूल में जाना संभव नहीं था।

मेरे डैडी ने आख़िर अख़बार को रख दिया। मुझे पता था कि वे क्या सोच रहे थे।

उन्होंने धीमे से शुरुआत की, "अगर तुम अमीर बनना चाहते हो, तो तुम्हें पैसे बनाना सीखना चाहिए।"

मैंने पूछा, "मैं पैसे बनाना किस तरह सीख सकता हूँ?"

"अपने दिमाग़ के इस्तेमाल से," उन्होंने मुस्कराते हुए कहा। जिसका असली मतलब यह था, 'बस, मैं तुम्हें इतना ही बता सकता हूँ' या 'मैं इसका जवाब नहीं जानता, इसलिए मुझे तंग मत करो।'

एक साझेदारी हुई

अगली सुबह मैंने अपने सबसे अच्छे दोस्त माइक को अपने डैडी की बातें बताईं। जहाँ तक मुझे याद है, उस स्कूल में मैं और माइक ही दो ग़रीब बच्चे थे। माइक भी मेरी ही तरह था क्योंकि वह भी क़िस्मत की वजह से ही उस स्कूल में था। ऐसा लगता था जैसे किसी ने क़स्बे में स्कूलों की सरहदें तय कर दी थीं और इसी कारण हम लोग अमीर बच्चों के स्कूल में पढ़ रहे थे। सच कहा जाए तो हम लोग ग़रीब नहीं थे, परंतु हमें ऐसा लगता था क्योंकि बाक़ी सभी बच्चों के पास नए बेसबॉल ग्लव्ज़, नई साइकलें और हर चीज़ नई होती थी।

मम्मी और डैडी ने हमें ज़रूरत की सभी चीज़ें दी थीं, जैसे खाना, घर, कपड़े। लेकिन इससे ज़्यादा कुछ नहीं। मेरे डैडी कहा करते थे, 'अगर तुम्हें कोई चीज़ चाहिए, तो उसके लिए काम करो।' हमें बहुत सी चीज़ें चाहिए थीं, लेकिन नौ साल के बच्चों के करने के लिए ज़्यादा काम मौजूद नहीं थे।

माइक ने पूछा, "तो पैसा कमाने के लिए हमें क्या करना चाहिए?"

"मैं नहीं जानता," मैंने कहा। "लेकिन क्या तुम इस काम में मेरे पार्टनर बनना चाहते हो?"

वह राज़ी हो गया और उस शनिवार की सुबह माइक मेरा पहला बिज़नेस पार्टनर बन गया। हम दोनों पूरी सुबह यही सोचते रहे कि पैसा किस तरह कमाया जाए। कभी-कभार हम उन "बेफ़िक्र बच्चों" के बारे में बातें करते रहे जो जिमी के समुद्रतट वाले घर पर मज़े कर रहे होंगे। इससे थोड़ी चोट पहुँचती थी, परंतु यह चोट अच्छी थी क्योंकि इसने हमें यह सोचने के लिए प्रेरित किया कि पैसा कैसे कमाया जाए। आख़िरकार उस दोपहर को हमारे दिमाग़ में बिजली कौंध गई। यह एक ऐसा विचार था जो माइक ने किसी विज्ञान की किताब में पढ़ा था। रोमांचित होकर, हमने अपने हाथ मिलाए और पार्टनरशिप के पास अब एक बिज़नेस था।

अगले कुछ हफ़्तों तक मैं और माइक आस-पास के इलाक़े में दौड़-भाग करते रहे। हम दरवाज़ों पर दस्तक देते थे और पड़ोसियों से कहते थे कि वे अपने इस्तेमाल किए हुए टूथपेस्ट ट्यूब हमारे लिए रख लें। हैरत से हमें देखते हुए ज़्यादातर लोगों ने मुस्कराकर हमारी बात मान ली। कुछ ने हमसे पूछा कि हमें टूथपेस्ट ट्यूब क्यों चाहिए? इसके जवाब में हमने कहा, "हम आपको यह नहीं बता सकते। यह एक बिज़नेस सीक्रेट है।"

सप्ताह गुज़रते गए और मेरी माँ बहुत दुखी हो गईं। अपने कच्चे माल को इकट्ठा करने के लिए हमने जो जगह चुनी थी वह उनकी वॉशिंग मशीन के ठीक पास थी। एक भूरे कार्डबोर्ड के डिब्बे में जिसमें कभी केचप की बोतलें रखी रहती थीं, हमारे इस्तेमाल किए हुए टूथपेस्ट के ट्यूब्स की संख्या बढ़ने लगी।

आख़िर एक दिन माँ के सब्र का बाँध टूट गया। पड़ोसियों के मुड़े-तुड़े और इस्तेमाल किए हुए टूथपेस्ट ट्यूब्स को देखते-देखते वे ऊब गई थीं। उन्होंने पूछा, "तुम लोग कर क्या रहे हो? और मैं यह नहीं सुनना चाहती कि यह एक बिज़नेस सीक्रेट है। इस कचरे को साफ़ कर दो या मैं इसे उठाकर बाहर फेंक देती हूँ।"

माइक और मैंने उनके हाथ-पैर जोड़े और उन्हें यह बताया कि जल्दी ही हमारा कच्चा माल पर्याप्त जमा हो जाएगा और फिर हम उत्पादन शुरू कर देंगे। हमने उन्हें बताया कि हम कुछ पड़ोसियों का इंतज़ार कर रहे थे ताकि वे अपने टूथपेस्ट के ट्यूब्स ख़त्म कर लें। माँ ने हमें एक हफ़्ते की मोहलत और दे दी।

उत्पादन शुरू होने की तारीख़ क़रीब आ गई थी। दबाव बढ़ चुका था। हमारे वेअरहाउस के मालिक यानी मेरी माँ ने हमारी पहली पार्टनरशिप कंपनी को जगह ख़ाली करने का नोटिस थमा दिया था। अब माइक का काम यह था कि वह पड़ोसियों को अपने टूथपेस्ट जल्दी ख़त्म करने के लिए कहे और साथ में यह भी जोड़ दे, दाँत के डॉक्टरों का कहना है कि दिन में कई बार ब्रश करना चाहिए। मैं उत्पादन की प्रक्रिया को ठीक-ठाक करने में जुट गया।

एक दिन मेरे डैडी अपने एक दोस्त के साथ कार में बैठकर पोर्च में आए और उनके आश्चर्य का ठिकाना नहीं रहा जब उन्होंने वहाँ नौ साल के दो बच्चों को उत्पादन की प्रक्रिया में पूरी गति से जुटे देखा। हर जगह बारीक सफ़ेद पाउडर बिखरा हुआ था। एक लंबी मेज़ पर स्कूल से लाए गए दूध के छोटे कार्टन थे और हमारे परिवार की हिबाची ग्रिल लाल दहकते कोयलों के साथ अधिकतम गर्मी पर जल रही थी।

डैडी सावधानी से चलकर हमारे क़रीब आए। चूँकि हमारे उत्पादन की प्रक्रिया ने पोर्च पर क़ब्ज़ा कर लिया था इसलिए उन्हें कार बाहर ही खड़ी करनी पड़ी। जब वे और उनके दोस्त पास आए, तो उन्होंने कोयलों के ऊपर

रखा एक स्टील का बर्तन देखा जिसमें टूथपेस्ट के ट्यूब पिघल रहे थे। उन दिनों टूथपेस्ट प्लास्टिक के ट्यूब्स में नहीं आते थे। ट्यूब सीसे के बने होते थे। एक बार पेंट जल जाने पर हम ट्यूब्स को स्टील के बर्तन में डाल देते थे ताकि वह पिघलकर द्रव रूप में आ सकें। इस पिघले हुए सीसे को हम छोटे छेद वाले दूध के कार्टनों में डाल रहे थे।

दूध के इन कार्टनों में प्लास्टर ऑफ़ पेरिस भरा था। हर तरफ़ फैला सफ़ेद पाउडर प्लास्टर ही था, जिसमें हमने पानी मिलाया था। जल्दबाज़ी में, मैंने उसके बैग को गिरा दिया था और पूरी ज़मीन ऐसी लग रही थी जैसे वहाँ अभी-अभी बर्फ़ का तूफ़ान आया हो। दूध के कार्टन बाहरी बक्से थे जिसके भीतर प्लास्टर ऑफ़ पेरिस के साँचे थे।

मेरे डैडी और उनके दोस्त हमें देखते रहे और हम पिघले हुए सीसे को प्लास्टर ऑफ़ पेरिस के क्यूब के ऊपर से छोटे से छेद में डालते रहे।

"सँभलकर," मेरे डैडी ने कहा।

मैंने बिना सिर उठाए हामी भर दी।

आख़िरकार जब सीसे को डालने का काम ख़त्म हो गया तो मैंने स्टील के बर्तन को नीचे रख दिया और फिर अपने डैडी की तरफ़ देखकर मुस्कराया।

उन्होंने हल्की मुस्कान के साथ पूछा, "तुम लोग क्या कर रहे हो?"

"हम वही कर रहे हैं, जो आपने बताया था। हम अमीर बनने जा रहे हैं," मैंने कहा।

"हाँ," माइक ने सिर को हिलाते हुए और मुस्कराते हुए कहा। "हम दोनों पार्टनर हैं।"

डैडी ने पूछा, "और इन प्लास्टर के साँचों में क्या है?"

"देखिए," मैंने कहा। "इसमें एक बहुत अच्छी चीज़ है।"

छोटे हथौड़े से मैंने सील को ठोका जिससे बाहरी खोल टूट गया। सावधानी से मैंने ऊपर के आधे प्लास्टर को हटाया और जस्ते का एक सिक्का बाहर गिर गया।

"हे, भगवान!" मेरे डैडी ने कहा। "तो तुम लोग जस्ते के सिक्के ढाल रहे थे।"

"बिलकुल सही," माइक ने कहा। "हम वही कर रहे थे जैसा आपने हमसे कहा था। हम पैसा बना रहे थे।"

मेरे डैडी के दोस्त ज़ोर से हँसने लगे। मेरे डैडी भी मुस्कराए और उन्होंने अपना सिर हिलाया। उनके सामने आग और टूथपेस्ट की ट्यूब्स के बक्से के

साथ सफ़ेद धूल में लिपटे हुए दो बच्चे खड़े थे, जो इस कान से उस कान तक खुलकर मुस्करा रहे थे।

उन्होंने हमसे कहा कि हम सब कुछ छोड़कर उनके साथ चलें और घर के सामने वाली सीढ़ी पर बैठें। मुस्कराते हुए उन्होंने हमें "जालसाज़ी" शब्द का मतलब समझाया।

हमारे सपने धराशायी हो गए थे। "तो आपका मतलब है कि यह ग़ैरक़ानूनी है?" माइक ने काँपती आवाज़ में पूछा।

"छोड़ो भी," डैडी के दोस्त ने कहा। "हो सकता है कि बच्चे अपनी जन्मजात प्रतिभा को विकसित कर रहे हों।"

मेरे डैडी उन्हें घूरते रहे।

"हाँ, यह ग़ैरक़ानूनी है," डैडी ने नरमी से कहा। "परंतु तुम लोगों ने यह साबित कर दिया है कि तुममें बहुत ज़्यादा रचनात्मकता और मौलिक विचार हैं। इसी तरह आगे बढ़ते रहो। मुझे तुम पर गर्व है!"

निराश होकर, माइक और मैं तक़रीबन बीस मिनट तक चुपचाप अपना सिर पकड़कर बैठे रहे। इसके बाद हमने सारा अटाला साफ़ करना शुरू किया। पहले ही दिन हमारा बिज़नेस चौपट हो गया था। पाउडर साफ़ करते हुए मैंने माइक की ओर देखा और कहा, "मुझे लगता है जिमी और उसके दोस्त ठीक कहते हैं। हम सचमुच ग़रीब हैं।"

जब मैंने यह कहा तब डैडी बस जाने ही वाले थे। "बच्चो," उन्होंने कहा, "तुम ग़रीब तभी कहलाओगे जब तुम लोग हार मान लोगे। सबसे महत्वपूर्ण चीज़ यह है कि तुमने कुछ किया। ज़्यादातर लोग केवल अमीर बनने के बारे में बातें करते रहते हैं और उसके सपने देखते रहते हैं। तुमने कुछ किया है। मुझे तुम दोनों पर गर्व है। मैं एक बार फिर से यही कहूँगा। आगे बढ़े चलो। हार मत मानो।"

माइक और मैं ख़ामोश खड़े रहे। ये शब्द सुनने में अच्छे थे, परंतु हमें यह पता नहीं था कि हमें क्या करना चाहिए।

"तो ऐसा क्यों है, डैडी, कि आप अमीर नहीं हैं?" मैंने पूछा।

"क्योंकि मैंने एक स्कूल टीचर बनने का फ़ैसला किया था। स्कूल के टीचर अमीर बनने के बारे में नहीं सोचते। हम सिर्फ़ पढ़ाना पसंद करते हैं। काश कि मैं तुम लोगों की मदद कर सकता, परंतु हक़ीक़त में मैं यह नहीं जानता कि दौलत कैसे कमाई जाती है।"

माइक और मैं पलटे और अपने सफ़ाई अभियान में जुट गए।

डैडी ने कहा, "अगर तुम लोग यह सीखना ही चाहते हो कि अमीर कैसे बना जाता है, तो मुझसे मत पूछो। माइक, तुम अपने डैडी से यह सवाल पूछो।"

"मेरे डैडी?" माइक ने हैरानी से कहा।

"हाँ, तुम्हारे डैडी," मेरे डैडी ने मुस्कराकर दोहराया। "तुम्हारे डैडी और मेरा बैंकर एक ही है और वह तुम्हारे डैडी की बहुत तारीफ़ करता है। उसने मुझे कई बार यह बताया है कि पैसा बनाने में तुम्हारे डैडी का कोई जवाब नहीं है।"

"मेरे डैडी?" माइक ने एक बार फिर हैरानी से पूछा। "फिर ऐसा क्यों है कि स्कूल के अमीर बच्चों की तरह हमारे पास शानदार कार और आलीशान बंगला नहीं है?"

"शानदार कार और आलीशान बंगले के होने का यह मतलब नहीं होता कि आप निश्चित रूप से अमीर हैं या आप पैसा बनाने की कला जानते हैं।" डैडी ने जवाब दिया। "जिमी के डैडी शुगर प्लांटेशन में काम करते हैं। उनमें और मुझमें ज़्यादा फ़र्क़ नहीं है। वे एक कंपनी के लिए काम करते हैं और मैं सरकार के लिए। कंपनी उन्हें कार ख़रीदकर दे देती है। इस समय शकर की कंपनी आर्थिक संकट में फँसी हुई है और जिमी के डैडी के पास जल्द ही कुछ नहीं बचेगा। तुम्हारे डैडी अलग हैं, माइक। ऐसा लगता है कि वे एक साम्राज्य बनाने जा रहे हैं और मेरा अंदाज़ है कि कुछ ही सालों में वे बहुत अमीर बन जाएँगे।"

यह सुनकर माइक और मैं एक बार फिर रोमांचित हो गए। नए उत्साह से हमने अपने डूबे हुए व्यवसाय के कचरे को साफ़ करना शुरू कर दिया। जब हम सफ़ाई कर रहे थे, तो हमने यह भी योजना बना ली कि कब और कैसे माइक के डैडी से बात की जाए। समस्या यह थी कि माइक के डैडी बहुत ज़्यादा काम करते थे और देर रात तक घर नहीं लौटते थे। माइक के डैडी के पास कई वेयरहाउस, कंस्ट्रक्शन कंपनी, स्टोर्स की श्रृंखला और तीन रेस्तराँ थे। रेस्तराँओं के कारण ही उन्हें घर लौटने में देर हो जाती थी।

सफ़ाई ख़त्म करने के बाद माइक बस पकड़कर अपने घर चला गया। वह अपने डैडी से बात करने वाला था, चाहे वे कितनी ही देर से घर लौटें और उनसे पूछने वाला था कि क्या वे हमें अमीर बनने की तरकीब सिखाने के लिए तैयार हैं। माइक ने मुझसे वादा किया कि जैसे ही वह अपने डैडी से बात कर लेगा, वह मुझे फ़ोन करेगा, चाहे कितनी ही देर क्यों न हो जाए।

फ़ोन रात को 8:30 बजे आया।

"ओके, अगले शनिवार," मैंने कहा। और फ़ोन रख दिया। माइक के डैडी माइक और मुझसे मिलने के लिए तैयार हो गए थे।

शनिवार की सुबह 7:30 बजे मैंने शहर के दूसरे हिस्से में जाने के लिए बस पकड़ी।

और सबक़ शुरू हुए

"मैं तुम्हें एक घंटे के दस सेंट दूँगा।"

1956 की तनख़्वाह के हिसाब से भी दस सेंट प्रति घंटे का वेतन कम था।

माइकल और मैं सुबह 8 बजे उसके डैडी से मिले। वे पहले से ही व्यस्त थे और उनके पास एक घंटे से भी ज़्यादा का काम मौजूद था। जब मैं उनके साधारण, छोटे और साफ़ घर के सामने पहुँचा तो मैंने देखा कि उनका कंस्ट्रक्शन सुपरवाइज़र अपने पिकअप ट्रक में वहाँ से जा रहा था। माइक मुझे दरवाज़े पर ही मिल गया।

"डैडी अभी फ़ोन पर हैं, और उन्होंने कहा है कि हम लोग पीछे के पोर्च में उनका इंतज़ार करें।" माइक ने दरवाजा खोलते हुए कहा।

जब मैंने उस पुराने घर की दहलीज़ के अंदर क़दम रखा तो लकड़ी के पुराने फ़र्श की चरमराहट सुनाई दी। दरवाज़े के भीतर सस्ती सी चटाई थी। चटाई वहाँ इसलिए रखी गई थी ताकि फ़र्श पर पड़े अनगिनत क़दमों के निशानों को छुपाया जा सके। हालाँकि वह साफ़ थी, पर यह स्पष्ट दिखता था कि उसे बदल देना चाहिए।

जब मैं सँकरे लिविंग रूम में घुसा तो मेरा दम घुटने लगा था। वहाँ पुराने फ़र्नीचर की बू आ रही थी और निश्चित रूप से उस फ़र्नीचर को संग्रहालय में होना चाहिए था। सोफ़े पर दो महिलाएँ बैठी थीं, जिनकी उम्र मेरी माँ से थोड़ी ज़्यादा होगी। महिलाओं के सामने एक पुरुष मज़दूरों के कपड़ों में बैठा हुआ था। उसने ख़ाकी पैंट और ख़ाकी शर्ट पहन रखा था। हालाँकि कपड़े साफ़ और प्रेस किए थे, परंतु उनमें स्टार्च नहीं किया गया था। उस आदमी की उम्र मेरे डैडी से लगभग दस साल ज़्यादा होगी, शायद 45 साल। जब मैं और माइक उनके पास से गुज़रते हुए किचन की तरफ़ गए जहाँ से पोर्च का रास्ता था, तो वे मुस्कराए। मैं भी जवाब में शरमाकर मुस्करा दिया।

"ये लोग कौन हैं?" मैंने पूछा।

"अरे, ये लोग डैडी के लिए काम करते हैं। बूढ़ा व्यक्ति उनके वेयरहाउसों को सँभालता है और महिलाएँ रेस्तराँओं की मैनेजर हैं। और तुमने उस कंस्ट्रक्शन सुपरवाइज़र को तो देखा ही होगा जो यहाँ से 50 मील दूर एक सड़क परियोजना पर काम कर रहा है। उनका दूसरा सुपरवाइज़र, जो बहुत से घर बना रहा है, वह तुम्हारे आने के पहले ही जा चुका है।"

"क्या ऐसा हमेशा ही होता है?" मैंने पूछा।

"हमेशा तो नहीं, पर अक्सर ऐसा ही होता है," माइक ने कहा, और मेरे पास अपनी कुर्सी खींचते हुए वह मुस्कराया।

"मैंने उनसे पूछा था कि क्या वे हमें पैसा बनाना सिखाएँगे," माइक ने मुझे बताया।

"अच्छा, और उन्होंने इसका क्या जवाब दिया?" मैंने सावधानीपूर्ण उत्सुकता से पूछा।

"पहले तो उनके चेहरे पर हँसी आई, पर फिर कुछ सोचकर उन्होंने कहा कि वे हमारे सामने एक ऑफ़र रखेंगे।"

"अच्छा," मैंने कहा और अपनी कुर्सी की पीठ दीवार से टिका ली। मैं वहाँ कुर्सी के पिछले दो पैरों के सहारे टिका बैठा रहा।

माइक ने भी ऐसा ही किया।

"क्या तुम्हें पता है कि वे कौन सा ऑफ़र देने वाले हैं?" मैंने पूछा।

"नहीं, पर हमें जल्दी ही इसका पता चल जाएगा।"

अचानक, माइक के डैडी उस पुराने दरवाज़े से घुसकर पोर्च में दाख़िल हुए। माइक और मैं अपने पैरों पर कूद गए, आदर के कारण नहीं, बल्कि इसलिए कि हम चौंक गए थे।

"तो बच्चो, तैयार?" माइक के डैडी ने एक कुर्सी हमारे पास खिसकाते हुए पूछा।

हमने अपने सिर हिलाए और अपनी कुर्सियों को दीवार के पास से खींचकर उनके सामने रख लिया।

वे एक विशाल शरीर के मालिक थे, लगभग 6 फ़ीट ऊँचे और 200 पाउंड वज़नी। मेरे डैडी इससे ऊँचे थे, लगभग इसी वज़न के और माइक के डैडी से पाँच साल बड़े। वे लगभग एक जैसे ही थे, हालाँकि दोनों एक ही प्रजाति के नहीं थे। हो सकता है कि उनकी ऊर्जा एक सी हो।

"माइक का कहना है कि तुम पैसा कमाना सीखना चाहते हो? क्या यह सही है, रॉबर्ट?"

मैंने तत्काल सहमति में अपना सिर हिलाया, हालाँकि मुझे थोड़ा सा डर भी लग रहा था। उनके शब्दों और मुस्कराहट के पीछे बहुत ताक़त थी।

"अच्छा, यह रहा मेरा ऑफ़र। मैं तुम्हें सिखाऊँगा लेकिन मैं ऐसा क्लासरूम की शैली में नहीं करूँगा। अगर तुम मेरे लिए काम करोगे, तो उसके बदले में मैं तुम्हें सिखाऊँगा। तुम मेरे लिए काम नहीं करोगे, तो मैं तुम्हें नहीं सिखाऊँगा। अगर तुम काम करते हो, तो मैं तुम्हें ज़्यादा तेज़ी से सिखा सकता हूँ और अगर तुम सिर्फ़ बैठकर मेरी बातें सुनते हो जैसा कि तुम लोग स्कूल में करते हो तो इससे मेरा समय बर्बाद होगा। यह मेरा ऑफ़र है। इसे या तो

मान लो या फिर वापस लौट जाओ।"

"क्या मैं आपसे पहले एक सवाल कर सकता हूँ?" मैंने पूछा।

"नहीं। इसे या तो मान लो या फिर वापस लौट जाओ। मेरे पास बर्बाद करने के लिए फ़ालतू समय नहीं है। अभी ढेर सा काम पड़ा हुआ है। अगर तुममें तत्काल फ़ैसला करने की क्षमता नहीं है तो तुम कभी पैसे कमाना नहीं सीख पाओगे। मौक़े आते हैं और चले जाते हैं। इसलिए तत्काल निर्णय लेने की क्षमता एक महत्वपूर्ण कला है। तुमने जैसा चाहा था, वैसा एक मौक़ा तुम्हारे सामने मौजूद है। अगले दस सेकंड में या तो पढ़ाई शुरू हो जाएगी या फिर यह हमेशा के लिए ख़त्म हो जाएगी।" माइक के डैडी ने चिढ़ाने वाली मुस्कराहट के साथ कहा।

"मंज़ूर," मैंने कहा।

"मंज़ूर," माइक ने कहा।

"बहुत बढ़िया," माइक के डैडी ने कहा। "दस मिनट में मिसेज़ मार्टिन आ जाएँगी। उनसे बातें करने के बाद मैं तुम्हें उनके साथ भेज दूँगा और तुम लोगों का काम शुरू हो जाएगा। मैं तुम्हें हर घंटे के दस सेंट दूँगा और तुम हर शनिवार तीन घंटे काम करोगे।"

"पर आज तो मेरा सॉफ़्टबॉल का मैच है।" मैंने कहा।

माइक के डैडी ने अपनी आवाज़ को धीमा परंतु कड़क करके कहा, "या तो मान लो या फिर वापस लौट जाओ।"

"मान लिया," मैंने जवाब दिया। सॉफ़्टबॉल खेलने के बजाय काम करने और सीखने का विकल्प चुनने में ही समझदारी थी।

30 सेंट बाद

शनिवार की ख़ुशनुमा सुबह 9 बजे माइक और मैं मिसेज़ मार्टिन के साथ काम कर रहे थे। वे एक दयालु और धैर्यवान महिला थीं। वे हमेशा कहा करती थीं कि माइक और मुझे देखकर उन्हें अपने दोनों बच्चों की याद आ जाती है जो अब बड़े हो गए थे तथा दूर चले गए थे। हालाँकि वे दयालु थीं, परंतु वे कड़ी मेहनत में विश्वास करती थीं और इसलिए वे हमें हमेशा काम में जुटाए रखती थीं। वे बहुत कड़क मैनेजर थीं। हम तीन घंटे तक डिब्बाबंद सामानों को शेल्फ़ पर से उतारते थे, उनकी धूल साफ़ करते थे और फिर उन्हें क़रीने से जमाते थे। यह बड़ी मेहनत का काम था और बोरियत भरा भी।

माइक के डैडी को मैं अपना अमीर डैडी कहता हूँ। उनके पास इस तरह के नौ सुपरेट्स थे जहाँ पार्किंग के लिए बहुत सी जगह थी। वे 7-11

कन्वीनियेंस स्टोर्स के शुरुआती संस्करण थे। पड़ोस के जनरल स्टोर जहाँ लोग दूध, ब्रेड, बटर और सिगरेट जैसी चीज़ें ख़रीदते हैं। समस्या यह थी कि हवाई में एयर कंडीशनिंग नहीं थी और गर्मी के कारण स्टोर्स अपना दरवाज़ा बंद नहीं कर सकते थे। स्टोर के दोनों ओर दरवाज़ों को पूरा खुला रखा जाता था ताकि सड़क और पार्किंग की जगह सामने दिखती रहे। जब भी कोई कार पार्किंग में आती थी तो उसके साथ धूल का ग़ुबार भी आता था जो स्टोर में घुसकर डिब्बों पर जम जाता था।

इसलिए हम लोगों की नौकरी तभी तक चलती, जब तक कि एयर कंडीशनिंग नहीं हो जाती।

तीन हफ़्तों तक, माइक और मैं मिसेज़ मार्टिन के पास जाकर तीन घंटे तक काम करते रहे। दोपहर तक हमारा काम ख़त्म हो जाता था और वे हममें से हर एक के हाथ में तीन छोटे सिक्के डाल देती थीं। उस समय पचास के दशक में नौ साल की उम्र में भी 30 सेंट कमाने में कोई ख़ास ख़ुशी नहीं होती थी। तब कॉमिक्स की क़ीमत 10 सेंट हुआ करती थी इसलिए मैं अपनी कमाई को कॉमिक्स पर ख़र्च कर देता था और घर लौट जाता था।

चौथे हफ़्ते के बुधवार तक मैंने काम छोड़ने का मन बना लिया था। मैं सिर्फ़ इसलिए काम करने के लिए तैयार हुआ था क्योंकि मैं माइक के डैडी से पैसा कमाना सीखना चाहता था। इसीलिए मैं 10 सेंट प्रति घंटे की ग़ुलामी कर रहा था। और सबसे बड़ी बात तो यह थी कि उस पहले शनिवार के बाद से मैंने माइक के डैडी को देखा तक नहीं था।

"मैं काम छोड़ रहा हूँ," मैंने लंच के समय माइक से कहा। स्कूल लंच बड़ा निराशाजनक था। स्कूल भी उबाऊ था और अब तो मेरे पास शनिवार भी नहीं थे जिसका मैं इंतज़ार कर सकूँ। परंतु 30 सेंट के कारण मुझे धक्का पहुँचा था।

इस बार माइक मुस्कराया।

"तुम किस बात पर हँस रहे हो?" मैंने ग़ुस्से और कुंठा से पूछा।

"डैडी ने कहा था कि ऐसा ही होगा। उन्होंने कहा था कि जब तुम काम छोड़ने का फ़ैसला कर लो तब वे तुमसे मिलना चाहेंगे।"

"क्या?" मैंने आवेश में पूछा। "क्या वे मेरे उकता जाने का इंतज़ार कर रहे थे?"

"कुछ-कुछ," माइक ने कहा। "मेरे डैडी ज़रा अलग क़िस्म के हैं। उनका सिखाने का तरीक़ा तुम्हारे डैडी के पढ़ाने के तरीक़े से बिलकुल अलग है। तुम्हारे मम्मी-डैडी बहुत बातें करते हैं। दूसरी तरफ़ मेरे डैडी बहुत कम बोलते हैं। तुम सिर्फ़ इस शनिवार तक इंतज़ार कर लो। मैं उन्हें बता दूँगा कि तुमने काम छोड़ने का फ़ैसला कर लिया है।"

"इसका मतलब यह है कि मेरे साथ नाटक खेला गया है?"

"नहीं, ऐसा नहीं हुआ है, पर शायद हो सकता है। डैडी शनिवार को इसके बारे में समझाएँगे।"

शनिवार को लाइन में लगकर इंतज़ार करते हुए

मैं उनका सामना करने के लिए तैयार था। यहाँ तक कि मेरे असली डैडी भी उनसे नाराज़ थे। मेरे असली डैडी, जिन्हें मैं ग़रीब डैडी कहता हूँ, यह मानते थे कि मेरे अमीर डैडी बाल श्रम क़ानूनों का उल्लंघन कर रहे थे और इस पूरे मामले की जाँच होनी चाहिए।

मेरे पढ़े-लिखे ग़रीब डैडी ने मुझसे यह कहा कि मैं सही तनख़्वाह माँगूँ। कम से कम 25 सेंट प्रति घंटा। मेरे ग़रीब डैडी ने मुझसे कहा कि अगर मेरी तनख़्वाह नहीं बढ़ती है, तो मुझे तत्काल नौकरी छोड़ देनी चाहिए।

"और वैसे भी तुम्हें उस घटिया काम की कोई ज़रूरत नहीं है," मेरे ग़रीब डैडी ने झल्लाकर कहा।

शनिवार को सुबह 8 बजे मैं एक बार फिर माइक के घर के उसी पुराने दरवाज़े के अंदर घुस रहा था।

"कुर्सी पर बैठो और लाइन में इंतज़ार करो," माइक के डैडी ने मेरे घुसते ही कहा। फिर वे अंदर जाकर अपने छोटे से ऑफ़िस में बैठ गए जो बेडरूम के पास था।

मैंने कमरे में चारों तरफ़ देखा, परंतु मुझे माइक नहीं दिखा। अजीब सा महसूस करते हुए मैं उन्हीं दोनों महिलाओं के बग़ल में बैठ गया जो मुझे चार हफ़्ते पहले वहीं पर मिली थीं। वे मुस्कराईं और सोफ़े पर थोड़ी सी खिसक गईं ताकि मैं भी बैठ सकूँ।

पैंतालीस मिनट गुज़र गए थे और मैं उबल रहा था। दोनों महिलाएँ उनसे मिलकर तक़रीबन तीस मिनट पहले वहाँ से जा चुकी थीं। एक बूढ़ा सा आदमी वहाँ बीस मिनट तक बैठा और फिर वह भी निकलकर चला गया।

घर ख़ाली था और हवाई में ख़ुशनुमा सुबह को मैं सीलन भरे अँधेरे लिविंग रूम में बैठा हुआ था, और इस बात का इंतज़ार कर रहा था कि एक लालची और बच्चों का शोषण करने वाला आदमी मुझसे बातें करे। मैं सुन सकता था कि वे फ़ोन पर बातें कर रहे थे, ऑफ़िस में इधर-उधर के काम कर रहे थे और मुझे नज़रअंदाज़ कर रहे थे। मेरी इच्छा तो हो रही थी कि मैं उस घमंडी आदमी से बिना मिले ही घर लौट जाऊँ, पर किसी वजह से मैं रुक गया।

आख़िर पंद्रह मिनट बाद, ठीक 9 बजे, अमीर डैडी अपने ऑफ़िस से

बाहर निकले। बिना कुछ कहे उन्होंने हाथ से मुझे इशारा किया कि मैं उनके दड़बेनुमा ऑफ़िस में आ जाऊँ।

अमीर डैडी ने अपनी ऑफ़िस कुर्सी पर बैठते हुए कहा, "या तो तुम्हारी तनख़्वाह बढ़ाई जाए, या तुम काम छोड़ रहे हो, है ना?"

"हाँ, समझौते के मुताबिक़ आप अपनी शर्त पूरी नहीं कर रहे हैं," मैंने लगभग आँसुओं से भीगे स्वर में कहा। नौ साल के बच्चे के लिए एक वयस्क का सामना करना बहुत ज़्यादा डरावना था।

"आपने कहा था कि अगर मैं आपके लिए काम करूँगा तो आप मुझे पैसा कमाना सिखाएँगे। अपनी तरफ़ से मैंने आपके लिए काम किया है। मैंने कड़ी मेहनत की है। इस काम के लिए मैंने अपने बेसबॉल गेम की भी क़ुर्बानी दी है। और अब आप अपने वादे से मुकर रहे हैं। आपने मुझे कुछ भी नहीं सिखाया है। आप धोखेबाज़ हैं, जैसा शहर के सभी लोग कहते हैं। आप लालची हैं। आप केवल पैसा कमाना चाहते हैं और अपने कर्मचारियों का बिलकुल ध्यान नहीं रखते। आपने मुझे इतनी देर तक बाहर बिठाए रखा और मेरी ज़रा भी इज़्ज़त नहीं की। मैं एक छोटा सा बच्चा हूँ और आपको मेरे साथ इससे बेहतर बर्ताव करना चाहिए था।"

अमीर डैडी अपनी कुर्सी पर पीछे झुक गए। अपने हाथों को ठुड्डी तक लाकर उन्होंने मुझे घूरा। ऐसा लग रहा था जैसे वे मेरा विश्लेषण कर रहे थे।

"बुरा नहीं है," उन्होंने कहा। "एक महीने से भी कम समय में, तुम वही भाषा बोल रहे हो जो मेरे ज़्यादातर कर्मचारी बोलते हैं।"

"क्या?" मैंने पूछा। मैं समझ नहीं पा रहा था कि वे क्या कह रहे थे और इसलिए मैंने अपना दुखड़ा रोना चालू रखा। "मुझे लगता था कि आप अपने वादे पर क़ायम रहेंगे और मुझे कुछ सिखाएँगे। इसके बजाय आप तो मुझ पर अत्याचार करना चाहते हैं? यह तो ज़ुल्म है। सरासर ज़ुल्म।"

"मैं तुम्हें सिखा तो रहा हूँ," अमीर डैडी ने धीमी आवाज़ में कहा।

"आपने मुझे क्या सिखाया है? कुछ भी नहीं!" मैंने ग़ुस्से से कहा। "एक बार मैं चंद सिक्कों में काम करने के लिए तैयार हो गया, उसके बाद तो आपने मुझसे बात तक नहीं की। दस सेंट प्रति घंटे। मैं आपकी शिकायत सरकार से करूँगा। हमारे देश में भी बाल श्रम क़ानून है। आप तो जानते ही हैं कि मेरे डैडी सरकार के लिए काम करते हैं।"

"शाबाश!" अमीर डैडी ने कहा। "अब तुम उन ज़्यादातर लोगों की भाषा बोल रहे हो जो कभी मेरे लिए काम करते थे। वे लोग जिन्हें या तो मैंने नौकरी से निकाल दिया है या जिन्होंने ख़ुद मेरी नौकरी छोड़ दी है।"

"तो इस बारे में आपको क्या कहना है ?" मैंने पूछा, और मुझे यह लग रहा था कि कम उम्र के बावजूद मैं बहादुरी से बातें कर रहा था। "आपने मुझसे झूठ बोला। मैंने आपके लिए काम किया और आपने अपना वादा पूरा नहीं किया। आपने मुझे कुछ भी नहीं सिखाया।"

"कौन कहता है कि मैंने तुम्हें कुछ नहीं सिखाया है ?" मेरे अमीर डैडी ने शांति से कहा।

"मैंने तीन हफ़्ते तक काम किया और इस बीच आपने सिखाना तो दूर रहा, मुझसे कभी बात तक नहीं की।" मैंने व्यंग्य भरे अंदाज़ में कहा।

"क्या सिखाने का मतलब केवल भाषण या बातचीत ही होता है ?" अमीर डैडी ने पूछा।

"और क्या ?" मैंने जवाब दिया।

"इस तरह से वे तुम्हें स्कूल में सिखाते हैं," उन्होंने मुस्कराकर कहा। "परंतु ज़िंदगी तुम्हें इस तरह नहीं सिखाती और मेरा यह मानना है कि ज़िंदगी सबसे बढ़िया टीचर होती है। ज़्यादातर वक़्त ज़िंदगी आपसे बातें नहीं करती। यह एक तरह से आपको धक्का देती है। हर धक्के के ज़रिए ज़िंदगी आपसे कहती है, 'जाग जाओ। मैं तुम्हें कुछ सिखाना चाहती हूँ।'"

"यह आदमी कैसी बेसिरपैर की बातें कर रहा है ?" मैंने अपने आप से पूछा। "ज़िंदगी अगर मुझे धक्का देती है तो इसका मतलब यह है कि ज़िंदगी मुझसे बातें करती है ?" अब मैं जान चुका था कि मुझे यह काम तत्काल छोड़ देना चाहिए। मैं किसी ऐसे आदमी से बातें कर रहा था जो पागल था और जिसे ताले में बंद रखने की ज़रूरत थी।

"अगर तुम ज़िंदगी के सबक़ सीखते हो, तो इससे तुम्हें बहुत फ़ायदा होगा। अगर तुम ऐसा नहीं करते हो, तो ज़िंदगी तुम्हें लगातार धक्के देती रहेगी। लोग दो चीज़ें करते हैं। कुछ लोग ज़िंदगी के धक्कों को सहन करते चले जाते हैं। बाक़ी लोग ग़ुस्सा हो जाते हैं और ज़िंदगी को धक्का दे देते हैं। परंतु वे धक्का देते हैं अपने बॉस को, अपने काम को, अपनी पत्नी या पति को। वे यह नहीं जानते कि ज़िंदगी उन्हें धक्का दे रही है।"

मैं नहीं जानता था कि वे किस बारे में बात कर रहे थे।

"ज़िंदगी हम सबको धक्के मारती है। कुछ लोग हार मान लेते हैं। बाक़ी के लोग लड़ते हैं। कुछ लोग सबक़ सीख लेते हैं और आगे बढ़ जाते हैं। वे ज़िंदगी के धक्कों का स्वागत करते हैं। इन गिने-चुने लोगों के लिए इसका यह मतलब होता है कि उन्हें कुछ नया सीखना चाहिए। वे सीखते हैं और आगे बढ़ जाते हैं। ज़्यादातर लोग छोड़ देते हैं, और कुछ लोग तुम्हारी तरह लड़ते भी हैं।"

अमीर डैडी खड़े हो गए और उन्होंने टूटी-फूटी खिड़की को बंद कर दिया। "अगर तुम यह सबक़ सीख लेते हो, तो तुम एक समझदार, अमीर और सुखी युवक बन सकते हो। अगर तुम यह नहीं सीखते हो तो तुम ज़िंदगी भर अपनी समस्याओं के लिए अपनी नौकरी, कम तनख़्वाह या अपने बॉस को कोसते रहोगे। तुम हमेशा ऐसे बड़े मौक़े की उम्मीद करते रहोगे जो आए और तुम्हारी आर्थिक समस्याओं को सुलझा दे।"

अमीर डैडी ने मेरी तरफ़ देखा कि क्या मैं अब भी उनकी बात सुन रहा हूँ। उनकी आँखें मेरी आँखों से मिलीं। हम एक-दूसरे की तरफ़ देखते रहे और हमारी आँखों के बीच संप्रेषण की धाराएँ बहने लगीं। आख़िर जब मैं उनके संदेश का मतलब समझ गया तो मैंने अपनी नज़रें झुका लीं। मैं जान गया था कि वे सही थे। मैं उन्हें दोषी ठहरा रहा था जबकि सीखने की ज़िद मेरी ही थी। मैं फ़ालतू में ही लड़ रहा था।

अमीर डैडी ने आगे कहा, "अगर आप इस तरह के आदमी हैं जिसमें हिम्मत नहीं है तो आप ज़िंदगी के हर थपेड़े के सामने हार मान जाते हैं। अगर आप इस क़िस्म के आदमी हैं तो आप ज़िंदगी भर सुरक्षित खेल खेलते रहेंगे, सही चीज़ें करते रहेंगे और किसी ऐसे वक़्त का इंतज़ार करते रहेंगे जो आने वाला नहीं है। और फिर, आप एक बोरिंग बुड्ढे की तरह मर जाएँगे। आपके बहुत से दोस्त होंगे जो आपकी सिर्फ़ इसलिए तारीफ़ करेंगे क्योंकि आप एक मेहनती और भले आदमी थे। आपने अपनी ज़िंदगी सुरक्षित खेल खेलने और सही चीज़ें करने में गुज़ार दी। परंतु सच बात तो यह है कि आपने ज़िंदगी के थपेड़ों के सामने घुटने टेक दिए। आप ख़तरा मोल लेने की कल्पना तक से डरते थे। हक़ीक़त में तो आप जीतना चाहते थे, परंतु आपके लिए हारने का डर जीतने के रोमांच से ज़्यादा ताक़तवर साबित हुआ। अंदर से आप और केवल आप जान पाएँगे कि आपने कभी जीतने की कोशिश नहीं की। आपने सुरक्षित खेल खेलने का विकल्प चुना।"

हमारी नज़रें एक बार फिर मिलीं। दस सेकंड तक हम एक-दूसरे की तरफ़ देखते रहे, और एक बार फिर मैंने तभी नज़रें हटाईं जब मैं उनकी बात का मतलब समझ गया।

"आप मुझे धक्का दे रहे थे?" मैंने पूछा।

"कुछ लोग ऐसा कह सकते हैं," अमीर डैडी मुस्कराए। "मैं तो यही कहूँगा कि मैं तुम्हें ज़िंदगी का स्वाद चखा रहा था।"

"कैसा स्वाद?" मैंने पूछा, मैं अब भी ग़ुस्सा था, परंतु अब मेरी जिज्ञासा भी जाग गई थी। अब मैं सीखने के लिए भी तैयार था।

"तुम दोनों ऐसे पहले लोग हो जिन्होंने मुझसे पैसा बनाने की कला

सीखने का आग्रह किया। मेरे पास 150 से भी ज़्यादा कर्मचारी हैं पर उनमें से एक ने भी मुझसे पैसा कमाने की कला के बारे में कभी नहीं पूछा। वे मुझसे नौकरी माँगते हैं, तनख़्वाह माँगते हैं परंतु पैसा बनाने की कला नहीं सीखना चाहते। तो ज़्यादातर लोग इसी तरह अपनी ज़िंदगी के सबसे बेहतरीन साल पैसे के लिए काम करने में बर्बाद कर देंगे, और आख़िर तक यह कभी समझ ही नहीं पाएँगे कि दरअसल वे किसके लिए काम कर रहे हैं।"

मैं पूरा ध्यान लगाकर उनकी बात सुनता रहा।

"तो जब माइक ने मुझसे कहा कि तुम पैसा कमाने की कला सीखना चाहते हो, तो मैंने एक ऐसा कोर्स तैयार किया जो असली ज़िंदगी के क़रीब था। मैं बोलते-बोलते थक जाता, परंतु तुम कभी मेरी बात का मतलब नहीं समझ पाते। इसलिए मैंने यह फ़ैसला किया कि तुम्हें ज़िंदगी के थपेड़ों का स्वाद चखा दिया जाए ताकि तुम मेरी बात सुन भी सको और समझ भी सको। इसी कारण मैंने तुम्हें एक घंटे के 10 सेंट दिए थे।"

"तो 10 सेंट प्रति घंटे काम करने के बाद मैंने क्या सबक़ सीखा?" मैंने पूछा। "यही कि आप घटिया हैं और अपने कर्मचारियों का शोषण करते हैं।"

अमीर डैडी अपनी कुर्सी पर पीछे की तरफ़ झुकते हुए ज़ोर से हँसने लगे। जब उनकी हँसी बंद हुई तो उन्होंने कहा, "अच्छा होगा अगर तुम अपना सोचने का नज़रिया बदल लो। मुझे समस्या मत मानो। मुझे दोष देना छोड़ दो। अगर तुम सोचते हो कि तुम्हारी समस्या मैं हूँ, तो तुम्हें मुझे बदलना होगा। इसके बजाय अगर तुम्हें यह लगता है कि तुम्हारी समस्या तुम ख़ुद हो, तो तुम ख़ुद को बदल सकते हो, सीख सकते हो और ज़्यादा समझदार बन सकते हो। ज़्यादातर लोग चाहते हैं कि दुनिया का हर आदमी बदल जाए, बस हम ख़ुद ही न बदलें। मैं तुम्हें यह बता दूँ कि किसी दूसरे को बदलने से ज़्यादा आसान यह है कि हम ख़ुद को बदल लें।"

"मैं आपकी बात ठीक से समझ नहीं पाया," मैंने कहा।

"अपनी समस्याओं के लिए मुझे दोष देना छोड़ दो," अमीर डैडी ने अधीरता से कहा।

"पर आपने मुझे सिर्फ़ 10 सेंट का ही वेतन दिया।"

"तो तुमने क्या सीखा?" अमीर डैडी ने मुस्कराकर पूछा।

"यही कि आप घटिया हैं।" मैंने शरारत भरी मुस्कान के साथ कहा।

"अच्छा, तो तुम यह सोचते हो कि समस्या मैं हूँ," अमीर डैडी ने कहा।

"वो तो आप हैं ही।"

"ख़ैर, इसी तरीक़े से सोचते रहो और तुम ज़िंदगी भर कुछ नहीं सीख पाओगे। अगर तुम्हारा नज़रिया यही है कि समस्या मैं हूँ तो तुम्हारे पास क्या विकल्प रह जाते हैं?"

"अगर आप मेरी तनख़्वाह नहीं बढ़ाते या मुझे ज़्यादा इज़्ज़त नहीं देते हैं तो मैं काम छोड़कर चला जाऊँगा।"

"ठीक कहा," अमीर डैडी ने कहा। "और ज़्यादातर लोग यही करते हैं। वे काम छोड़कर चले जाते हैं और दूसरी नौकरी की तलाश करते हैं, जहाँ उन्हें बेहतर मौक़े और ज़्यादा अच्छी तनख़्वाह मिले। उन्हें यह ग़लतफ़हमी होती है कि नई नौकरी या ज़्यादा तनख़्वाह से उनकी समस्या सुलझ सकती है। ज़्यादातर मामलों में ऐसा नहीं होता।"

"तो समस्या किस तरह सुलझ सकती है?" मैंने पूछा। "10 सेंट प्रति घंटे के हिसाब से तनख़्वाह लेकर मुस्कराते हुए?"

अमीर डैडी मुस्कराए। "यही बाक़ी के लोग करते हैं। वे यह जानते हुए भी कम तनख़्वाह में काम करते हैं क्योंकि नौकरी छूट जाने पर उनका और उनके परिवार का पेट कैसे भरेगा। इसीलिए मन मसोसकर वे नौकरी करते हैं, और यह सोचकर तनख़्वाह बढ़ने का इंतज़ार करते हैं कि ज़्यादा पैसा आने से समस्या सुलझ जाएगी। ज़्यादातर लोग ऐसा ही सोचते हैं और कड़ी मेहनत करते हुए दूसरी नौकरी भी कर लेते हैं, परंतु उसमें भी उन्हें तनख़्वाह कम ही मिलती है।"

मैं फ़र्श को घूरता रहा। अब मैं अमीर डैडी के सबक़ को समझने लगा था। मुझे यह एहसास हो गया था कि यह ज़िंदगी का स्वाद है। आख़िरकार मैंने ऊपर की ओर देखा और अपना सवाल दोहराया, "तो फिर यह समस्या किस तरह सुलझेगी?"

इस सवाल के जवाब में अमीर डैडी ने मुझे वह बेशक़ीमती नज़रिया दिया जो उन्हें अपने कर्मचारियों और मेरे ग़रीब डैडी से अलग करता था - और जिसकी बदौलत वे हवाई के सबसे अमीर आदमी बनने वाले थे, जबकि मेरे पढ़े-लिखे ग़रीब डैडी ज़िंदगी भर पैसे की तंगी से जूझने वाले थे। यह एक अद्भुत नज़रिया था जिसने मेरी ज़िंदगी का नक़्शा ही बदल दिया।

अमीर डैडी ने बार-बार मुझे यह नज़रिया याद दिलाया, जिसे मैं पहला सबक़ कहूँगा।

"ग़रीब और मध्य वर्गीय लोग पैसे के लिए काम करते हैं।"
"अमीरों के लिए पैसा काम करता है।"

मेरे ग़रीब डैडी ने जो शिक्षा मुझे दी थी, शनिवार की उस ख़ुशनुमा सुबह मैं उससे बिलकुल अलग नज़रिया सीख रहा था। नौ साल की उम्र में मैं यह समझ

गया था कि दोनों ही डैडी चाहते थे कि मैं सीखूँ। दोनों ही डैडी मुझे पढ़ने के लिए प्रेरित करते थे... फ़र्क़ सिर्फ़ इतना था कि दोनों के सुझाए विषय अलग-अलग थे।

मेरे पढ़े-लिखे डैडी चाहते थे कि मैं वही करूँ जो उन्होंने किया था। "बेटे, मैं चाहता हूँ कि तुम मेहनत से पढ़ो, अच्छे नंबर लाओ ताकि तुम्हें किसी बड़ी कंपनी में सुरक्षित नौकरी मिल सके। और यह अच्छी तरह देख लो कि इसमें बहुत से दूसरे लाभ हों।" मेरे अमीर डैडी चाहते थे कि मैं यह सीखूँ कि पैसा कैसे काम करता है ताकि मैं इससे अपने लिए काम करवा सकूँ। यह सबक़ मुझे जीवन भर उनके मार्गदर्शन में सीखना था, न कि किसी क्लासरूम में।

मेरे अमीर डैडी ने मेरा पहला सबक़ जारी रखा, "मैं ख़ुश हूँ कि तुम 10 सेंट प्रति घंटे के हिसाब से काम करने पर ग़ुस्सा हो गए। अगर तुम ग़ुस्सा नहीं हुए होते और तुम ऐसा ख़ुशी-ख़ुशी करते रहते तो मैं तुमसे साफ़ कह देता कि मैं तुम्हें नहीं सिखा सकता। यह जान लो कि सच्ची शिक्षा में ऊर्जा, प्रबल भावना और ज़बर्दस्त इच्छा की ज़रूरत होती है। ग़ुस्सा उस फ़ॉर्मूले का एक बहुत बड़ा हिस्सा है, क्योंकि प्रबल भावना में ग़ुस्से और प्रेम का समन्वय होता है। जब पैसे की बात आती है, तो ज़्यादातर लोग सुरक्षित रास्ता खोजते हैं। इसलिए प्रबल भावना उन्हें राह नहीं दिखा पाती। उन्हें राह दिखाता है उनका डर।"

"तो क्या इसीलिए वे कम तनख़्वाह पर काम करने के लिए राज़ी हो जाते हैं?" मैंने पूछा।

"हाँ," अमीर डैडी ने कहा। "कुछ लोग कहते हैं कि मैं लोगों का शोषण करता हूँ क्योंकि मैं उन्हें उतनी तनख़्वाह नहीं देता जितनी उन्हें शुगर प्लांटेशन या सरकार की तरफ़ से मिलती है। मैं यही कहना चाहता हूँ कि लोग ख़ुद अपना शोषण करते हैं। डरते वे हैं, मैं नहीं।"

"पर क्या आपको नहीं लगता कि आपको उन्हें ज़्यादा तनख़्वाह देनी चाहिए?" मैंने पूछा।

"मुझे ज़्यादा देने की ज़रूरत ही नहीं है। और इसके अलावा, ज़्यादा पैसा मिलने से उनकी समस्या नहीं सुलझेगी। अपने डैडी को ही देख लो। वे बहुत सा पैसा कमाते हैं और फिर भी वे अपने बिलों का भुगतान नहीं कर पाते। दुनिया में ऐसे बहुत से लोग हैं जिन्हें अगर ज़्यादा पैसा मिल जाए तो वे ज़्यादा क़र्ज़ में डूब जाएँगे।"

"तो इसी कारण आपने मुझे 10 सेंट प्रति घंटे की तनख़्वाह दी," मैंने मुस्कराते हुए कहा। "यह सबक़ का हिस्सा था।"

"बिलकुल सही," अमीर डैडी ने मुस्कराकर कहा। "देखो, तुम्हारे डैडी

स्कूल गए और उन्होंने बहुत बढ़िया शिक्षा इसलिए हासिल की ताकि उन्हें अच्छी तनख़्वाह वाली नौकरी मिल सके। जो उन्हें मिल गई। परंतु उनके पास आज भी पैसे की तंगी है। ऐसा इसलिए है क्योंकि उन्होंने स्कूल में पैसे के बारे में कुछ भी नहीं सीखा। और सबसे बड़ी बात यह है कि वे पैसे के लिए काम करने में भरोसा करते हैं।"

"और आप नहीं करते?" मैंने पूछा।

"नहीं, सच पूछा जाए तो नहीं," अमीर डैडी ने कहा। "अगर तुम पैसे के लिए काम करना सीखना चाहते हो, तो स्कूल में ही रहो। यह सीखने के लिए उससे बढ़िया जगह कोई नहीं है। परंतु अगर तुम यह सीखना चाहते हो कि पैसा तुम्हारे लिए किस तरह काम करे, तो यह मैं तुम्हें सिखा सकता हूँ। परंतु तभी, जब तुम यह सीखना चाहो।"

"क्या हर कोई यह नहीं सीखना चाहता?" मैंने पूछा।

"नहीं," अमीर डैडी ने कहा। "सिर्फ़ इसलिए क्योंकि पैसे के लिए काम करना ज़्यादा आसान है, ख़ासकर तब जब पैसे के बारे में आपकी मूल भावना डर हो।"

"मैं समझ नहीं पाया," मैंने त्यौरियाँ चढ़ाकर कहा।

"उसकी चिंता फ़िलहाल मत करो। अभी इतना ही समझ लो कि डर के कारण ही ज़्यादातर लोग अपनी नौकरी कर रहे हैं। अपने बिलों का भुगतान न कर पाने का डर। नौकरी से निकाल दिया जाएगा, इस बात का डर। पर्याप्त पैसा न होने का डर। एक बार फिर से शुरू करने का डर। यह किसी व्यवसाय को सीखने और पैसे के लिए काम करने की क़ीमत है। ज़्यादातर लोग पैसे के ग़ुलाम बन जाते हैं... और फिर वे अपने बॉस पर अपनी भड़ास निकालते हैं।"

"तो आपकी नज़र में पैसे से अपने लिए काम करवाना एक बिलकुल अलग विषय है?" मैंने पूछा।

"बिलकुल," अमीर डैडी ने जवाब दिया, "बिलकुल।"

शनिवार की उस ख़ुशनुमा सुबह हवाई में हम लोग चुपचाप बैठे रहे। मेरे दोस्त उस समय लिटिल लीग बेसबॉल गेम शुरू कर ही रहे होंगे। पर किसी वजह से मैं ख़ुश था कि मैंने 10 सेंट प्रति घंटे के हिसाब से काम करने का फ़ैसला किया था। मुझे लगा कि मैं कुछ ऐसा सीखने जा रहा था जो मेरे दोस्त स्कूल में कभी नहीं सीख पाएँगे।

"सीखने के लिए तैयार?" अमीर डैडी ने पूछा।

"बिलकुल," मैंने दाँत निकालकर कहा।

"मैंने अपना वादा निभाया है। मैंने तुम्हें दूर बैठे-बैठे भी सिखाया है,"

अमीर डैडी ने कहा। "नौ साल की उम्र में तुम्हें इस बात का पता चल चुका है कि पैसे के लिए काम करना कैसा होता है। अपने पिछले महीने को पचास सालों से गुणा कर लो और तुम्हें इस बात का अंदाज़ हो जाएगा कि ज़्यादातर लोगों की ज़िंदगी किस तरह गुज़रती है।"

"मैं समझ नहीं पाया," मैंने कहा।

"जब तुम मुझसे मिलने के लिए लाइन में इंतज़ार कर रहे थे, तो तुम्हें कैसा लग रहा था? एक बार नौकरी के लिए और दूसरी बार तनख़्वाह बढ़वाने के लिए?"

"भयानक," मैंने कहा।

"अगर तुम पैसे के लिए काम करने का विकल्प चुनते हो, तो ज़्यादातर लोगों के लिए ज़िंदगी का मतलब यही होता है," अमीर डैडी ने कहा।

"और तुम्हें तब कैसा लगा था जब मिसेज़ मार्टिन ने तुम्हारे हाथ में तीन घंटे के काम के लिए तीन सिक्के थमाए थे?"

"मुझे लगा था कि यह काफ़ी नहीं है। मुझे लग रहा था कि यह कुछ भी नहीं है। मैं निराश हुआ था," मैंने कहा।

"और यही ज़्यादातर कर्मचारियों को लगता है जब वे अपनी तनख़्वाह के चेक को देखते हैं। ख़ासकर तब जब उससे टैक्स और बाक़ी कटौतियाँ कर ली जाती हैं। कम से कम तुम्हें तो पूरी तनख़्वाह मिलती थी, उन्हें तो पूरी तनख़्वाह भी नहीं मिलती।"

"आपका मतलब है कि ज़्यादातर कर्मचारियों को पूरी तनख़्वाह नहीं मिलती?" मैं हैरान था।

"नहीं!" अमीर डैडी ने कहा। "सरकार हमेशा अपना हिस्सा पहले ही ले लेती है।"

"सरकार ऐसा कैसे करती है?" मैंने पूछा।

"टैक्स," अमीर डैडी ने कहा। "जब आप कमाते हैं तो आप पर टैक्स लगता है। जब आप ख़र्च करते हैं तो आप पर टैक्स लगता है। जब आप बचाते हैं तो आप पर टैक्स लगता है। जब आप मर जाते हैं तो भी आप पर टैक्स लगता है।"

"लोग सरकार को ऐसा क्यों करने देते हैं?"

"अमीर लोग ऐसा नहीं करने देते," अमीर डैडी ने मुस्कराकर कहा। "परंतु ग़रीब और मध्य वर्गीय लोग ऐसा करने देते हैं। मैं दावा करता हूँ कि मैं तुम्हारे डैडी से ज़्यादा कमाता हूँ, परंतु वे ज़्यादा टैक्स चुकाते हैं।"

"यह कैसे संभव है?" मैंने पूछा। नौ साल का बच्चा इस अजीब आँकड़े को समझ नहीं पा रहा था। "कोई आदमी सरकार को ऐसा करने की इजाज़त कैसे दे सकता है?"

अमीर डैडी चुपचाप बैठे रहे। मैं समझ गया कि वे चाहते थे कि मैं सुनूँ, न कि उनसे फ़ालतू के सवाल करूँ। आख़िर मैं शांत हो गया। जो मैंने सुना था, वह मुझे अच्छा नहीं लगा था। मैं जानता था कि मेरे डैडी हमेशा टैक्स का रोना रोते रहते थे, परंतु दरअसल इस बारे में वे कुछ भी नहीं कर पाते थे। क्या ज़िंदगी उन्हें धक्का दे रही थी?

अमीर डैडी मेरी तरफ़ देखते हुए अपनी कुर्सी में धीमे-धीमे और ख़ामोशी से हिलने लगे।

"सीखने के लिए तैयार?" उन्होंने पूछा।

मैंने अपना सिर धीमे से हिलाया।

"जैसा मैंने कहा, सीखने के लिए बहुत कुछ है। पैसे से अपने लिए काम कैसे करवाया जाए, यह ज़िंदगी भर चलने वाली पढ़ाई है। ज़्यादातर लोग चार साल के लिए कॉलेज जाते हैं और उनकी पढ़ाई पूरी हो जाती है। मैं पहले से ही जानता हूँ कि मेरी धन संबंधी पढ़ाई जीवन भर चलेगी, और इसकी वजह यह है कि मैं जितना ज़्यादा जान लेता हूँ, उससे भी ज़्यादा जानने की मेरी जिज्ञासा बढ़ती चली जाती है। ज़्यादातर लोग इस विषय को कभी नहीं पढ़ते। वे नौकरी पर जाते हैं, अपनी तनख़्वाह लेते हैं, अपनी चेकबुक को बैलेंस करते हैं और बात ख़त्म हो जाती है। इसके बाद भी उन्हें अचरज होता है कि उनके जीवन में पैसे की समस्याएँ क्यों हैं। फिर, वे सोचते हैं कि ज़्यादा पैसों से उनकी समस्या हल हो जाएगी। बहुत कम लोगों को यह एहसास होता है कि असली समस्या धन संबंधी शिक्षा या ज्ञान की है।"

"तो मेरे डैडी को टैक्स की समस्या इसलिए है क्योंकि उनमें पैसे की समझ नहीं है?" मैंने विचलित होकर पूछा।

"देखो," अमीर डैडी ने कहा। "पैसे से अपने लिए कैसे काम करवाया जाए, टैक्स तो उस शिक्षा का सिर्फ़ एक हिस्सा है। आज तो मैं सिर्फ़ यह देखना चाहता था कि तुममें अब भी पैसे के बारे में सीखने की प्रबल इच्छा बची है या नहीं। ज़्यादातर लोगों में सीखने की प्रबल इच्छा नहीं होती। वे स्कूल जाना चाहते हैं, कोई व्यवसाय सीखना चाहते हैं, अपनी नौकरी में मज़े करना चाहते हैं और ढेर सारा पैसा कमाना चाहते हैं। एक दिन वे तब जागते हैं जब उनके सामने पैसे की समस्या आ जाती हैं और तब वे काम करना बंद नहीं कर सकते। पैसे के लिए काम करने की यही क़ीमत होती है, और उन्हें यह क़ीमत चुकानी ही पड़ती है। अगर वे पैसे से अपने लिए काम करवाना सीख लेते तो

उनके सामने यह समस्या कभी नहीं आती। तो तुममें अब भी सीखने की, जानने की जिज्ञासा है?" अमीर डैडी ने पूछा।

मैंने हामी में सिर हिलाया।

"अच्छा," अमीर डैडी ने कहा।

"अब काम पर वापस जाओ। और इस बार, मैं तुम्हें बिलकुल तनख़्वाह नहीं दूँगा।"

"क्या?" मैंने हैरान होकर पूछा।

"तुमने सही सुना है। तनख़्वाह बंद। तुम हर शनिवार तीन घंटे उसी तरह काम करोगे, परंतु इस बार तुम्हें 10 सेंट प्रति घंटे के हिसाब से तनख़्वाह नहीं मिलेगी। तुम्हीं ने तो कहा है कि तुम पैसे के लिए काम करना नहीं सीखना चाहते, इसलिए मैं तुम्हें बदले में कुछ भी नहीं दूँगा।"

मुझे अपने सुने हुए शब्दों पर भरोसा नहीं हो रहा था।

"मैंने माइक से पहले ही बात कर ली है। वह पहले से ही काम कर रहा है, मुफ़्त में डिब्बों की सफ़ाई कर रहा है और उन्हें क़रीने से जमा रहा है। अब तुम भी जल्दी से जाकर काम में जुट जाओ।"

"यह ठीक नहीं है," मैं चिल्लाया। "आपको कुछ न कुछ तनख़्वाह तो देनी चाहिए।"

"तुमने कहा था कि तुम सीखना चाहते हो। अगर तुम इस बात को अभी नहीं सीख पाओगे, तो तुम भी उन्हीं दो महिलाओं और बूढ़े आदमी की तरह बन जाओगे जो मेरे लिविंग रूम में बैठे थे। ये लोग पैसे के लिए काम करते हैं और डरते हैं कि मैं उन्हें नौकरी से न निकाल दूँ। या तुम अपने डैडी की तरह बन जाओगे जो पैसा तो बहुत कमाते हैं परंतु गले तक क़र्ज़ में डूबे रहते हैं। शायद उन्हें यह उम्मीद रहती है कि ज़्यादा पैसे से उनकी समस्या सुलझ जाएगी। अगर तुम यही चाहते हो, तो मैं एक बार फिर 10 सेंट के अपने पुराने वादे पर लौटने के लिए तैयार हूँ। या तुम वह कर सकते हो जो ज़्यादातर लोग करते हैं। इस बारे में शिकायत करो कि तनख़्वाह बहुत कम है, और तुम यह नौकरी छोड़कर दूसरी नौकरी की तलाश शुरू कर दो।"

"मेरी समझ में नहीं आ रहा है कि मैं क्या करूँ?" मैंने पूछा।

अमीर डैडी ने अपने सिर पर उँगली रखी। "इसका इस्तेमाल करो," उन्होंने कहा। "अगर तुम इसका सही इस्तेमाल करोगे, तो तुम मुझे जल्द ही इस बात के लिए धन्यवाद दोगे कि मैंने तुम्हें मौक़ा दिया, और एक दिन तुम बहुत अमीर आदमी बन जाओगे।"

मैं वहाँ यह सोचते हुए खड़ा था कि मुझे कितना घटिया विकल्प दिया जा

रहा है। मैं यहाँ अपनी तनख़्वाह बढ़वाने आया था और अब मुझे मुफ़्त में काम करने के लिए कहा जा रहा है।

अमीर डैडी ने एक बार फिर अपनी उँगली को सिर पर रखा और कहा, "इसका इस्तेमाल करो। अब यहाँ से जाओ और अपने काम में जुट जाओ।"

सबक़ 1: अमीर लोग पैसे के लिए काम नहीं करते

मैंने अपने ग़रीब डैडी को यह नहीं बताया कि अब मैं मुफ़्त में काम कर रहा हूँ। उन्हें यह समझ में नहीं आता। मैं उन्हें इसकी वजह ठीक से इसलिए नहीं समझा सकता था, क्योंकि मैं ख़ुद भी इसे ठीक से नहीं समझ पाया था।

अगले तीन हफ़्ते, माइक और मैं तीन घंटे तक हर शनिवार को काम करते रहे, मुफ़्त में। काम बहुत परेशानी वाला नहीं था और वक़्त गुज़रने के साथ-साथ यह ज़्यादा आसान होता जा रहा था। मुझे अफ़सोस था तो अपने छूटे हुए बेसबॉल गेम्स और कॉमिक्स का। अब मैं उनका मज़ा नहीं ले सकता था।

तीसरे हफ़्ते दोपहर में अमीर डैडी आए। हमने उनके ट्रक के पार्किंग में आने की आवाज़ सुनी। वे स्टोर में घुसे और उन्होंने मिसेज़ मार्टिन को गले लगाकर अभिवादन किया। स्टोर में क्या चल रहा है, यह जानने के बाद वे आइसक्रीम फ्रीज़र के पास गए, उसमें से दो आइसक्रीम निकालीं, उनका दाम चुकाया और इसके बाद मेरी और माइक की तरफ़ इशारा करके कहा, "चलो घूमने चलते हैं।"

हम सड़क के पार गए, कुछ कारों को चकमा दिया और एक बड़े घास के मैदान में टहलने लगे, जहाँ कुछ वयस्क सॉफ़्टबॉल खेल रहे थे। दूर की पिकनिक टेबल पर बैठकर उन्होंने माइक और मुझे आइसक्रीम दी।

"कैसा चल रहा है?"

"बढ़िया," माइक ने कहा।

मैंने सहमति में सिर हिलाया।

"कुछ और सीखा?" अमीर डैडी ने पूछा।

माइक और मैंने एक-दूसरे की तरफ़ देखा, अपने कंधे उचकाए और अपने सिर को 'ना' में एक साथ हिलाया।

ज़िंदगी के सबसे बड़े जाल से बचना

"अच्छा यह होगा कि तुम बचपन से ही यह सोचना शुरू कर दो। तुम अब ज़िंदगी के सबसे बड़े सबक़ को देख रहे हो। अगर तुम इस सबक़ को सीख

लेते हो, तो तुम बहुत ज़्यादा आज़ादी और सुरक्षा भरी ज़िंदगी का सुख ले सकते हो। अगर तुम यह सबक़ नहीं सीख पाते हो, तो तुम भी मिसेज़ मार्टिन और इस पार्क में खेल रहे ज़्यादातर लोगों की तरह ही बन जाओगे। वे बहुत ज़्यादा मेहनत करते हैं, परंतु उसके बदले में उन्हें बहुत कम पैसे मिलते हैं। वे नौकरी की सुरक्षा के मोह में फँसे रहते हैं। हर साल मिलने वाली तीन हफ़्ते की छुट्टियों और पैंतालीस साल तक काम करते रहने के बाद मिलने वाली थोड़ी सी पेंशन का सपना देखते रहते हैं। अगर इस तरह की ज़िंदगी जीने में तुम्हें सुख मिलता है, तो मैं तुम्हारी तनख़्वाह बढ़ाकर 25 सेंट प्रति घंटा कर सकता हूँ।"

"परंतु ये लोग अच्छे लोग हैं और मेहनती भी हैं। फिर आप उनका मज़ाक़ क्यों उड़ा रहे हैं?" मैंने पूछा।

अमीर डैडी के चेहरे पर मुस्कान आ गई।

"मिसेज़ मार्टिन मेरे लिए माँ जैसी हैं। मैं इतना कठोर नहीं हो सकता कि उनका मज़ाक़ उड़ाऊँ। यह कठोर लगता ज़रूर है क्योंकि मैं तुम दोनों के सामने स्थिति स्पष्ट करना चाहता हूँ और वह भी आसान शब्दों में। मैं तुम्हारे नज़रिए को बड़ा करना चाहता हूँ ताकि तुम कुछ आगे भी देख सको, दूर तक देख सको। ज़्यादातर लोगों को आगे देखने का फ़ायदा कई बार सिर्फ़ इसलिए नहीं मिल पाता क्योंकि उनके देखने का दायरा बहुत छोटा होता है। ज़्यादातर लोग जिस जाल में फँसे हुए हैं, वे उसे देख ही नहीं पाते।"

माइक और मैं वहाँ पर सोचते हुए बैठे रहे, क्योंकि हम उनकी बातों का मतलब पूरी तरह से नहीं समझ सके थे। उनकी बातें सुनने में कठोर और कड़वी लग रही थीं, परंतु हम यह भी जानते थे कि वे हमें कुछ सिखाने की काफ़ी कोशिश कर रहे थे।

मुस्कराहट के साथ अमीर डैडी ने कहा, "क्या 25 सेंट प्रति घंटे का ऑफ़र अच्छा नहीं लगा? क्या इससे दिल की धड़कन तेज़ नहीं हुई?"

मैंने अपना सिर 'ना' में हिलाया, जबकि असल में ऐसा ही हुआ था। एक घंटे काम के बदले में पच्चीस सेंट मेरे हिसाब से बहुत बढ़िया सौदा था।

"अच्छा, मैं तुम्हें एक घंटे के एक डॉलर दूँगा," अमीर डैडी ने शरारत भरी मुस्कान के साथ कहा।

अब मेरा दिल तूफ़ान मेल की तरह दौड़ रहा था। मेरा दिमाग़ चीख़-चीख़कर कह रहा था, "इसकी बात मान लो। मान लो।" मुझे अपने कानों पर भरोसा नहीं हो रहा था। परंतु फिर भी मैं चुप रहा।

"अच्छा, दो डॉलर प्रति घंटे।"

मुझे ऐसा लगा जैसे मेरे छोटे से नौ साल पुराने दिमाग़ में किसी ने बम फोड़ दिया हो। 1956 में दो डॉलर प्रति घंटे की कमाई मुझे दुनिया का सबसे अमीर बच्चा बना देती। मैं इतना सारा पैसा कमाने की कल्पना भी नहीं कर सकता था। मैं 'हाँ' कहना चाहता था। मैं सौदा पक्का करना चाहता था। मुझे नई सायकल दिख रही थी, नए बेसबॉल के ग्लव्ज़ दिख रहे थे। मेरे पास कड़क नोट देखकर मेरे दोस्तों की जलन और तारीफ़ भी मुझे साफ़ दिख रही थी। सबसे बड़ी बात तो यह थी कि जिमी और उसके अमीर दोस्त मुझे फिर कभी ग़रीब नहीं कह सकते थे। परंतु किसी वजह से मैं ख़ामोश खड़ा रहा।

हो सकता है कि मेरे दिमाग़ में गर्मी बढ़ जाने से उसका फ़्यूज़ उड़ गया हो। परंतु मन ही मन मैं 2 डॉलर प्रति घंटे का ऑफ़र मानने के लिए बेताब था।

आइसक्रीम पिघल चुकी थी और मेरे हाथ पर बह रही थी। आइसक्रीम की डंडी ख़ाली थी और इसके नीचे वैनिला और चॉकलेट के टुकड़े थे जिसके मज़े चींटियाँ ले रही थीं। अमीर डैडी हम दोनों बच्चों को देख रहे थे जो आँखें फाड़कर और ख़ाली दिमाग़ से उन्हें घूर रहे थे। उन्हें मालूम था कि वे हमारी परीक्षा ले रहे हैं और वे यह भी जानते थे कि हमारे दिल का एक कोना उस ऑफ़र को मानने के लिए बेताब हो रहा होगा। वह जानते थे कि हर व्यक्ति की आत्मा का एक हिस्सा कमज़ोर और ज़रूरतमंद होता है, जिसे ख़रीदा जा सकता है। और वे यह भी जानते थे कि हर व्यक्ति की आत्मा का एक हिस्सा मज़बूत और दृढ़ निश्चयी होता है जिसे कभी नहीं ख़रीदा जा सकता। असली सवाल यह था कि इनमें से कौन सा हिस्सा ज़्यादा ताक़तवर है। उन्होंने अपनी ज़िंदगी में हज़ारों लोगों की परीक्षा ली थी। जब वे नौकरी माँगने के लिए आए लोगों का इंटरव्यू लेते थे तो वे हर बार आत्माओं की परीक्षा लेते थे।

"अच्छा, 5 डॉलर प्रति घंटे।"

अचानक मेरे अंदर शांति छा गई। कुछ था जो बदल गया था। ऑफ़र बहुत ही बड़ा था और मूर्खतापूर्ण लग रहा था। 1956 में गिने-चुने वयस्कों को 5 डॉलर प्रति घंटे से ज़्यादा मिलता होगा। लालच ख़त्म हो गया था और इसकी जगह शांति ने ले ली थी। धीमे से मैं अपनी बाईं तरफ़ खड़े माइक की तरफ़ मुड़ा। उसने भी मेरी तरफ़ देखा। मेरी आत्मा का जो हिस्सा कमज़ोर और ज़रूरतमंद था, वह ख़ामोश हो चुका था। मेरा वह हिस्सा जिसे ख़रीदा नहीं जा सकता था, वह आगे आ चुका था। मेरे दिमाग़ और आत्मा में पैसे को लेकर हुए इस युद्ध में शांति और विश्वास जीत चुके थे। मैं जानता था कि माइक भी उसी बिंदु पर पहुँच चुका होगा।

"अच्छा," अमीर डैडी ने धीमे से कहा। "ज़्यादातर लोगों की एक क़ीमत होती है। और उनकी क़ीमत इसलिए होती है क्योंकि हम सभी में दो भावनाएँ होती हैं, डर और लालच। पहले तो पैसे के बिना रहने के डर से हमें कड़ी

मेहनत करने की प्रेरणा मिलती है। इसके बाद जब हमें तनख़्वाह मिलती है, तो हममें लालच या इच्छा की भावना जाग जाती है। पैसा होने पर हम उन बढ़िया चीज़ों के बारे में सोचने पर मजबूर हो जाते हैं जो उस पैसे से ख़रीदी जा सकती हैं। इस तरह हमारी ज़िंदगी का एक पैटर्न बन जाता है।"

"किस तरह का पैटर्न?" मैंने पूछा।

"सुबह जागने, काम पर जाने, ख़र्च करने, सुबह जागने, काम पर जाने, ख़र्च करने... लोगों की ज़िंदगी हमेशा डर और लालच इन्हीं दो भावनाओं से चलती है। उन्हें अगर ज़्यादा पैसा दे भी दें, तो वे इसी पैटर्न पर चलकर अपना ख़र्च बढ़ा लेंगे। इसी पैटर्न को मैं चूहा दौड़ कहता हूँ।"

"क्या कोई दूसरा रास्ता भी है?" माइक ने पूछा।

"हाँ," अमीर डैडी ने धीमे से कहा। "परंतु इसे बहुत कम लोग खोज पाते हैं।"

"और वह रास्ता क्या है?" माइक ने पूछा।

"उसी रास्ते को तुम लोग काम करते हुए और मेरे साथ सीखते हुए खोज लोगे, मैं यही उम्मीद करता हूँ। इसी कारण मैंने तुम्हें पैसे देना बंद कर दिया है।"

"इस बारे में कोई संकेत तो दीजिए।" माइक ने कहा। "हम लोग मेहनत से काम करते-करते थक चुके हैं, ख़ासकर तब जब इसके बदले में हमें कुछ नहीं मिल रहा है।"

"पहला क़दम तो यह कि तुम लोग सच बोलो," अमीर डैडी ने कहा।

"हम लोग झूठ नहीं बोल रहे हैं," मैंने कहा।

"मैंने कब कहा कि तुम लोग झूठ बोल रहे हो? मैं तो यह कह रहा हूँ कि सच्ची बात कह देनी चाहिए," अमीर डैडी ने जवाब दिया।

"किस बारे में?" मैंने पूछा।

"इस बारे में कि तुम लोगों को कैसा लग रहा है," अमीर डैडी ने कहा। "तुम्हें यह किसी और से कहने की ज़रूरत नहीं है। सिर्फ़ अपने आप से सच बोलो।"

"आपके कहने का मतलब यह है कि इस पार्क में मौजूद लोग, आपके लिए काम करने वाले लोग, मिसेज़ मार्टिन, यह सब लोग ऐसा नहीं करते।"

"मुझे ऐसा ही लगता है," अमीर डैडी ने कहा। "इसके बजाय, उन्हें हमेशा पैसा नहीं होने का डर सताता रहता है। उस डर का सामना करने के बजाय, सोचने के बजाय ये लोग सिर्फ़ प्रतिक्रिया करते रहते हैं। इस दौरान

वे दिल से काम लेते हैं, दिमाग़ से नहीं।" अमीर डैडी ने अपने सिर पर उँगली ठोकते हुए कहा। "फिर, उनके हाथ में कुछ पैसे आ जाते हैं और उनमें ख़ुशी, इच्छा और लालच की भावनाएँ जाग जाती हैं। और एक बार फिर वे दिमाग़ से सोचने के बजाय दिल से काम करने लगते हैं।"

"तो वे दिल से, यानी अपनी भावनाओं से सोचते हैं," माइक ने कहा।

"बिलकुल ठीक," अमीर डैडी ने कहा। "वे इस बारे में सच नहीं बताते कि उन्हें कैसा लग रहा है। वे अपनी भावना से काम करते हैं और दिमाग़ से सोचने का कष्ट नहीं उठाते। उन्हें डर लगता है, वे नौकरी करने जाते हैं और आशा करते हैं कि ज़्यादा पैसे आने से उनका डर दूर हो जाएगा। परंतु ऐसा नहीं होता है। वही पुराना डर उन्हें फिर से सताने लगता है। वे फिर से नौकरी करने जाते हैं और फिर आशा करते हैं कि पैसा उनके डर को कम कर देगा परंतु ऐसा नहीं होता। डर के ही कारण वे नौकरी के जाल में फँसे रहते हैं, पैसा कमाते हैं, काम करते हैं, पैसा कमाते हैं और आशा करते हैं कि डर से उनका पीछा छूट जाएगा। परंतु हर रोज़ जब वे उठते हैं, तो उनका पुराना डर भी उनके साथ उठता है। वही पुराना डर करोड़ों लोगों को रात भर जगाता है और उनकी रात बहुत चिंता और परेशानी में गुज़रती है। इसलिए वे उठते हैं, काम पर जाते हैं और यह आशा करते हैं कि तनख़्वाह के चेक से उनके दिल को कुतरने वाले इस डर को वे मौत के घाट उतार देंगे। सच बात तो यह है कि पैसा उनकी ज़िंदगी को चला रहा है परंतु वे इस बारे में कभी सच नहीं बोलते हैं। पैसे ने उनकी भावनाओं पर क़ब्ज़ा कर लिया है और उनकी आत्माओं पर भी।"

यह कहकर अमीर डैडी ख़ामोश हो गए ताकि उनके शब्दों में छुपा संदेश हमारे अंदर चला जाए। माइक और मैंने उनकी बातें सुनी थीं, परंतु हम उनका मतलब पूरी तरह नहीं समझ पाए थे। मुझे अक्सर यह हैरानी होती थी कि लोगों को ऑफ़िस जाने की इतनी जल्दी क्यों होती है। उन्हें अपनी नौकरी में ख़ास मज़ा नहीं आता था और वे कभी ख़ुश भी नहीं दिखते थे। फिर क्या वजह थी जो उन्हें जल्दी ऑफ़िस जाने के लिए प्रेरित करती थी।

जब अमीर डैडी ने देख लिया कि हम जितना समझ सकते थे, हमने उतना समझ लिया है तो उन्होंने आगे कहा, "मैं यह चाहता हूँ कि तुम लोग इस जाल से बचो। दरअसल मैं तुम्हें यही सिखाना चाहता हूँ। मेरा मक़सद तुम्हें सिर्फ़ अमीर बनना सिखाना नहीं है, क्योंकि अमीर बनने से समस्या नहीं सुलझेगी।"

"अमीर बनने से समस्या नहीं सुलझेगी?" मैंने आश्चर्य से पूछा।

"बिलकुल नहीं। मुझे दूसरी भावना, इच्छा के बारे में अपनी बात पूरी करने दो। कुछ लोग इसे लालच कहते हैं, परंतु मैं इसे इच्छा कहना ज़्यादा

पसंद करता हूँ। यह बुरा नहीं है कि हम किसी बेहतर, ज़्यादा सुंदर, ज़्यादा सुखद या रोमांचक चीज़ की इच्छा रखें। लोग इच्छा की वजह से भी पैसे के लिए काम करते हैं। उन्हें सुख के लिए भी पैसे की ज़रूरत होती है क्योंकि वे मानते हैं कि पैसे से सुख ख़रीदा जा सकता है। परंतु पैसा जो ख़ुशी देता है वह अक्सर पल भर की होती है। उन्हें ज़्यादा ख़ुशी, ज़्यादा आनंद, ज़्यादा आराम, ज़्यादा सुरक्षा हासिल करने के लिए और ज़्यादा पैसे की ज़रूरत होती है। इसलिए वे काम करते रहते हैं, और यह सोचते रहते हैं कि पैसा डर और लालच से परेशान उनकी आत्माओं को शांत कर देगा। परंतु पैसा यह काम नहीं कर सकता।"

"अमीर होने के बाद भी नहीं?" माइक ने पूछा।

"हाँ, अमीर होने के बाद भी नहीं," अमीर डैडी ने कहा। "दरअसल, बहुत से अमीर लोग इच्छा के कारण नहीं, बल्कि डर के कारण अमीर होते हैं। वे सचमुच सोचते हैं कि दौलत हो तो पैसे न होने का डर, ग़रीब होने का डर ख़त्म हो जाता है इसलिए वे ढेर सारी दौलत जमा कर लेते हैं और तब जाकर उन्हें पता चलता है कि उनका डर और बढ़ गया है। उन्हें अब इसके खोने की चिंता सताने लगती है। मैं ऐसे दोस्तों को जानता हूँ जो बहुत सा पैसा होने के बाद भी काम में जुटे रहते हैं। मैं ऐसे लोगों को भी जानता हूँ जिनके पास आज करोड़ों की दौलत है परंतु वे आज उससे भी ज़्यादा चिंतित और परेशान हैं जितने वे अपनी ग़रीबी के दिनों में थे। उन्हें इस बात का डर है कि वे अपनी सारी दौलत खो देंगे। अमीर बनने से पहले जो डर उन्हें सता रहे थे, वे अमीर बनने के बाद और भी बढ़ गए हैं। दरअसल उनकी आत्मा का कमज़ोर और ज़रूरतमंद हिस्सा अब और तेज़ी से चीख़ रहा है। वे अपने आलीशान बंगलों, शानदार कारों और उस ऐशोआराम की ज़िंदगी को नहीं खोना चाहते, जो पैसे से ख़रीदी गई है। वे इसी चिंता में घुलते रहते हैं कि अगर वे कंगाल हो गए, तो उनके दोस्त क्या कहेंगे। इसी चिंता की वजह से कई लोग तो न्यूरोटिक और कुंठित हो चुके हैं, हालाँकि वे अमीर दिखते हैं और उनके पास पहले से ज़्यादा पैसा है।"

"तो क्या ग़रीब आदमी ज़्यादा सुखी होता है?" मैंने पूछा।

"नहीं, मेरे हिसाब से तो ऐसा नहीं होता," अमीर डैडी ने जवाब दिया। "पैसे से दूर रहना भी उतना ही बड़ा पागलपन है जितना कि उसके पीछे भागना।"

उसी समय क़स्बे का एक पागल हमारी मेज़ के पास से गुज़रा और कूड़ेदान के पास रुककर उसमें कुछ ढूँढ़ने लगा, जैसे उसे किसी ने समझाकर भेजा हो। चर्चा के इस मोड़ पर हम तीनों उसकी हरकतों को दिलचस्पी के साथ देख रहे थे, जबकि इससे पहले हमने उसे नज़रअंदाज़ कर दिया होता।

अमीर डैडी ने अपने पर्स में से एक डॉलर निकाला और उस पागल बूढ़े को पास आने का इशारा किया। पैसा देखते ही वह तत्काल चला आया, उसने पैसे लिए और अमीर डैडी को ढेर सी दुआएँ दीं और अपनी अच्छी क़िस्मत पर ख़ुश होकर वह जल्दी से चला गया।

"इसमें और मेरे ज़्यादातर कर्मचारियों में बहुत अंतर नहीं है," अमीर डैडी ने कहा। "मैं ऐसे बहुत से लोगों से मिला हूँ जो कहते हैं, 'अरे, मुझे पैसों में कोई रुचि नहीं है।' फिर भी वे हर रोज़ आठ घंटे की नौकरी पर जाते हैं। यह तो सच्चाई को नकारना है। अगर उन्हें पैसे में रुचि नहीं है, तो वे नौकरी पर क्यों जाते हैं? इस तरह का चिंतन पागलपन का चिंतन है। उस कंजूसी भरे चिंतन से भी ज़्यादा पागलपन का, जिसमें कोई आदमी पैसे पर कुंडली मारकर बैठ जाता है।"

जब मैं वहाँ अपने अमीर डैडी की बात सुन रहा था तब मेरे दिमाग़ में यह ख़्याल आ रहा था कि मेरे ग़रीब डैडी हज़ार बार यह कह चुके थे, "मुझे पैसे में कोई रुचि नहीं है।" वे ऐसा अक्सर कहा करते थे। वे ख़ुद की असली भावनाओं को छुपाने के लिए हमेशा यह भी कहा करते थे, "मैं इसलिए काम करता हूँ क्योंकि मुझे अपना काम बहुत पसंद है।"

"तो हमें क्या करना चाहिए?" मैंने पूछा। "यही कि हम पैसे के लिए काम नहीं करें, जब तक कि हमारे मन से डर और लालच की भावनाएँ पूरी तरह से न निकल जाएँ?"

"नहीं, उसमें तो बहुत समय बर्बाद हो जाएगा," अमीर डैडी ने कहा। "भावनाओं के कारण ही तो हम इंसान हैं। इन्हीं के कारण हमारी हस्ती है। 'भावना' शब्द का मतलब है चलायमान ऊर्जा। अपनी भावनाओं के बारे में ईमानदार रहो और अपने दिमाग़ और भावनाओं का इस्तेमाल अपने समर्थन में करो, न कि अपने विरोध में।"

"आहा!" माइक ने कहा।

"अगर तुम्हें मेरी बात समझ में नहीं आई हो, तो इस बारे में चिंता मत करो। आगे आने वाले सालों में तुम्हें इसका मतलब समझ में आएगा। अपनी भावनाओं पर प्रतिक्रिया करने के बजाय उनका विश्लेषण करने की कोशिश करो। ज़्यादातर लोग यह नहीं जानते कि वे अपने दिमाग़ से सोचने के बजाय अपने दिल की भावनाओं से सोचते हैं। आपकी भावनाएँ तो आपकी रहेंगी ही, परंतु आपको अपने दिमाग़ से सोचना भी आना चाहिए, क्योंकि दिमाग़ को सोचने के लिए ही बनाया गया है।"

"क्या आप मुझे इसका कोई उदाहरण दे सकते हैं?" मैंने पूछा।

"क्यों नहीं?" अमीर डैडी ने जवाब दिया। "जब कोई आदमी कहता है,

'मुझे नौकरी खोजने की ज़रूरत है,' तो इस बात की बहुत संभावना है कि उसकी भावनाएँ फ़ैसला कर रही हैं। इस विचार का असली कारण है पैसा न होने का डर।"

"परंतु अपनी ज़िंदगी चलाने के लिए लोगों को पैसे की ज़रूरत तो पड़ती ही है," मैंने कहा।

"बिलकुल पड़ती है," अमीर डैडी मुस्कराए। "मैं सिर्फ़ यह कह रहा हूँ कि उनके डर के कारण उनके मन में यह विचार आता है।"

"मैं समझ नहीं पाया," माइक ने कहा।

अमीर डैडी ने कहा, "अगर आपके मन में पैसे की कमी का डर जाग जाए तो तत्काल नौकरी ढूँढ़ने के लिए दौड़ मत लगाइए ताकि कुछ रुपयों के सहारे उस डर को मार दिया जाए। इसके बजाय आप ख़ुद से यह सवाल पूछिए। 'क्या लंबे समय में इस डर का सबसे बढ़िया इलाज नौकरी है?' मेरे ख़्याल से इसका जवाब 'नहीं' होता है। ख़ासकर जब आप किसी आदमी की पूरी ज़िंदगी को देखते हैं। नौकरी दीर्घकालीन समस्या का अल्पकालीन समाधान है।"

"परंतु मेरे डैडी हमेशा कहा करते हैं, 'स्कूल में पढ़ो, अच्छे नंबर लाओ, ताकि तुम्हें एक सुरक्षित और अच्छी नौकरी मिल सके।' " मैंने हड़बड़ी में बोल ही दिया।

"हाँ, मैं समझ सकता हूँ कि वे ऐसा क्यों कहते हैं," अमीर डैडी ने मुस्कराकर कहा। "ज़्यादातर लोग ऐसी ही सलाह देते हैं और ज़्यादातर लोगों के लिए यह एक अच्छा विचार होता है। परंतु लोगों की इस सलाह के पीछे भी डर छुपा होता है।"

"आपका यह मतलब है कि मेरे डैडी ऐसा इसलिए कहते हैं क्योंकि वे डरे हुए हैं?"

"हाँ," अमीर डैडी ने कहा। "वे घबराए हुए हैं कि शायद तुम पैसा नहीं कमा पाओगे और समाज में फ़िट नहीं हो पाओगे। मुझे ग़लत मत समझना। वे तुम्हें प्यार करते हैं और तुम्हारा भला चाहते हैं। और मैं सोचता हूँ कि उनका डर सही भी है। शिक्षा और नौकरी महत्त्वपूर्ण हैं। परंतु इससे डर का इलाज नहीं होगा। वही डर जो उन्हें सुबह उठकर कुछ रुपए कमाने के लिए प्रेरित करता है, उसी डर के कारण वे तुम्हारे स्कूल जाने पर इतना ज़ोर देते हैं।"

"तो आपकी सलाह क्या है?" मैंने पूछा।

"मैं चाहता हूँ कि तुम्हें पैसे की ताक़त पर क़ाबू पाना सिखाऊँ। पैसे का डर तुम्हारे दिमाग़ से निकल जाना चाहिए। और यह स्कूल में नहीं सिखाया जाता। अगर तुम इसे नहीं सीखोगे, तो तुम पैसे के ग़ुलाम बन जाओगे।"

अब उनकी बातें मेरी समझ में आ रही थीं। वे हमारे विचारों को ज़्यादा व्यापक बनाना चाहते थे। वे चाहते थे कि जो मिसेज़ मार्टिन नहीं देख सकती थीं, उनके कर्मचारी नहीं देख सकते थे, या मेरे डैडी तक नहीं देख सकते थे, वह देखने की योग्यता हममें आ जाए। उन्होंने जो उदाहरण दिए थे वे उस समय कठोर ज़रूर लग रहे थे, लेकिन मैं उन्हें कभी नहीं भूला। मेरा नज़रिया उस दिन बहुत बड़ा हो गया था। अब मैं उस जाल को देख सकता था, जो ज़्यादातर लोगों के सामने बिछा होता है।

"देखो, आख़िरकार हम सभी लोग कर्मचारी हैं। हम केवल अलग-अलग स्तरों पर काम करते हैं," अमीर डैडी ने कहा। "मैं तुम लोगों से बस यही चाहता हूँ कि तुम लोग इस जाल से बचे रहो। डर और लालच, इन दो फंदों से बनने वाले जाल से। इनका इस्तेमाल अपने समर्थन में करो, अपने विरोध में नहीं। मैं तुम लोगों को यही सिखाना चाहता हूँ। मैं तुम लोगों को यह नहीं सिखाना चाहता कि ढेर सारा पैसा कैसे इकट्ठा कर लिया जाए। उससे डर या लालच को नहीं जीता जा सकता। अगर तुम्हें डर और लालच पर क़ाबू पाना नहीं आता, तो तुम चाहे कितने भी अमीर बन जाओ, असलियत में तुम एक बड़ी तनख़्वाह पाने वाले ग़ुलाम ही रहोगे।"

"तो हम किस तरह इस जाल से बच सकते हैं?" मैंने पूछा।

"ग़रीबी या पैसे की तंगी का ख़ास कारण डर और अज्ञान होता है, न कि अर्थव्यवस्था या सरकार या अमीर लोग। यह ख़ुद का ओढ़ा हुआ डर या अज्ञान होता है जो लोगों को इस जाल में फँसाए रखता है। इसलिए तुम बच्चों को स्कूल जाना चाहिए और अपने कॉलेज की पढ़ाई पूरी करनी चाहिए। मैं तुम लोगों को यह ज़रूर सिखाऊँगा कि इस जाल से कैसे बचा जा सकता है।"

पहेली के टुकड़े अब सामने आ चुके थे। मेरे पढ़े-लिखे डैडी के पास बड़ी डिग्रियाँ थीं और एक बढ़िया करियर भी था। परंतु स्कूल ने उन्हें यह कभी नहीं सिखाया कि धन या अपने डर को किस तरह से क़ाबू में रखा जाता है। अब मैं समझ चुका था कि मैं अपने दोनों डैडियों से अलग-अलग परंतु महत्वपूर्ण बातें सीख सकता हूँ।

"तो आप पैसा न होने के डर के बारे में बात कर रहे थे। पैसे की इच्छा किस तरह हमारी सोच पर असर डालती है?" माइक ने पूछा।

"तुम्हें तब कैसा महसूस हुआ था जब मैंने तुम्हारी तनख़्वाह बढ़ाने का लालच दिया था? क्या तुमने यह देखा था कि तुम्हारी इच्छाएँ किस तरह बढ़ रही थीं?"

हमने अपने सिर हिलाकर हामी भरी।

"पर तुमने अपनी भावनाओं के सामने हार नहीं मानी और इस कारण

तुम लोगों ने जल्दबाज़ी में काम नहीं लिया। इससे तुम्हें सोचने का वक़्त मिल गया। यह सबसे महत्वपूर्ण है। हममें हमेशा डर और लालच की भावनाएँ रहेंगी। इसी क्षण से, तुम लोगों के लिए यह सबसे महत्वपूर्ण है कि तुम इन भावनाओं का इस्तेमाल अपने समर्थन में करो और लंबे समय तक ऐसा करो। अपनी भावनाओं को अपने दिमाग़ पर हावी मत होने दो और इस तरह अपने विचारों को दूषित मत होने दो। ज़्यादातर लोग डर और लालच का इस्तेमाल ख़ुद के विरोध में करते हैं। यह अज्ञान की शुरुआत होती है। डर और इच्छा की भावनाओं के कारण ही ज़्यादातर लोग तनख़्वाह के चेक, तनख़्वाह में बढ़ोतरी और नौकरी की सुरक्षा के पीछे भागते-भागते अपनी पूरी ज़िंदगी निकाल देते हैं। असल में वे यह सोचते ही नहीं हैं कि भावनाओं के आधार पर बने हुए ये विचार उन्हें किस तरफ़ ले जा रहे हैं। यह तो वही बात हो गई जिसमें गाड़ी खींचने वाले गधे के सामने उसका मालिक गाजर लटकाए रखता है जो उसकी नाक के ठीक सामने होती है। गधे का मालिक जहाँ जाना चाहता है, वहाँ जाता है परंतु गधा तो लालच के कारण भाग रहा है। कल गधे के लिए दूसरी गाजर आ जाएगी, और गधा उसका पीछा करने लगेगा।"

"आपके कहने का मतलब यह है कि जिस समय मैंने नए बेसबॉल ग्लव्ज़, कैंडी और खिलौनों के सपने देखना शुरू किया, उस समय मेरी हालत उस गधे की तरह हो गई थी जो गाजर के पीछे भागता है?" माइक ने पूछा।

"हाँ। और उम्र के साथ-साथ तुम्हारे खिलौने भी ज़्यादा महँगे होते जाएँगे। अपने दोस्तों पर रौब झाड़ने के लिए एक नई कार, एक नाव और एक आलीशान घर," अमीर डैडी ने मुस्कराकर कहा। "डर आपको दरवाज़े से बाहर धक्का देता है, इच्छा आपको अंदर बुलाती है। आपको चट्टानों की तरफ़ ललचाती है। यही जाल है।"

"तो इसकी काट क्या है?" माइक ने पूछा।

"डर और इच्छा अज्ञान की वजह से बढ़ते हैं। इसलिए अमीर लोगों के पास जितना ज़्यादा पैसा होता है, उनका डर भी उतना ही ज़्यादा बड़ा होता है। धन ही गाजर है, भ्रम है। अगर गधा पूरी तस्वीर देख सकता तो शायद वह गाजर का पीछा करने के अपने फ़ैसले पर दुबारा सोचता।"

अमीर डैडी ने आगे यह समझाया कि आदमी की ज़िंदगी अज्ञान और ज्ञान के बीच होने वाला संघर्ष है। उन्होंने बताया कि एक बार कोई आदमी ख़ुद के बारे में ज्ञान की खोज करना बंद कर देता है, तो उसकी ज़िंदगी में अज्ञान घुस जाता है। यह संघर्ष हर पल होता है। इसीलिए हमें यह फ़ैसला करना है- यह सीखना है कि अपने दिमाग़ को खुला रखा जाए या इसे बंद कर लिया जाए।

"देखो, स्कूल बहुत ज़्यादा महत्वपूर्ण है। आप स्कूल इसलिए जाते हैं ताकि

आप वहाँ कोई कला या व्यवसाय सीख सकें और इस तरह से आप समाज में योगदान दे सकें। हर समाज में शिक्षकों, डॉक्टरों, मैकेनिकों, कलाकारों, रसोइयों, व्यावसायिक लोगों, पुलिस अफ़सरों, दमकलकर्मियों और सिपाहियों की ज़रूरत होती है। स्कूल उन्हें यह सब सिखाते हैं ताकि हमारा समाज विकसित हो सके और हमारी संस्कृति समृद्ध हो सके," अमीर डैडी ने कहा। "दुर्भाग्य से, कई लोगों के लिए स्कूल शिक्षा का अंत होता है, शुरुआत नहीं।"

एक लंबी ख़ामोशी छाई रही। अमीर डैडी मुस्करा रहे थे। उस दिन उन्होंने जो कहा था, वह मैं पूरी तरह से नहीं समझ पाया था। परंतु ज़्यादातर महान शिक्षकों के शब्द सालों तक हमें सिखाते रहते हैं। उनके शब्द इसी तरह से आज भी मेरे साथ हैं।

"मैं आज थोड़ा निर्मम हुआ," अमीर डैडी ने कहा। "एक वजह से निर्मम हुआ। मैं चाहता था कि तुम लोगों को आज की यह चर्चा हमेशा याद रहे। मैं चाहता हूँ कि तुम लोग हमेशा मिसेज़ मार्टिन के बारे में सोचो। मैं चाहता हूँ कि तुम लोग हमेशा उस गधे के बारे में सोचो। इन्हें कभी मत भूलना। अगर तुमने अपनी समझदारी से उन्हें क़ाबू में नहीं किया तो डर और लालच की तुम्हारी दोनों भावनाएँ तुम्हें ज़िंदगी के सबसे बड़े जाल में फँसा सकती हैं। अपनी ज़िंदगी को डरते-डरते गुज़ारना, अपने सपनों को पूरा न करना निर्ममता है। यह भी निर्ममता है कि पैसे के लिए कड़ी मेहनत की जाए और यह सोचा जाए कि पैसे से ख़रीदी गई चीज़ें सुख दे सकती हैं। बिल चुकाने के डर से घबराकर आधी रात को जागना जीने का एक भयानक तरीक़ा है। तनख़्वाह के हिसाब से ज़िंदगी जीना भी कोई जीना है। यह सोचना कि कोई नौकरी आपको सुरक्षा का एहसास दे सकती है ख़ुद से झूठ बोलना है। यह निर्ममता है और यही वह जाल है जिससे मैं तुम्हें बचाना चाहता हूँ। मैंने देखा है कि पैसा किस तरह से लोगों की ज़िंदगियों को चलाता है। ऐसा अपने साथ मत होने देना। भगवान के लिए पैसे को अपनी ज़िंदगी मत चलाने देना।"

हमारी मेज़ के नीचे सॉफ़्टबॉल आ गई। अमीर डैडी ने उसे उठाया और वापस खिलाड़ियों के पास फेंक दिया।

"तो अज्ञान का लालच और डर से क्या ताल्लुक़ है?" मैंने पूछा।

"यह पैसे का अज्ञान ही है जिसकी वजह से इतना लालच और इतना डर पैदा होता है," अमीर डैडी ने कहा। "मैं तुम्हें कुछ उदाहरण देता हूँ। एक डॉक्टर जो अपने परिवार को ज़्यादा ख़ुशी देना चाहता है, अपनी फ़ीस बढ़ा देता है। उसकी फ़ीस बढ़ने की वजह से स्वास्थ्य सुविधाएँ हर एक के लिए महँगी हो जाती हैं। अब इससे ग़रीब लोगों को सबसे ज़्यादा नुक़सान पहुँचता है, इसलिए ग़रीब लोगों का स्वास्थ्य अमीर लोगों से ज़्यादा बुरा होगा।

"अब चूँकि डॉक्टरों ने अपनी फ़ीस बढ़ा दी है, इसलिए वकील भी अपनी

फ़ीस बढ़ा देते हैं। चूँकि वकीलों ने अपनी फ़ीस बढ़ा दी है, इसलिए स्कूल के टीचर भी अपनी तनख़्वाह बढ़वाना चाहते हैं, जिसके कारण हमारा टैक्स बढ़ता है और यह सिलसिला अनंत काल तक यूँ ही चलता रहता है। जल्द ही, अमीर और ग़रीब लोगों के बीच इतना भयानक अंतर हो जाएगा कि प्रलय आ जाएगी और एक और महान सभ्यता धराशायी हो जाएगी। महान सभ्यताएँ तभी धराशायी हुई हैं जब अमीरों और ग़रीबों के बीच का फ़ासला बहुत ज़्यादा हो गया है। अमेरिका भी उसी रास्ते पर चल रहा है, और इससे यह साबित होता है कि इतिहास अपने आपको दोहराता है क्योंकि हम इतिहास से कुछ नहीं सीखते हैं। हम केवल ऐतिहासिक तारीख़ें और नाम रटते हैं, उनके सबक़ को भूल जाते हैं।"

"क्या क़ीमतें नहीं बढ़नी चाहिए?" मैंने पूछा।

"अच्छी तरह से चल रही सरकार और एक शिक्षित समाज में तो नहीं। क़ीमतें दरअसल कम होनी चाहिए। ज़ाहिर है कि ऐसा केवल सिद्धांत में ही हो सकता है। क़ीमतें अज्ञान से पैदा हुए लालच और डर के कारण बढ़ती हैं। अगर स्कूलों में धन के बारे में सिखाया जाता तो लोगों के पास ज़्यादा पैसा होता और बाज़ार की क़ीमतें भी कम होतीं, परंतु स्कूलों में सिर्फ़ पैसे के लिए काम करना सिखाया जाता है, पैसे की ताक़त का इस्तेमाल नहीं सिखाया जाता।"

"परंतु हमारे यहाँ बिज़नेस स्कूल भी हैं?" माइक ने पूछा। "क्या आप मुझे अपनी मास्टर्स डिग्री के लिए बिज़नेस स्कूल जाने के लिए प्रेरित नहीं कर रहे हैं?"

"हाँ," अमीर डैडी ने कहा। "परंतु अक्सर ऐसा होता है कि बिज़नेस स्कूल ऐसे कर्मचारियों को प्रशिक्षित करते हैं जो परिष्कृत बीन काउंटर्स होते हैं। ईश्वर ही मालिक है जब कोई बीन काउंटर बिज़नेस सँभाल ले। वे सिर्फ़ संख्या को देखते हैं, लोगों को निकालते हैं और बिज़नेस का गला घोंट देते हैं। मैं जानता हूँ क्योंकि मैं बीन काउंटर्स से काम लेता हूँ। वे सिर्फ़ इतना ही सोचते हैं कि लागत कैसे कम की जाए और क़ीमत कैसे बढ़ाई जाए, जिससे बहुत सी समस्याएँ पैदा हो जाती हैं। बीन काउंटिंग भी महत्वपूर्ण है। मैं सोचता हूँ कि ज़्यादा लोगों को इस बारे में जानना चाहिए, परंतु यह भी पूरी तस्वीर नहीं बताती।" अमीर डैडी ने ग़ुस्से से कहा।

"तो फिर क्या इसका कोई हल है?" माइक ने पूछा।

"हाँ," अमीर डैडी ने कहा। "सोचने के लिए अपनी भावनाओं का इस्तेमाल करना सीखो, अपनी भावनाओं के बहाव में आकर मत सोचो। जब तुम लोग मुफ़्त में काम करने के लिए तैयार हो गए थे तो तुमने अपनी भावनाओं को क़ाबू में रखना सीख लिया था। तभी मैं समझ गया था कि तुमसे उम्मीद की जा सकती है। जब मैंने तुम्हें ज़्यादा तनख़्वाह का लालच दिया तब

तुमने एक बार फिर भावनाओं की बात नहीं मानी। तुम ताक़तवर भावनाओं के बावजूद सोचना सीख रहे थे। यह पहला क़दम था।"

"यह क़दम इतना महत्वपूर्ण क्यों है?" मैंने पूछा।

"यह तुम अपने आप जान जाओगे। अगर तुम सीखना ही चाहते हो, तो मैं तुम लोगों को ब्रायर पैच में ले जाऊँगा। यह वह जगह है जिससे लोग बचते हैं। मैं तुम्हें उस जगह पर ले जाऊँगा जहाँ जाने में ज़्यादातर लोगों को डर लगता है। अगर तुम मेरे साथ जाओगे, तो तुम्हारे मन से पैसे के लिए काम करने का विचार निकल जाएगा। इसके बजाय तुम यह सीखोगे कि पैसे से कैसे काम लिया जा सकता है।"

"और अगर हम आपके साथ जाते हैं तो हमें क्या मिलेगा? अगर हम आपसे सीखने के लिए तैयार होते हैं तो हमें क्या मिलेगा?" मैंने पूछा।

"वही जो ब्रायर रैबिट को मिला था," अमीर डैडी ने कहा। "टार बेबी से आज़ादी।"

"क्या ऐसा कोई ब्रायर पैच होता है?" मैंने पूछा।

"हाँ," अमीर डैडी ने कहा। "डर और लालच ही ब्रायर पैच हैं। अपने डर से पीछा छुड़ाकर, अपने लालच का सामना करके, अपनी कमज़ोरियों और ज़रूरतों को पहचानकर ही हम बाहर निकलने के रास्ते तक पहुँच सकते हैं। और बाहर निकलने का रास्ता हमारे दिमाग़ से होकर गुज़रता है, सही विचारों को चुनने से।"

"विचारों को चुनने से?" माइक ने आश्चर्यचकित होकर पूछा।

"हाँ, इस विचार को चुनकर कि हम क्या सोचेंगे, बजाय इसके कि हम अपनी भावनाओं में बहकर लगातार प्रतिक्रिया करते रहें। सुबह उठने और काम पर जाने से ही आपकी समस्याएँ नहीं सुलझ जातीं, क्योंकि बिल चुकाने के लिए पर्याप्त पैसा न होने का डर आपको सताता रहेगा। सोचने से आपको ख़ुद से एक सवाल पूछने का समय मिलता है। इस तरह का सवाल, 'क्या इस समस्या का सबसे बढ़िया समाधान इस पर और ज़्यादा मेहनत करना है?' ज़्यादातर लोग इतनी बुरी तरह घबराए होते हैं कि वे ख़ुद अपने आपको असली बात नहीं बताते - कि डर हावी हो रहा है - और नतीजा यह निकलता है कि वे सोच ही नहीं पाते और इसके बजाय दरवाज़े से बाहर दौड़ लगा देते हैं। टार बेबी हावी हो जाती है। अपने विचार चुनने से मेरा यही मतलब था।"

"पर हम ऐसा किस तरह करेंगे?" माइक ने पूछा।

"यही तो मैं तुम्हें सिखाने वाला हूँ। मैं तुम्हें यह सिखाऊँगा कि तुम्हारे

पास चुनने के लिए विचारों के विकल्प होने चाहिए, ताकि तुम हड़बड़ी में काम करने से बच सको, जैसे अपनी सुबह की कॉफ़ी पीकर दरवाज़े से बाहर दौड़ लगाने की आदत से।

"मैंने तुमसे जो पहले कहा था उसे याद रखो : नौकरी दीर्घकालीन समस्या का अल्पकालीन समाधान है। ज़्यादातर लोगों के दिमाग़ में सिर्फ़ एक समस्या होती है और यह थोड़े समय की होती है। यह समस्या होती है : महीने के आख़िर में चुकाए जाने वाले बिल यानी टार बेबी। अब पैसा उनकी ज़िंदगी चलाता है। या मैं यह कहूँ कि पैसे को लेकर उनका डर और अज्ञान उनकी ज़िंदगी चलाते हैं। तो वे वही करते हैं जो उनके माँ-बाप ने किया था, सुबह उठो और पैसे के लिए काम करो। वे इतना समय भी नहीं निकाल पाते कि यह सोच सकें, 'क्या कोई दूसरा तरीक़ा है?' इस वक़्त वे दिल से सोचते हैं, दिमाग़ से नहीं।"

"दिल से सोचने और दिमाग़ से सोचने में क्या फ़र्क़ होता है?" माइक ने पूछा।

अमीर डैडी ने जवाब दिया। "मैं इस तरह के जुमले अक्सर सुनता हूँ, 'हर आदमी को काम करना पड़ता है।' या 'अमीर लोग शोषक होते हैं।' या 'मैं दूसरी नौकरी ढूँढ़ लूँगा। मेरी तनख़्वाह बढ़नी चाहिए। आप इस तरह मेरा शोषण नहीं कर सकते।' या 'मैं इस नौकरी को इसलिए पसंद करता हूँ क्योंकि यह सुरक्षित है।' इसके बजाय हमें यह कहना चाहिए, 'क्या यहाँ ऐसा कुछ है जो मुझे नहीं मिल रहा है?' इस तरह भावना पर आधारित हमारे विचारों की ज़ंजीर टूट जाएगी और हमें ज़्यादा अच्छे तरीक़े से सोचने का मौक़ा मिल जाएगा।"

मुझे मानना ही पड़ेगा, कि मेरे लिए यह सबक़ एक महान सबक़ साबित हुआ। यह जानना कि कब कोई आदमी दिल से बोल रहा है और कब दिमाग़ से, किसके शब्दों में भावनाएँ छुपी हुई हैं और किसके शब्दों में विचार - यह एक ऐसा सबक़ था जो ज़िंदगी भर मेरे काम आया। ख़ास तौर पर तब जब मैं अपने दिल से यानी अपनी भावनाओं से बोल रहा था, न कि अपने विचारों या दिमाग़ से।

जब हम स्टोर की तरफ़ वापस मुड़े तो अमीर डैडी ने यह कहा कि अमीर लोग हक़ीक़त में 'पैसा बनाते' हैं। वे इसके लिए काम नहीं करते। उन्होंने यह भी बताया कि 5 सेंट के सीसे के सिक्के ढालते समय जब माइक और मैं यह सोच रहे थे कि हम पैसे बना रहे थे, तो हमारे विचार उसी रास्ते पर चल रहे थे जिस पर अमीर लोग चलते हैं। दिक़्क़त सिर्फ़ इतनी थी कि हमारे लिए ऐसा करना ग़ैरक़ानूनी था। सरकार और बैंकों के लिए ऐसा करना क़ानूनी था, परंतु हमारे लिए नहीं था। उन्होंने यह भी बताया कि पैसा क़ानूनी और

ग़ैरक़ानूनी दोनों ही तरीक़ों से कमाया जा सकता है।

अमीर डैडी ने बाद में हमें यह समझाया कि अमीर लोग जानते हैं कि धन एक भ्रम है, जो हक़ीक़त में गधे के सामने लटकी गाजर की तरह होता है। धन के भ्रम के कारण जो डर और लालच पैदा होता है, उसकी वजह से ही अरबों-खरबों लोग यह सोचते रहते हैं कि धन असली चीज़ है। धन दरअसल एक मायाजाल है। जनता के अज्ञान और भरोसे के भ्रम की वजह से ही ताश के पत्तों का यह महल खड़ा रह पाता है। "सच कहा जाए तो गधे की गाजर धन से ज़्यादा क़ीमती है," उन्होंने कहा।

उन्होंने अमेरिका के गोल्ड स्टैंडर्ड के बारे में भी बात की और यह बताया कि हर डॉलर का नोट असल में चाँदी का प्रमाणपत्र है। उन्हें इस अफ़वाह से चिंता हो रही थी कि किसी दिन हम लोग गोल्ड स्टैंडर्ड को छोड़ देंगे और हमारे डॉलर चाँदी के प्रमाणपत्र नहीं रहेंगे।

"जब ऐसा होगा, बच्चों, तो कयामत आ जाएगी। ग़रीब, मध्य वर्गीय और नासमझ लोगों की ज़िंदगी सिर्फ़ इसलिए बर्बाद हो जाएगी क्योंकि वे यह भरोसा करते रहेंगे कि धन ही असली चीज़ है और वे जिस कंपनी के लिए काम करते हैं वह कंपनी या सरकार उनका ध्यान रखेगी।"

उनकी बातें उस दिन हमारी समझ में नहीं आ रही थीं, परंतु सालों बाद जाकर मुझे यह समझ में आया कि यह बड़े पते की बात थी।

वह देखना जो दूसरे नहीं देख पाते

जब वे अपने पिकअप ट्रक में चढ़े तो उन्होंने कहा, "काम करते रहो, बच्चो, पर जितनी जल्दी तुम तनख़्वाह की ज़रूरत को भूल जाओगे, तुम्हारी आगे की ज़िंदगी उतनी ही आसान हो जाएगी। अपने दिमाग़ का इस्तेमाल करो, मुफ़्त में काम करो और जल्दी ही तुम्हारा दिमाग़ तुम्हें पैसे कमाने के दूसरे तरीक़े बता देगा। उन तरीक़ों से तुम इस नौकरी से ज़्यादा कमा लोगे। तुम ऐसी चीज़ें देख पाओगे जो दूसरे लोग कभी नहीं देख पाते। मौक़े उनकी नाक के नीचे होते हैं। फिर भी ज़्यादातर लोग इन मौक़ों को कभी नहीं देख पाते। इसका कारण यह है कि वे पैसे और सुरक्षा ढूँढ़ते रहते हैं, इसलिए उन्हें यही मिलते हैं। जिस वक़्त तुम एक मौक़ा भाँपने में कामयाब हो जाओगे, उसके बाद तुम ज़िंदगी भर मौक़ा भाँप सकते हो। जिस वक़्त तुम ऐसा कर लोगे, मैं तुम लोगों को कुछ और बातें सिखाऊँगा। इस बात को ध्यान से समझ लो ताकि तुम ज़िंदगी के सबसे बड़े जाल से बच सको। वह टार बेबी तुम्हें कभी नहीं छू पाएगी।"

माइक और मैंने स्टोर से अपनी चीज़ें उठाईं और मिसेज़ मार्टिन से

गुडबाइ कहा। हम वापस पार्क गए, उसी पिकनिक बेंच पर बैठे और वहाँ घंटों तक सोचते रहे और बातें करते रहे।

हमने अगला हफ़्ता स्कूल में इसी बारे में सोचते और बातें करते हुए बिताया। दो सप्ताह तक हम लोग सोचते रहे, बातें करते रहे और मुफ़्त में काम करते रहे।

दूसरे शनिवार के आख़िर में मैं मिसेज़ मार्टिन से दुबारा गुडबाइ कर रहा था और कॉमिक-बुक स्टैंड को ललचाई नज़र से देख रहा था। हर शनिवार 30 सेंट न मिलने में सबसे दुखद बात यह थी कि मेरे पास कॉमिक्स ख़रीदने के लिए बिलकुल भी पैसे नहीं होते थे। अचानक, जब मिसेज़ मार्टिन मुझे और माइक को गुडबाइ कर रही थीं, मैंने उन्हें एक ऐसा काम करते देखा जो इसके पहले कभी नहीं देखा था। मेरा मतलब है, मैंने इसके पहले उन्हें ऐसा करते देखा तो था, पर उस पर ध्यान नहीं दिया था।

मिसेज़ मार्टिन ने कॉमिक्स के पहले पेज को आधा काटा और उसे सँभालकर अपने पास रख लिया। बाक़ी की पुस्तक को उन्होंने एक बड़े से भूरे कार्डबोर्ड के डिब्बे में डाल दिया। जब मैंने उनसे पूछा कि वे इन कॉमिक्स का क्या करती हैं, तो उन्होंने कहा, "मैं उन्हें फेंक देती हूँ। जब वह नई कॉमिक्स लाता है तो मैं ऊपर के आधे कवर को क्रेडिट के लिए कॉमिक बुक डिस्ट्रिब्यूटर को दे देती हूँ। वह एक घंटे में आने ही वाला है।"

माइक और मैंने एक घंटे तक इंतज़ार किया। जल्दी ही वह डिस्ट्रिब्यूटर आया और मैंने उससे पूछा कि क्या हमें कॉमिक्स मिल सकती हैं। इस पर उसने जवाब दिया, "आपको मिल सकती हैं अगर आप इस स्टोर में काम करते हैं और अगर आप यह वादा करें कि आप उन्हें दुबारा नहीं बेचेंगे।"

हमारी पार्टनरशिप एक बार फिर क़ायम हो गई थी। माइक की मम्मी ने बेसमेंट में हमें एक ख़ाली कमरा दे दिया, जो उनके किसी काम नहीं आता था। हमने उसकी सफ़ाई करके उसमें सैकड़ों कॉमिक्स जमा कर लीं। जल्दी ही हमारी कॉमिक्स लायब्रेरी लोगों के लिए खोल दी गई। माइक की छोटी बहन को पढ़ने का बहुत शौक़ था, इसलिए हमने उसे अपना लायब्रेरियन बना दिया। लायब्रेरी में आने और कॉमिक्स पढ़ने के लिए वह हर बच्चे से 10 सेंट लेती थी। स्कूल ख़त्म होने के बाद हर दोपहर 2:30 से 4:30 तक लायब्रेरी खुलती थी। पड़ोस के बहुत से बच्चे इसके ग्राहक बन गए थे और वे जितनी कॉमिक्स पढ़ना चाहते थे, दो घंटे में पढ़ सकते थे। यह उनके लिए बहुत बढ़िया सौदा था क्योंकि एक कॉमिक्स की क़ीमत 10 सेंट होती थी और दो घंटे में वे पाँच या छह कॉमिक्स पढ़ लेते थे।

माइक की बहन लौटते समय बच्चों की तलाशी लेती थी और यह देख लेती थी कि वे अपने कपड़ों में कॉमिक्स छुपाकर तो नहीं ले जा रहे हैं। वह

इस बात का रिकॉर्ड भी रखती थी कि हर रोज़ कितने बच्चे आए, उनका नाम क्या था और उनके सुझाव क्या थे। माइक और मुझे तीन महीने तक हर हफ़्ते 9.5 डॉलर का औसत लाभ हुआ। हमने उसकी बहन को हर हफ़्ते 1 डॉलर का भुगतान किया और उसे मुफ़्त में कॉमिक्स पढ़ने का फ़ायदा भी दिया, हालाँकि वह कॉमिक्स कभी-कभार ही पढ़ती थी क्योंकि वह हमेशा अपनी पढ़ाई में लगी रहती थी।

माइक और मैं समझौते के मुताबिक़ हर शनिवार स्टोर में काम करते रहे। साथ ही, हम अलग-अलग दुकानों से कॉमिक्स इकट्ठी करते रहे। हमने वादे के मुताबिक़ कॉमिक्स नहीं बेचीं। जब कोई कॉमिक्स फट जाती थी तो हम उसे जला देते थे। हमने इसकी एक शाखा खोलने की भी कोशिश की, लेकिन हमें माइक की बहन की तरह मेहनती और भरोसेमंद लायब्रेरियन नहीं मिला।

बहुत कम उम्र में ही हमने यह जान लिया था कि अच्छे स्टाफ़ को खोजना कितना मुश्किल होता है।

लायब्रेरी खुलने के तीन महीने बाद, हमारी लायब्रेरी में एक समस्या आ गई। दूसरे मोहल्ले के कुछ गुंडे अंदर घुस आए और उन्होंने झगड़ना शुरू कर दिया। माइक के डैडी ने सुझाव दिया कि हम अपना यह कारोबार बंद कर दें। तो इस तरह हमारा कॉमिक्स का धंधा बंद हो गया और हमने कन्वीनियेंस स्टोर पर हर शनिवार काम करना भी बंद कर दिया। फिर भी, अमीर डैडी रोमांचित थे क्योंकि उनके पास ऐसी बहुत सी नई बातें थीं, जो वे हमें सिखाना चाहते थे। वे ख़ुश थे क्योंकि हमने उनके पहले सबक़ को इतनी अच्छी तरह सीख लिया था। हमने यह भी सीख लिया था कि पैसे से अपने लिए काम कैसे करवाया जाता है। स्टोर में नौकरी के बदले में पैसा नहीं मिलता था, इसलिए हमें मजबूरन अपनी कल्पनाशक्ति पर ज़ोर डालना पड़ा ताकि हम पैसा कमाने का कोई दूसरा तरीक़ा ढूँढ़ सकें। कॉमिक्स लायब्रेरी हमारा अपना व्यवसाय था, हमारा धन हमारे क़ाबू में था और हम किसी मालिक के मोहताज नहीं थे। इसमें सबसे अच्छी बात यह थी कि हमारे व्यवसाय से हमें तब भी पैसा मिलता था, जब हम वहाँ स्वयं मौजूद नहीं होते थे। उस समय, हम पैसे के लिए काम नहीं करते थे, बल्कि हमारा पैसा हमारे लिए काम करता था।

ज़्यादा तनख़्वाह देने के बजाय अमीर डैडी ने हमें इतनी बढ़िया नसीहत दे दी थी।

सबक़ दो :

पैसे की समझ
क्यों सिखाई जानी चाहिए?

अध्याय तीन

सबक़ दो :

पैसे की समझ
क्यों सिखाई जानी चाहिए?

1990 में मेरे सबसे अच्छे दोस्त माइक ने अपने डैडी का लंबा-चौड़ा कारोबार सँभाल लिया है और उसे अपने डैडी से ज़्यादा कामयाबी मिल रही है। हम एक-दूसरे से साल में एक-दो बार गोल्फ़ कोर्स पर मिलते हैं। वह और उसकी पत्नी इतने ज़्यादा अमीर हैं कि आप इसकी कल्पना भी नहीं कर सकते। अमीर डैडी का साम्राज्य बहुत सुरक्षित हाथों में है। और अब माइक अपने बेटे को उसी तरह सिखा रहा है, जिस तरह से उसके डैडी ने हमें सिखाया था।

1994 में मैं 47 साल की उम्र में रिटायर हो गया और मेरी पत्नी किम उस वक़्त 37 साल की थी। रिटायरमेंट का यह मतलब नहीं है कि हम काम नहीं करते या आगे काम नहीं करेंगे। इसका मतलब यह है कि जब तक कोई चमत्कार ही न हो जाए, तब तक हम काम करने या न करने के लिए आज़ाद हैं। इसका कारण यह है कि हमारी दौलत अपने आप बढ़ती रहती है, मुद्रास्फ़ीति की दर से कहीं ज़्यादा तेज़ रफ़्तार से। मुझे लगता है कि आज़ादी इसी को कहते हैं। हमारी दौलत इतनी ज़्यादा है कि यह अपने आप बढ़ सकती है। यह पेड़ लगाने की तरह है। आप सालों तक इसे पानी देते हैं और एक दिन इसे आपकी ज़रूरत नहीं रह जाती। इसकी जड़ें ज़मीन में काफ़ी गहराई तक पहुँच जाती हैं। इसके बाद, पेड़ आपके सुख के लिए छाया और फल देता है।

माइक ने साम्राज्य चलाने का विकल्प चुना और मैंने रिटायर होने का।

जब भी मैं लोगों से बातें करता हूँ तो वे अक्सर मुझसे सलाह माँगते हैं कि उन्हें क्या करना चाहिए? "शुरुआत कहाँ से और कैसे की जाए?" "आपकी नज़र में कौन सी पुस्तक अच्छी रहेगी?" "हम अपने बच्चों को यह सब कैसे सिखाएँ?" "कामयाबी का रहस्य क्या है?" "मैं किस तरह करोड़ों रुपए कमा सकता हूँ?" ऐसे वक़्त मुझे हमेशा एक लेख की याद आती है, जो यहाँ दिया जा रहा है।

सबसे अमीर बिज़नेसमेन

1923 में हमारे सबसे महान नेता और सबसे अमीर बिज़नेसमेन शिकागो में एजवॉटर बीच पर इकट्ठे हुए। ये लोग बहुत मशहूर थे। चार्ल्स श्वाब सबसे बड़ी स्टील कंपनी के मुखिया थे। सैम्युअल इन्सुल दुनिया की सबसे बड़ी युटिलिटी के अध्यक्ष थे। हॉवर्ड हॉप्सन सबसे बड़ी गैस कंपनी के मुखिया थे। आइवर क्रूज़र दुनिया की सबसे बड़ी कंपनियों में से एक इंटरनेशनल मैच कंपनी के अध्यक्ष थे। लियॉन फ़्रेज़र बैंक ऑफ़ इंटरनेशनल सेटलमेंट्स के अध्यक्ष थे। रिचर्ड व्हिटनी न्यूयॉर्क स्टॉक एक्सचेंज के मुखिया थे। आर्थर कॉटन और जेसी लिवरमोर सबसे बड़े दो स्टॉक स्पेकुलेटर्स (शेयर का कारोबार करने वाले) थे। और अल्बर्ट फ़ॉल, प्रेसिडेंट हार्डिंग के केबिनेट में मंत्री थे। पच्चीस साल बाद इनमें से नौ लोगों का अंत इस तरह हुआ। श्वाब पाँच साल तक क़र्ज़ में डूबे रहने के बाद ग़रीबी में मरे। इन्सुल की मौत विदेश में दीवालिएपन की हालत में हुई। क्रूज़र और कॉटन भी ग़रीबी में मरे। हॉप्सन पागल हो गए। व्हिटनी और अल्बर्ट फ़ॉल उस समय जेल से रिहा हुए थे। फ़्रेज़र और लिवरमोर आत्महत्या कर चुके थे।

शायद कोई भी ठीक से यह नहीं बता सकता कि इन लोगों के साथ ऐसा क्यों हुआ था। यह 1923 की बात है। हम इतना अंदाज़ा तो लगा सकते हैं कि यह 1929 के मार्केट क्रेश और बड़ी आर्थिक मंदी के ठीक पहले का समय था। मंदी का इन लोगों पर निश्चित रूप से बहुत ज़्यादा असर हुआ होगा। देखने वाली बात यह है : आज हम इन लोगों से ज़्यादा मुश्किल समय में जी रहे हैं। परिवर्तन ज़्यादा तेज़ी से हो रहे हैं और पूरी दुनिया में हो रहे हैं। मुझे लगता है कि आने वाले 25 सालों में बहुत से ऐसे उतार-चढ़ाव आएँगे जो इन लोगों द्वारा झेले गए उतार-चढ़ावों की तरह ही होंगे। मुझे यह चिंता है कि बहुत से लोग सिर्फ़ पैसे पर अपना ध्यान लगाए बैठे हैं और अपनी सबसे बड़ी दौलत पर ध्यान नहीं दे रहे हैं, जिसका नाम है शिक्षा। अगर लोग लचीले होने, दिमाग़ खुला रखने और सीखने के लिए तैयार रहें तो इन परिवर्तनों के बावजूद वे बहुत अमीर बन सकते हैं। अगर लोग यह सोचेंगे कि पैसा ही उनकी समस्याओं को सुलझा सकता है तो ऐसे लोगों के लिए आगे आने वाला समय बहुत परेशानी भरा होगा। बुद्धि से समस्याएँ सुलझती हैं और पैसा आता है। अगर आपके पास पैसे की समझ नहीं है तो पैसा चाहे आ भी जाए, पर ज़्यादा देर तक नहीं टिकता।

ज़्यादातर लोग ज़िंदगी भर यह नहीं समझ पाते कि असल बात यह नहीं है कि आप कितना पैसा कमा पाते हैं, बल्कि यह है कि आप कितना पैसा रख पाते हैं। हमने लॉटरी जीतने वाले उन ग़रीब लोगों की कहानियाँ सुनी हैं, जो अचानक अमीर बन जाते हैं पर कुछ समय बाद वे फिर से ग़रीब हो जाते हैं। ये लोग लाखों-करोड़ों जीतते हैं फिर भी वे लौटकर वहीं आ जाते हैं जहाँ से

उन्होंने शुरू किया था। आपने उन व्यावसायिक एथलीट्स की कहानियाँ भी पढ़ी होंगी जो 24 साल की उम्र में हर साल करोड़ों डॉलर कमाते हैं और 34 साल की उम्र में उन्हें पुल के नीचे सोना पड़ता है। आज ही के अख़बार में एक युवा बास्केटबॉल खिलाड़ी की ख़बर छपी है जो एक साल पहले करोड़ों का मालिक था। आज, वह यह शिकायत करता फिर रहा है कि उसके दोस्तों, वकीलों और अकाउंटेंट्स ने उसके पैसे हड़प लिए और इसी वजह से आज उसे बहुत कम मज़दूरी पर कार धोने का काम करना पड़ रहा है।

वह सिर्फ़ 29 साल का है। उसे कार धोने के काम से भी निकाल दिया गया। इसकी वजह यह थी कि उसने कार साफ़ करते समय अपनी चैंपियनशिप रिंग उतारने से मना कर दिया, और इसलिए उसकी ख़बर अख़बार में छप गई। वह अपने निकाले जाने का विरोध कर रहा है और कहता है कि यह भेदभाव है। अँगूठी ही तो उसकी महान ज़िंदगी की इकलौती निशानी है। उसका कहना है कि अगर आप उसकी अँगूठी उतरवा लेंगे तो उसके पास ज़िंदा रहने का कोई सहारा नहीं बचेगा और वह मर जाएगा।

1997 में, मैं ऐसे बहुत से लोगों को जानता हूँ जो नए-नए करोड़पति बन रहे हैं। एक बार फिर यह 1920 के उछाल वाले दशक की याद दिला देता है। हालाँकि मैं ख़ुश हूँ कि इतने ज़्यादा लोग अमीर बनते जा रहे हैं, परंतु मैं उन्हें चेतावनी देना चाहता हूँ कि लंबे समय में, यह महत्वपूर्ण नहीं है कि आपने कितना पैसा कमाया, बल्कि महत्वपूर्ण यह है कि आपने कितना पैसा रखा, और आपने कितनी पीढ़ियों तक उस पैसे को सहेजा।

तो जब लोग मुझसे पूछते हैं, "हम किस तरह शुरू करें?" या "मुझे बताइए कि जल्दी से अमीर कैसे बना जा सकता है?" तो वे मेरे जवाब से बहुत निराश होते हैं। मैं उनसे सिर्फ़ यही कहता हूँ जो मेरे अमीर डैडी ने मुझसे बचपन में कहा था। "अगर तुम अमीर बनना चाहते हो, तो तुम्हारे पास पैसे की समझ होनी चाहिए।"

जब भी मैं अमीर डैडी से मिलता था, यह विचार मेरे दिमाग़ में हर बार ठोका जाता था। जैसा मैंने कहा, मेरे पढ़े-लिखे डैडी हमेशा किताबें पढ़ने के फ़ायदे बताते रहते थे। दूसरी तरफ़ मेरे अमीर डैडी वित्तीय साक्षरता या पैसे की समझ विकसित करने पर ज़ोर देते थे।

अगर आप एम्पायर स्टेट बिल्डिंग बनाने जा रहे हैं, तो सबसे पहले आपको एक गहरा गड्ढा खोदना पड़ेगा और एक मज़बूत नींव डालनी होगी। अगर आप किसी उपनगर में एक घर बनाने जा रहे हैं तो आपको सिर्फ़ 6 इंच का कंक्रीट का स्लैब डालना होगा। ज़्यादातर लोग अमीर बनने के चक्कर में 6 इंच के स्लैब पर एम्पायर स्टेट बिल्डिंग खड़ी करना चाहते हैं।

हमारा स्कूल सिस्टम उस ज़माने का है जब खेती-किसानी ही अर्थव्यवस्था

का आधार थी। आज भी यह बिना नींव के घरों में भरोसा करता है। धूल का फ़र्श आज भी लोकप्रिय है। इसलिए स्कूल से निकलने वाले बच्चों की कोई आर्थिक नींव नहीं होती है। एक दिन, जब उन्हें नींद नहीं आती और वे क़र्ज़ में डूब जाते हैं तो वे अमेरिकी सपने को देखते हैं और यह फ़ैसला करते हैं कि पैसे की जो समस्या उनके सामने खड़ी है, उसे अमीर होकर ही सुलझाया जा सकता है।

इमारत बनना शुरू हो जाती है। यह तेज़ी से ऊपर बढ़ती है और जल्द ही एम्पायर स्टेट बिल्डिंग के बजाय हमारे पास सबर्बिया का लीनिंग टॉवर होता है। हमारी रातों की नींद एक बार फिर उड़ जाती है।

माइक और मेरे लिए दोनों ही विकल्प संभव थे क्योंकि हमारी आर्थिक नींव मज़बूत थी और पैसे की समझ हमें बचपन से ही सिखाई गई थी।

देखा जाए तो अकाउंटिंग शायद दुनिया का सबसे बोरिंग विषय है। यह बहुत उलझन भरा विषय भी है। परंतु अगर आप लंबे समय तक अमीर बने रहना चाहते हैं तो यह सबसे महत्वपूर्ण विषय भी है। सवाल यह है कि आप इस बोरिंग और उलझन भरे विषय को अपने बच्चे को किस तरह सिखा सकते हैं? इस सवाल का जवाब है, इसे आसान बनाकर। पहले इसे तस्वीरों के ज़रिए सिखाएँ।

अमीर डैडी ने माइक और मेरे लिए एक मज़बूत आर्थिक नींव डाली थी। चूँकि हम लोग छोटे बच्चे थे, इसलिए उन्होंने हमें सिखाने का एक आसान तरीक़ा ईजाद किया। सालों तक वे केवल चित्र बनाते रहे और उनके साथ शब्दों का इस्तेमाल करके हमें समझाते रहे। जब माइक और मैंने उन आसान डायग्राम्स की मदद से आर्थिक शब्दावली और पैसे के खेल को समझ लिया, तो इसके कई सालों बाद अमीर डैडी ने अंकों को जोड़ना शुरू किया। आज, माइक को जितने अकाउंटिंग विश्लेषण की ज़रूरत है, वह उससे भी कहीं सूक्ष्म और जटिल विश्लेषण कर सकता है। उसके पास दस अरब डॉलर का साम्राज्य है। मैं इतना ज़्यादा जटिल विश्लेषण नहीं करता, क्योंकि मेरा साम्राज्य छोटा है, परंतु हम दोनों की ही नींव आसान नींव थी। आगे आने वाले पृष्ठों में, मैं आपके सामने वही आसान से चित्र खींचूँगा जो माइक के डैडी ने हमारे लिए खींचे थे। हालाँकि वे आसान हैं, परंतु इन चित्रों के सहारे उन्होंने दो छोटे बच्चों को ठोस और गहरी नींव पर दौलत का बड़ा महल बनाना सिखाया।

नियम 1. आपको संपत्ति (assets) और दायित्व (liabilities) का अंतर पता होना चाहिए, और हमेशा संपत्ति ही ख़रीदनी चाहिए। अगर आप अमीर बनना चाहते हैं, तो आपको बस इतना ही जानने की ज़रूरत है। यह पहला नियम है। यही इकलौता नियम है। यह बहुत आसान लगता है। परंतु ज़्यादातर लोगों को यह पता ही नहीं है कि यह नियम कितना महत्वपूर्ण है।

ज़्यादातर लोग पैसे की समस्याओं में सिर्फ़ इसलिए उलझे रहते हैं क्योंकि उन्हें यह पता ही नहीं होता कि संपत्ति और दायित्व में क्या फ़र्क़ होता है।

"अमीर लोग संपत्ति इकट्ठी करते हैं। ग़रीब और मध्य वर्गीय लोग दायित्व इकट्ठे करते हैं, और मज़े की बात यह है कि उन लोगों को यह लगता है कि वे संपत्ति इकट्ठी कर रहे हैं।"

जब अमीर डैडी ने माइक और मुझे यह बताया तो हमने सोचा कि वे मज़ाक़ कर रहे हैं। हम दो बच्चे अमीर बनने का रहस्य जानने के लिए इतने हैरान-परेशान थे जबकि उसका जवाब इतना आसान था। यह इतना ज़्यादा आसान था कि हमें इस बात पर सोचने के लिए बहुत देर तक ठहरना पड़ा।

"संपत्ति क्या होती है?" माइक ने पूछा।

"अभी उस बारे में चिंता मत करो," अमीर डैडी ने कहा। "अभी सिर्फ़ इस विचार को अपने दिमाग़ में घुस जाने दो। अगर तुम इसे आसानी से समझ सकते हो, तो तुम्हारी ज़िंदगी की एक योजना होगी और तुम्हें ज़िंदगी भर पैसे की कभी दिक़्क़त नहीं आएगी। यह आसान है, इसीलिए इसे अनदेखा कर दिया जाता है।"

"आपका मतलब है कि हमें बस इतना ही जानने की ज़रूरत है कि संपत्ति क्या है, यह जानने के बाद हम उसे हासिल कर लें और अमीर बन जाएँ?" मैंने पूछा।

अमीर डैडी ने हामी भरी, "हाँ, यह इतना ही आसान है।"

"अगर यह इतना आसान है तो फिर हर आदमी अमीर क्यों नहीं बन जाता?" मैंने पूछा।

अमीर डैडी मुस्कराए। "क्योंकि लोग संपत्ति और दायित्व में फ़र्क़ नहीं कर पाते।"

मुझे याद है मैंने पूछा था, "वयस्क लोग इतने मूर्ख कैसे हो सकते हैं। अगर यह इतना आसान है और इतना महत्वपूर्ण है तो हर कोई इसे जानना या खोजना क्यों नहीं चाहता?"

संपत्ति और दायित्व क्या होते हैं, यह समझाने में अमीर डैडी को बस कुछ ही मिनट लगे।

बड़े लोगों को यह नियम समझाने में मुझे बहुत कठिनाई होती है। क्यों? क्योंकि बड़े लोग ज़्यादा स्मार्ट होते हैं। मैंने अक्सर देखा है कि ज़्यादातर लोग आसान विचारों को नहीं समझ पाते। इसका कारण यह है कि उनकी शिक्षा अलग तरह से हुई है। उन्हें दूसरे प्रोफ़ेशनल्स ने पढ़ाया है, जैसे बैंकर्स, अकाउंटेंट्स, रियल एस्टेट एजेंट्स, फ़ायनैंशियल प्लानर्स इत्यादि। ज़्यादातर

बड़े लोगों के सामने मुश्किल यह होती है कि उन्हें बहुत कुछ भूलना पड़ता है और एक बार फिर से बच्चा बनना पड़ता है। एक समझदार वयस्क को अक्सर ऐसा लगता है कि आसान परिभाषाओं पर ध्यान देना मूर्खता है।

अमीर डैडी KISS सिद्धांत में यक़ीन करते थे – "Keep It Simple Stupid" – (मूर्ख, इसे आसान ही रहने दो)। इसलिए वे हम दो छोटे बच्चों के सबक़ को आसान बनाते थे और इस तरह उन्होंने हमारी पैसे की नींव को ज़्यादा मज़बूत बना दिया।

तो दिक़्क़त या उलझन किस बात से आती है? या इतनी आसान चीज़ किस तरह कठिन बन जाती है? कोई ऐसी संपत्ति क्यों ख़रीदता है जो असल में दायित्व होती है। इसका जवाब हमें अपनी बुनियादी शिक्षा में मिलता है।

हम 'साक्षरता' शब्द पर ध्यान देते हैं और 'पैसे की साक्षरता' को अनदेखा कर देते हैं। कोई वस्तु संपत्ति है या दायित्व, यह कैसे पता चलेगा। अगर आप सचमुच झंझट में फँसना चाहें तो इन शब्दों को डिक्शनरी में देख लें। मैं जानता हूँ कि वहाँ दी हुई परिभाषाएँ किसी अकाउंटेंट को अच्छी लगती होंगी, परंतु दिक़्क़त यह है कि आम आदमी उन्हें पूरी तरह से नहीं समझ पाता। फिर भी, हम वयस्क लोग यह मानने में अपनी तौहीन समझते हैं कि कोई चीज़ हमें समझ में नहीं आ रही है।

छोटे बच्चों को समझाते समय अमीर डैडी ने एक बार कहा था, "संपत्ति को शब्दों के नहीं, अंकों के द्वारा पढ़ा जाता है। और अगर आप अंकों को नहीं पढ़ सकते तो आपको संपत्ति और ज़मीन में खुदे गड्ढे में कोई फ़र्क़ महसूस नहीं होगा।"

"अकाउंटिंग में अंक महत्वपूर्ण नहीं हैं, महत्वपूर्ण तो वह बात है जो अंक आपको बता रहे हैं। यह शब्दों की ही तरह है। शब्द महत्वपूर्ण नहीं होते, महत्वपूर्ण वह बात होती है जो शब्दों के ज़रिए बताई जाती है।"

कई लोग पढ़ते हैं, परंतु ज़्यादा समझ नहीं पाते। यह रीडिंग कॉम्प्रिहेन्शन या पढ़े हुए को समझने की क़ाबिलियत होती है। और इस क्षेत्र में हम सबकी अलग-अलग क़ाबिलियत होती है। उदाहरण के लिए, मैंने हाल ही में एक नया वी.सी.आर. ख़रीदा। इसके साथ निर्देश पुस्तिका भी थी जिसमें समझाया गया था कि अपने वी.सी.आर. को किस तरह प्रोग्राम किया जाता है। मैं शुक्रवार की शाम को आने वाले अपने फ़ेवरिट टीवी शो को रिकॉर्ड करना चाहता था। पर उस निर्देश पुस्तिका को पढ़ते-पढ़ते मैं पागल हो गया। मुझे दुनिया में कोई भी काम इतना मुश्किल नहीं लग रहा था जितना कि अपने वी.सी.आर. को प्रोग्राम करना। मैं शब्दों को पढ़ सकता था परंतु इसके बावजूद मुझे समझ में कुछ नहीं आ रहा था। मुझे शब्दों को पहचानने में 'ए' मिल रहा था, परंतु उन्हें समझने में मुझे 'एफ़' मिल रहा था। और यही ज़्यादातर लोगों के साथ पैसे

के मामले में होता है।

"अगर आप अमीर बनना चाहते हैं, तो आपको अंकों को पढ़ना और उन्हें समझना आना चाहिए।" मैंने अपने अमीर डैडी से यह बात हज़ारों बार सुनी है। और मैंने यह भी सुना है, "अमीर लोग संपत्ति इकट्ठी करते हैं, जबकि ग़रीब और मध्य वर्गीय लोग दायित्व इकट्ठे करते हैं।"

यहाँ यह बताया जा रहा है कि संपत्ति और दायित्व में क्या फ़र्क़ होता है। ज़्यादातर अकाउंटेंट और फ़ायनैंशियल प्रोफ़ेशनल्स परिभाषाओं पर आपस में सहमत नहीं होते, परंतु यह आसान चित्र या रेखाचित्र दो छोटे बच्चों के लिए मज़बूत वित्तीय नींव डालने में बड़े काम आए।

बहुत छोटे बच्चों को सिखाने के हिसाब से अमीर डैडी ने हर चीज़ को बहुत आसान बनाए रखा और जहाँ तक बन पड़ा, उन्होंने चित्र या रेखाचित्र का प्रयोग ज़्यादा किया, शब्दों का उपयोग कम से कम किया और अंकों का तो कई वर्षों तक इस्तेमाल ही नहीं किया।

"यह एक संपत्ति का कैशफ़्लो पैटर्न है।"

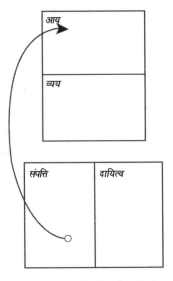

ऊपर दिया हुआ बॉक्स एक इन्कम स्टेटमेंट है, जिसे अक्सर लाभ और हानि का स्टेटमेंट भी कहा जाता है। यह आमदनी और ख़र्च बताता है। आने वाला पैसा और जाने वाला पैसा। नीचे का चित्र बैलेंस शीट है। इसे इसलिए यह कहा जाता है क्योंकि इसमें संपत्ति और दायित्वों को एक साथ मिलाकर देखा जाता है यानी उन्हें बैलेंस किया जाता है। कुछ लोग, जिनमें पैसे की समझ नहीं होती, इन्कम स्टेटमेंट और बैलेंस शीट के बीच के संबंध को नहीं जानते,

यह संबंध जानना बहुत ज़रूरी है।

पैसे की तंगी की असली वजह यह होती है कि लोग संपत्ति और दायित्व के बीच के अंतर को ठीक से नहीं समझ पाते। अक्सर इन दोनों शब्दों की परिभाषाएँ भी समस्या खड़ी कर देती हैं। अगर आपको दुविधा में पड़ना अच्छा लगता है तो आप शब्दकोष उठाकर उसमें संपत्ति और दायित्व शब्दों का मतलब देख लें।

अब इन परिभाषाओं का मतलब अकाउंटेंट को तो अच्छी तरह समझ में आ सकता है, परंतु आम आदमी के लिए यह वैसी ही बात हो गई जैसे परिभाषा का मतलब मैन्डेरिन जैसी किसी विदेशी भाषा में लिख दिया गया हो। आप परिभाषा में लिखे हुए शब्दों को तो पढ़ सकते हैं परंतु उन्हें अच्छी तरह समझना कठिन है।

इसलिए जैसा मैंने पहले कहा था, मेरे अमीर डैडी ने हमेशा दोनों छोटे बच्चों को यह आसान परिभाषा सिखाई, "संपत्ति वह होती है जो आपकी जेब में पैसा डालती है।" अच्छी, आसान और उपयोग में आने वाली परिभाषा।

"यह एक दायित्व का कैशफ़्लो पैटर्न है।"

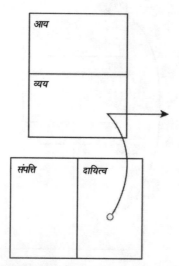

अब चूँकि संपत्ति और दायित्व को चित्रों से समझा दिया गया है, इसलिए शब्दों में दी गई परिभाषाओं को समझना ज़्यादा आसान होगा।

संपत्ति वह चीज़ है जो मेरी जेब में पैसे डालती है।

दायित्व वह चीज़ है जो मेरी जेब से पैसे निकालती है।

वास्तव में आपको इतना ही जानने की ज़रूरत है। अगर आप अमीर

बनना चाहते हैं, तो आप ज़िंदगी भर संपत्ति ख़रीदते रहिए। अगर आप ग़रीब या मध्य वर्गीय आदमी बनना चाहते हैं तो आप दायित्व ख़रीदते रहिए। इनके बीच के फ़र्क़ को न जानने से ज़्यादातर लोग जीवन भर पैसे की तंगी से परेशान रहते हैं।

पैसों के लिए आदमी इसलिए परेशान होता रहता है क्योंकि वह न तो शब्दों को समझ पाता है, न ही अंकों को। जिन लोगों के सामने पैसे की मुश्किलें आ रही हैं, उन्हें यह समझ लेना चाहिए कि शब्दों या अंकों में ऐसा कुछ है जिसे वे पढ़ नहीं पा रहे हैं। कोई चीज़ ठीक से उनकी समझ में नहीं आ रही है। अमीर लोग इसलिए अमीर होते हैं क्योंकि इस मामले में वे पैसे की तंगी से परेशान लोगों से ज़्यादा समझदार होते हैं। तो अगर आप अमीर बनना चाहते हैं और अपनी दौलत को बनाए रखना चाहते हैं तो पैसे की साक्षरता और समझदारी महत्वपूर्ण है, शब्दों में भी और अंकों में भी।

चित्रों में जो तीर लगे हैं, वे पैसे के बहाव यानी कैशफ़्लो को बताते हैं। ध्यान रखिए, सिर्फ़ अंकों से पूरी बात समझ में नहीं आती है, और सिर्फ़ शब्दों से भी पूरी बात समझ में नहीं आती है। महत्व तो पूरी कहानी का होता है। किसी वित्तीय रिपोर्ट में, अंकों को पढ़ना प्लॉट या कहानी ढूँढ़ने की तरह ही है। पैसा कहाँ जा रहा है, इस बात की कहानी। ८० फ़ीसदी परिवारों की पैसे की कहानी यह होती है कि वे अमीर बनने के लिए कड़ी मेहनत करते जाते हैं। इसका कारण यह नहीं है कि वे पैसा नहीं कमाते। असली कारण यह है कि वे ज़िंदगी भर संपत्ति की जगह दायित्व ख़रीदते रहते हैं।

उदाहरण के तौर पर, यह एक ग़रीब आदमी या घर पर रहने वाले नौजवान का कैशफ़्लो पैटर्न है :

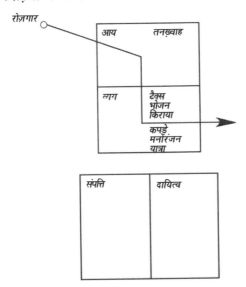

यह मध्य वर्गीय आदमी का कैशफ़्लो पैटर्न है :

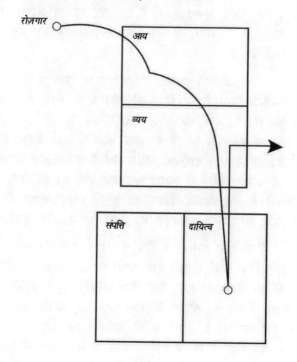

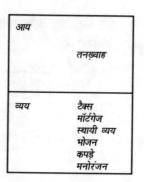

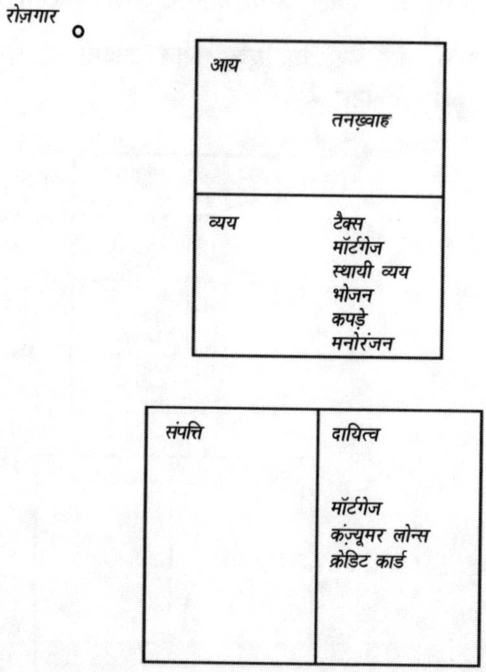

यह एक अमीर आदमी का कैशफ़्लो पैटर्न है :

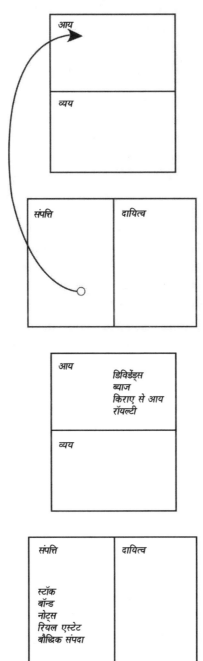

जैसा कि आप देख सकते हैं ये सभी चित्र बहुत ज़्यादा सरल बना दिए गए हैं। हममें से हर एक को ज़िंदा रहने के लिए ख़र्च करना पड़ता है, हम सभी

को रोटी, कपड़े और मकान की ज़रूरत होती है। चित्र यह बताते हैं कि ग़रीब, मध्य वर्गीय और अमीर आदमी की ज़िंदगियों में पैसा किस तरह आता-जाता है। कैशफ़्लो पूरी कहानी बता देता है। इस कहानी में यह बताया जाता है कि वह आदमी अपने पैसे का किस तरह इस्तेमाल करता है, एक बार पैसा हाथ में आ जाने के बाद वह उस पैसे का क्या करता है।

मैंने अपनी कहानी अमेरिका के सबसे अमीर व्यक्तियों से इसलिए शुरू की ताकि मैं यह बता सकूँ कि इतने सारे लोगों की सोच में कहाँ ग़लती होती है। ग़लती यह होती है कि वे यह मानते हैं कि पैसे से सारी समस्याएँ सुलझ जाती हैं। इसलिए जब लोग मुझसे फटाफट अमीर बनने के नुस्ख़े पूछते हैं तो मैं काँप जाता हूँ। या यह कि उन्हें कहाँ से शुरू करना चाहिए? मैं अक्सर सुनता हूँ, "मैं क़र्ज़ में हूँ इसलिए मुझे और ज़्यादा पैसे कमाने चाहिए।"

परंतु यह देखने में आया है कि ज़्यादा पैसे से समस्या नहीं सुलझती। सच कहा जाए तो इससे समस्या और ज़्यादा बढ़ सकती है। पैसा हमारी इन्सानी कमज़ोरियों को अक्सर ज़्यादा उभार देता है। पैसा अक्सर हमारे ऐसे पहलू पर रोशनी डालता है जिसके बारे में हम अनजान रहते हैं। इसलिए, अगर किसी आदमी को अचानक बहुत सी दौलत मिल जाए - जैसे पैतृक संपत्ति, तनख़्वाह में भारी बढ़ोतरी या उसकी लॉटरी लग जाए - तो पैसा मिलने के कुछ समय बाद वह अपने पुराने हाल में पहुँच जाता है और कई बार तो उससे भी बुरे हाल में। पैसा आपके दिमाग़ में चल रहे कैशफ़्लो पैटर्न को उजागर करता है। अगर यह पैटर्न ऐसा है कि अपनी पूरी कमाई ख़र्च करनी है, तो इस बात की बहुत संभावना है कि आपकी आमदनी बढ़ेगी, तो आपका ख़र्च अपने आप बढ़ जाएगा। इसलिए यह कहावत सही है, "मूर्ख और उसके पैसे से शानदार दावतें होती हैं।"

मैंने यह कई बार कहा है कि हम स्कूल इसलिए जाते हैं ताकि हम शैक्षणिक और व्यावसायिक क़ाबिलियत को हासिल कर सकें। निश्चित रूप से यह दोनों बहुत ही महत्वपूर्ण हैं। हमारी व्यावसायिक क़ाबिलियत के कारण ही हम पैसा बनाना सीखते हैं। 1960 के दशक में, जब मैं हाई स्कूल में था, यह माना जाता था कि अगर कोई पढ़ने-लिखने में अच्छा है, तो वह होनहार विद्यार्थी आगे जाकर डॉक्टर बनेगा। अक्सर उस बच्चे से यह नहीं पूछा जाता था कि क्या वह डॉक्टर बनना चाहेगा। यह मान लिया जाता था। इसका कारण यह था कि इस धंधे में सबसे ज़्यादा पैसा नज़र आता था।

आज, डॉक्टरों के सामने पैसे के बहुत से संकट हैं जो भगवान न करे किसी और के सामने हों : बीमा कंपनियाँ इस व्यवसाय पर क़ाबू किए हैं, सरकार भी दख़ल दे रही है और अदालतों में मुआवज़े के केस दायर हो रहे हैं इत्यादि। आज बच्चे बास्केटबॉल स्टार बनना चाहते हैं, टाइगर वुड्स की

तरह गोल्फ़र बनना चाहते हैं, कंप्यूटर विशेषज्ञ बनना चाहते हैं, मूवी स्टार, रॉक स्टार, ब्यूटी क्वीन, या वॉल स्ट्रीट पर ट्रेडर बनना चाहते हैं। इसलिए क्योंकि अब दौलत, शोहरत और इज़्ज़त इन्हीं जगहों पर है। इसी कारण स्कूलों में बच्चों को अच्छा पढ़ने के लिए प्रेरित करना मुश्किल हो गया है। वे जानते हैं कि व्यावसायिक सफलता का शैक्षणिक सफलता से कोई सीधा संबंध नहीं है, जैसा कभी हुआ करता था।

चूँकि विद्यार्थियों में स्कूल छोड़ते समय पैसे की कोई समझ नहीं होती है, इसलिए करोड़ों पढ़े-लिखे लोग अपने कारोबार में तो सफल हो जाते हैं, परंतु बाद में वे पैसे की तंगी से जूझते रहते हैं। वे और ज़्यादा मेहनत करते हैं, परंतु अपनी समस्याओं से जीत नहीं पाते। उनकी शिक्षा में कमी यह नहीं है कि उन्हें पैसा कमाना नहीं सिखाया गया, बल्कि यह है कि उन्हें पैसा ख़र्च करने का तरीक़ा नहीं सिखाया गया- पैसा बनाने के बाद उसका किस तरह इस्तेमाल किया जाए और उसे किस तरह सँभाला जाए। इसे पैसे की समझ कहते हैं- पैसा एक बार कमाने के बाद उसका क्या किया जाए, इसे अपने पास कितने लंबे समय तक रोका जाए, और अपने पैसे से कड़ी मेहनत कैसे करवाई जाए। ज़्यादातर लोग यह नहीं बता पाते कि उनकी पैसे की तंगी का कारण क्या है। ऐसा इसलिए होता है क्योंकि उनमें कैशफ़्लो की समझ नहीं होती। कोई आदमी बहुत पढ़ा-लिखा हो सकता है, अपने कारोबार में सफल हो सकता है, परंतु हो सकता है कि उसमें पैसे की बिलकुल भी समझ न हो। ऐसे लोग अक्सर ज़रूरत से ज़्यादा कड़ी मेहनत करते हैं क्योंकि उन्होंने कड़ी मेहनत करना तो सीखा है परंतु पैसे से अपने लिए कड़ी मेहनत करवाना नहीं सीखा।

यह कहानी बताती है कि पैसे का सुख भरा सपना किस तरह दुख भरे सपने में बदल जाता है :

कड़ी मेहनत करने वाले लोगों की फ़िल्मी कहानी एक घिसे-पिटे ढर्रे पर चलती है। हाल में शादी-शुदा, ख़ुश, बहुत पढ़े-लिखे पति-पत्नी साथ-साथ किराए के मकान में रहने लगते हैं। जल्दी ही उन्हें यह लगने लगता है कि वे पैसा बचा रहे हैं क्योंकि दो लोगों के साथ-साथ रहने का ख़र्च भी लगभग उतना ही होता है जितना कि अकेले आदमी का।

समस्या यह है कि जिस अपार्टमेंट में वे रहते हैं वह छोटा है। वे अपने सपनों का घर ख़रीदने के लिए पैसे बचाने लगते हैं ताकि वे बच्चे पैदा कर सकें। अब उनके पास दो तनख़्वाहें होती हैं और वे अपने करियर पर ज़्यादा ध्यान देने लगते हैं।

उनकी आमदनी बढ़ने लगती है।

जैसे-जैसे उनकी आमदनी बढ़ने लगती है...

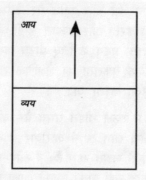

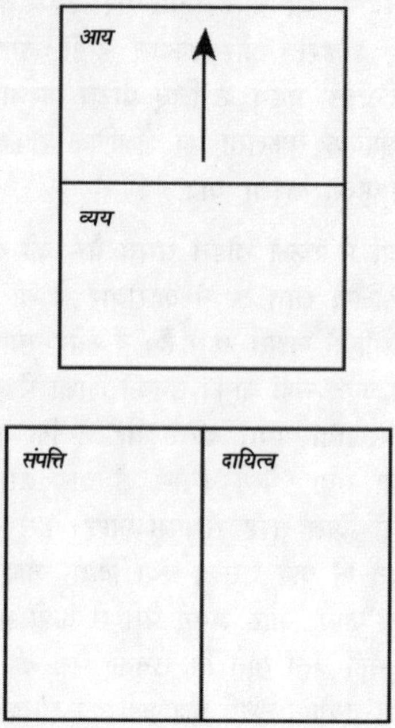

उनके ख़र्च भी बढ़ने लगते हैं।

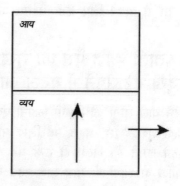

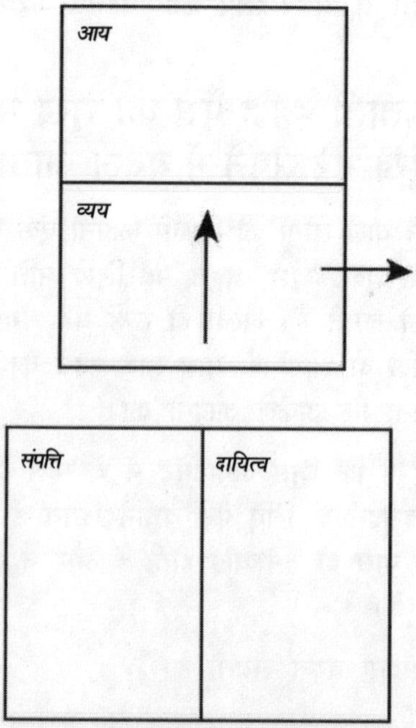

ज़्यादातर लोगों के लिए पहले नंबर का ख़र्च होता है टैक्स। कई लोग सोचते हैं इन्कम टैक्स, परंतु ज़्यादातर लोगों के लिए सबसे बड़ा टैक्स होता है सोशल सिक्युरिटी टैक्स। कर्मचारी को ऐसा लगता है कि सोशल सिक्युरिटी टैक्स, मेडिकेयर टैक्स को मिलाकर कुल टैक्स लगभग 7.5 फ़ीसदी के क़रीब होता है, परंतु हक़ीक़त में यह 15 फ़ीसदी होता है क्योंकि आपके बॉस को भी सोशल सिक्युरिटी की उतनी ही रक़म मिलानी पड़ती है। मुद्दे की बात यह है कि यह वह पैसा है जो आपका बॉस आपको नहीं दे सकता। इससे भी बड़ी बात यह है कि आपको अपने वेतन में से कटे सोशल सिक्युरिटी टैक्स की रक़म पर इन्कम टैक्स भी देना होता है और यह ऐसी आमदनी होती है जो आपके हाथ में नहीं आई है बल्कि सीधे ही सोशल सिक्युरिटी में चली गई है।

फिर दायित्व बढ़ने लगते हैं।

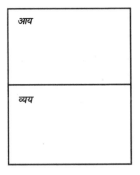

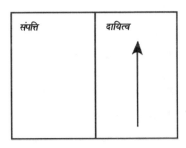

इसे समझाने का सबसे अच्छा तरीक़ा यह है कि हम वापस युवा पति-पत्नी की कहानी की तरफ़ चलें। उनकी आमदनी बढ़ने के कारण वे फ़ैसला करते हैं कि अब वे किराए के मकान में नहीं रहेंगे, बल्कि अपने सपनों का घर ख़रीद लेंगे। जब वे अपने घर में पहुँच जाते हैं तो उन पर एक नए टैक्स का बोझ आ जाता है जिसे प्रॉपर्टी टैक्स कहते हैं। फिर वो लोग एक नई कार ख़रीदते हैं, नया फ़र्नीचर और नया सामान ख़रीदते हैं ताकि उनका घर आलीशान लगे। अचानक वे अपने सपने से जागते हैं और देखते हैं कि उनके दायित्व का कॉलम बढ़ गया है, वे क़र्ज़ में हैं और उन्हें बहुत से मॉर्टगेज ऋण और क्रेडिट कार्ड ऋण चुकाने हैं।

अब वे चूहा दौड़ में फँस चुके हैं। एक बच्चा पैदा हो जाता है। वे और कड़ी मेहनत करते हैं। प्रक्रिया फिर दोहराई जाती है। ज़्यादा पैसा आता है, उस पर ज़्यादा टैक्स लगता है जिसे ब्रेकेट क्रीप भी कहा जाता है। तभी उनके पास डाक में एक और क्रेडिट कार्ड आ जाता है। वे उसका इस्तेमाल करते हैं। वह ख़त्म हो जाता है। तभी एक लोन कंपनी का आदमी आकर उन्हें बताता है कि उनकी सबसे बड़ी 'संपत्ति,' उनके घर, की क़ीमत बढ़ गई है। कंपनी उन्हें एक 'बिल कन्सोलिडेशन' लोन देने का ऑफ़र देती है, क्योंकि उनकी क्रेडिट बहुत अच्छी है। कंपनी उन्हें यह भी बताती है कि समझदारी इसी में होगी कि वे अपने ऊँची ब्याज दर पर लिए गए कन्ज़्यूमर लोन को उनके क्रेडिट कार्ड से चुका दें। और इसके अलावा, उनके घर पर लगने वाले ब्याज से उन्हें टैक्स में छूट भी मिलेगी। वे ऐसा ही करते हैं और ज़्यादा ब्याज दर वाले क्रेडिट कार्ड का भुगतान कर देते हैं। इसके बाद वे राहत की साँस लेते हैं। उन्होंने क्रेडिट कार्ड का हिसाब साफ़ कर दिया है। अब उन्होंने अपने उपभोक्ता ऋण को होम मॉर्टगेज में बदल लिया है। उनका भुगतान भी कम हो जाता है क्योंकि उन्हें अपने क़र्ज़ को 30 साल की क़िश्तों में चुकाना है। समस्या से निपटने का यही स्मार्ट तरीक़ा है।

उनके पड़ोसी आते हैं और उन्हें शॉपिंग पर चलने का न्यौता देते हैं– मेमोरियल डे की सेल लगी हुई है। यही तो मौक़ा है कुछ पैसे बचाने का। वे अपने आप से कहते हैं, "मैं कुछ नहीं ख़रीदूँगा। मैं तो सिर्फ़ देखने जा रहा हूँ।" परंतु अगर कोई चीज़ जम जाए, तो उसे ख़रीदने की उम्मीद में वे अपने क्रेडिट कार्ड को ले जाना नहीं भूलते।

मैं ऐसे युवा दंपति से हर समय टकराता हूँ। उनके नाम बदलते रहते हैं, परंतु उनकी पैसे की तंगी एक सी ही रहती है। वे मेरी चर्चाओं में यह सुनने के लिए आते हैं कि मैं इस बारे में क्या कहता हूँ। वे मुझसे पूछते हैं, "क्या आप हमें बता सकते हैं कि और ज़्यादा पैसा कैसे कमाया जा सकता है?" उनकी ख़र्चीली आदतों ने उन्हें और ज़्यादा कमाने के लिए मजबूर कर दिया है।

वे इतना भी नहीं जानते कि दरअसल समस्या पैसा कमाने की नहीं है, पैसा सही तरह से ख़र्च करने की है और यही पैसे की तंगी का कारण है। यह समस्या इसलिए पैदा होती है क्योंकि उनमें पैसे की समझ नहीं होती। यह समस्या इसलिए और भी भयानक हो जाती है क्योंकि वे संपत्ति और दायित्व के फ़र्क़ को नहीं समझ पाते।

मेरा मानना है कि ज़्यादा पैसे से शायद ही कभी किसी की पैसे की समस्याएँ सुलझती हैं। समस्याएँ समझदारी से सुलझती हैं। मेरा एक दोस्त बार-बार क़र्ज़ में फँसे लोगों को यही सलाह देता है।

"अगर आपको लगता है कि आपने अपने आपको किसी गड्ढे में फँसा

लिया है... तो गड्ढा खोदना बंद कर दो।"

मेरे डैडी बचपन में हमें बताया करते थे कि जापानी तीन ताक़तों को मानते थे : "तलवार की ताक़त, रत्नों की ताक़त और दर्पण की ताक़त।"

तलवार हथियारों की ताक़त का प्रतीक थी। अमेरिका ने हथियारों पर खरबों डॉलर ख़र्च कर दिए हैं और इसी कारण वह आज विश्व में सबसे ताक़तवर देश है।

रत्न पैसे की ताक़त का प्रतीक हैं। इस कहावत में कुछ तो सच्चाई है, "यह स्वर्णिम नियम याद रखो। जिसके पास स्वर्ण है, वही नियम बनाता है।"

दर्पण आत्म-ज्ञान का प्रतीक है। जापानी दंतकथा के अनुसार यह आत्म-ज्ञान इन तीनों में सबसे क़ीमती वस्तु थी।

ग़रीब और मध्य वर्गीय लोग अक्सर धन की ताक़त से नियंत्रित होते हैं। वे सुबह-सुबह उठकर कड़ी मेहनत करने यानी नौकरी करने चले जाते हैं और ख़ुद से यह तक नहीं पूछते कि क्या ऐसा करना समझदारी है। पैसे की समझ न होने के कारण ज़्यादातर लोग पैसे की डरावनी ताक़त को यह इजाज़त दे देते हैं कि वह उन्हें क़ाबू में कर ले। पैसे की ताक़त उनके विरोध में इस्तेमाल होती है।

अगर वे दर्पण की ताक़त का इस्तेमाल करते, तो वे ख़ुद से यह सवाल पूछते, "क्या इसमें समझदारी है?" बहुत बार, अपनी अंदरूनी समझदारी पर भरोसा करने के बजाय लोग भीड़ के साथ-साथ चलने लगते हैं। वे कोई काम इसलिए करते हैं क्योंकि सभी लोग ऐसा करते हैं। वे सवाल पूछने के बजाय नक़ल करने लगते हैं। अक्सर, वे नासमझी के कारण वही दोहराते हैं जो उन्हें सिखाया गया है। इस तरह के विचार कि "आपका घर आपकी सबसे बड़ी पूँजी है," "आपका घर आपका सबसे बड़ा निवेश है," "अगर आप ज़्यादा क़र्ज़ लेते हैं तो आपको टैक्स में ज़्यादा छूट मिलेगी।" "सुरक्षित नौकरी खोजो।" "ग़लतियाँ मत करो।" "ख़तरे मत उठाओ।"

ऐसा कहा जाता है कि ज़्यादातर लोगों के लिए मौत से भी डरावनी चीज़ होती है भीड़ के सामने बोलने का डर। मनोवैज्ञानिक कहते हैं कि ज़्यादातर लोग सार्वजनिक मंच पर बोलने से इसलिए डरते हैं क्योंकि उन्हें यह डर होता है कि उनकी बुराई होगी, लोग-बाग उनकी हँसी उड़ाएँगे, वे अकेले रह जाएँगे, सबसे कट जाएँगे और बिरादरी से अलग-थलग कर दिए जाएँगे। सबसे अलग होने का डर या अकेले रह जाने का डर ही वह सबसे बड़ा कारण है जिस वजह से ज़्यादातर लोग अपनी समस्या हल करने के लिए नए तरीक़े नहीं ढूँढ़ते।

इसीलिए मेरे पढ़े-लिखे डैडी कहा करते थे कि जापानी लोग दर्पण की

ताक़त को सबसे ज़्यादा महत्व देते थे। क्योंकि जब इंसान दर्पण में ख़ुद को देखता है तभी उसे सच्चाई का पता चलता है। और ज़्यादातर लोग "ख़तरे मत उठाओ" इसलिए कहते हैं क्योंकि वे ख़ुद डरे हुए होते हैं। यह किसी भी चीज़ के बारे में कहा जा सकता है जैसे खेल में, संबंधों में, करियर में, धन में।

इसी डर, इसी समाज से कट जाने के डर के कारण लोग लीक पर चलते हैं और समाज की स्वीकृत मान्यताओं या लोकप्रिय प्रवृत्तियों के ख़िलाफ़ नहीं जाते। "आपका घर एक संपत्ति है।" "बिल कन्सॉलिडेशन लोन लो और क़र्ज़ से बाहर निकल जाओ।" "कड़ी मेहनत करो।" "प्रमोशन का सवाल है।" "एक दिन मैं वाइस प्रेसिडेंट बन जाऊँगा।" "पैसे बचाओ।" "जब मेरी तनख़्वाह बढ़ेगी, तो मैं एक बड़ा घर ख़रीद लूँगा।" "म्यूचुअल फ़ंड सुरक्षित हैं।" "*टिकल मी एल्मो डॉल्स* अभी स्टॉक में नहीं हैं, परंतु मेरे पास एक डॉल रखी हुई है जो दूसरा ग्राहक अब तक लेने नहीं आया है।"

भीड़ के साथ चलने और पड़ोसियों के ऐशोआराम की नक़ल के कारण पैसे की बहुत सी समस्याएँ पैदा होती हैं। कई बार, हम सभी को दर्पण में देखने की ज़रूरत होती है और हमें अपने डर के बजाय अपनी अंदरूनी समझदारी से सोचना चाहिए।

जब माइक और मैं 16 वर्ष के हुए तो हमें स्कूल में समस्याएँ आने लगी थीं। हम बुरे बच्चे नहीं थे। हम केवल अपने आपको भीड़ से अलग कर रहे थे। स्कूल के बाद और शनिवार-रविवार को हम माइक के डैडी के लिए काम करते थे। माइक और मैं अक्सर घंटों तक उसके डैडी के साथ बैठे रहते थे जब वे अपने बैंकर्स, वकीलों, अकाउंटेंट, ब्रोकर, निवेशकों, मैनेजर्स और कर्मचारियों के साथ चर्चा करते थे। माइक के डैडी ने 13 साल की उम्र में स्कूल छोड़ दिया था और अब वे पढ़े-लिखे लोगों को रास्ता दिखा रहे थे, उन्हें आदेश और निर्देश दे रहे थे, उनसे सवाल पूछ रहे थे। पढ़े-लिखे लोग उनकी एक आवाज़ पर दौड़े चले आते थे और उनके ग़ुस्से से डरते थे।

यह आदमी कभी भीड़ के साथ नहीं चला। इस आदमी ने ख़ुद के दम पर सोचा और फ़ैसले किए। उन्हें इन शब्दों से चिढ़ होती थी, "हमें इसे इस तरह से इसलिए करना पड़ेगा क्योंकि सभी लोग इसी तरह से करते हैं।" वे 'नहीं हो सकता' से भी बहुत चिढ़ते थे। अगर आप उनसे कोई काम करवाना चाहते थे तो आपको बस इतना ही कहना था, "मुझे लगता है कि आप इसे नहीं कर सकते।"

माइक और मैं उनके साथ रहकर जितना सीखे, उतना हमने स्कूल में बिताए सालों में कभी नहीं सीखा, कॉलेज में भी नहीं। माइक के डैडी के पास स्कूल की शिक्षा तो नहीं थी, परंतु उनके पास पैसे की शिक्षा थी और इसी

कारण वे सफल भी थे। वे हमें बार-बार बताया करते थे, "एक समझदार आदमी अपने से ज़्यादा समझदार लोगों को नौकरी पर रख सकता है।" इसलिए माइक और मुझे समझदार लोगों की बातें सुनने और उनसे सीखने का लाभ मिला।

परंतु इसके कारण, माइक और मैं दोनों ही उस सामाजिक मान्यता के साथ नहीं चल पाए जो हमारे शिक्षक हमें सिखाते थे। और इस वजह से कई समस्याएँ पैदा हो गईं। जब कोई टीचर कहता था, "अगर तुम्हें अच्छे नंबर नहीं मिलते हैं, तो तुम दुनिया में कुछ नहीं कर सकते।" तो माइक और मैं अपनी भौंहें चढ़ा लेते थे। जब हमें घिसे-पिटे ढर्रे पर चलने को कहा जाता था और नियमों का अक्षरशः पालन करना सिखाया जाता था, तो हमें यह लगता था कि स्कूली शिक्षा दरअसल रचनात्मकता का गला घोंट देती है। हम अमीर डैडी की यह बात समझने लगे थे कि स्कूलों को इसलिए बनाया गया है ताकि वहाँ अच्छे कर्मचारी तैयार हो सकें, न कि अच्छे मालिक।

कभी-कभार माइक या मैं टीचर से पूछते थे कि हम जो पढ़ रहे हैं, उसकी असली ज़िंदगी में क्या उपयोगिता है या यह कि हमें पैसे के बारे में क्यों नहीं पढ़ाया जाता है। दूसरे सवाल का अक्सर हमें यह जवाब मिलता था कि पैसा महत्वपूर्ण नहीं है और अगर हम अच्छी पढ़ाई करेंगे तो पैसा अपने आप मिलने लगेगा।

हम पैसे की ताक़त के बारे में जितना ज़्यादा जानते जाते थे, अपने शिक्षकों और सहपाठियों से उतना ही दूर होते जाते थे।

मेरे पढ़े-लिखे डैडी ने कभी मुझ पर अच्छे नंबरों के लिए दबाव नहीं डाला। मुझे इस बात पर हैरत होती है कि उन्होंने ऐसा क्यों नहीं किया। परंतु हम लोगों में पैसे को लेकर अक्सर वाद-विवाद होने लगे थे। जब मैं 16 साल का हुआ तो मेरी पैसे की बुनियाद मेरे मम्मी-डैडी से अच्छी हो चुकी थी। मैं हिसाब-किताब रख सकता था। मैं टैक्स अकाउंटेंट्स, कॉरपोरेट अटॉर्नी, बैंकर्स, रियल एस्टेट ब्रोकर्स, निवेशकों इत्यादि की बातें सुनता था। मेरे डैडी शिक्षकों से बातें करते थे।

एक दिन, मेरे डैडी मुझे बता रहे थे कि हमारा घर हमारे लिए सबसे बड़ा निवेश क्यों है। इस बात को लेकर हम लोगों में बहस हो गई जब मैंने उन्हें यह बताया कि घर हमारे लिए एक अच्छा निवेश क्यों नहीं है।

आगे आने वाले चित्र से यह साफ़ हो जाता है कि अपने-अपने घरों को लेकर मेरे अमीर डैडी और मेरे ग़रीब डैडी के विचारों में कितना अंतर था। एक डैडी के हिसाब से उनका घर एक संपत्ति थी, जबकि दूसरे डैडी के हिसाब से यह एक दायित्व था।

अमीर डैडी

संपत्ति	दायित्व
	घर

ग़रीब डैडी

संपत्ति	दायित्व
घर	

मुझे याद है मैंने नीचे वाला चित्र खींचकर अपने डैडी को कैशफ़्लो की दिशा समझाने की कोशिश की थी। मैंने उन्हें यह भी बताया था कि घर के साथ-साथ उससे जुड़े कुछ दीगर ख़र्च भी बढ़ जाते हैं। एक ज़्यादा बड़े घर का मतलब था और ज़्यादा ख़र्च, और इसका मतलब यह था कि कैशफ़्लो ख़र्च के कॉलम से होकर गुज़रता रहता था।

दायित्व

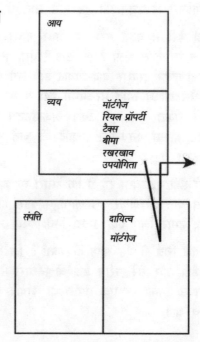

आज भी, लोग-बाग मुझसे इस बात पर बहस करते हैं कि उनका घर संपत्ति क्यों नहीं होता। मैं जानता हूँ कि बहुत से लोगों के लिए ख़ुद का घर उनका सबसे बड़ा सपना होता है और इसीलिए वे इसे अपना सबसे बड़ा निवेश मानते हैं। अपने घर के मालिक होने से ज़्यादा अच्छा कुछ भी नहीं है। मैं इस लोकप्रिय मान्यता को देखने का एक और नज़रिया सुझाना चाहता हूँ। अगर मैं और मेरी पत्नी एक ज़्यादा बड़ा और आलीशान मकान ख़रीदने की बात सोचते हैं तो हम जानते हैं कि यह एक संपत्ति नहीं होगी बल्कि एक दायित्व होगा क्योंकि इससे हमारी जेब से पैसा निकल जाएगा।

तो यह रहा मेरा तर्क। हालाँकि ज़्यादातर लोग मुझसे सहमत नहीं होंगे क्योंकि घर एक भावनात्मक चीज़ होती है। और जब पैसे का सवाल आता है तो भावनाएँ पैसे की समझ को हरा देती हैं। मुझे व्यक्तिगत अनुभव से पता है कि पैसा हर फ़ैसले को भावनात्मक बना देता है।

1. जब घर की बात आती है तो मैं यह बताना चाहता हूँ कि ज़्यादातर लोग उस घर की क़ीमत चुकाने के लिए ज़िंदगी भर काम करते हैं, जिसके वे कभी पूरी तरह मालिक नहीं होते। दूसरे शब्दों में, ज़्यादातर लोग एक घर ख़रीदने के कुछ सालों बाद दूसरा घर ख़रीदते हैं और हर बार पहले मकान के लिए जो क़र्ज़ वे लेते हैं उस पर उनके पास हर बार फिर से 30 साल का नया क़र्ज़ हो जाता है।

2. हालाँकि लोगों को मॉर्टगेज पेमेंट पर ब्याज के लिए टैक्स में छूट मिलती है, परंतु वे अपने दीगर खर्चों के लिए टैक्स के बाद मिलने वाले डॉलरों का उपयोग करते हैं। अपनी मॉर्टगेज पूरी तरह चुकाने के बाद भी।

3. प्रॉपर्टी टैक्स। मेरी पत्नी के मम्मी-डैडी को धक्का लगा जब उनके घर का प्रॉपर्टी टैक्स 1,000 डॉलर प्रति माह तक पहुँच गया। यह तब हुआ जब वे रिटायर हो चुके थे और इस बढ़ोतरी से उनका रिटायरमेंट के बाद का बजट गड़बड़ा गया और उन्हें मजबूरन मकान बदलना पड़ा।

4. घर की क़ीमत हमेशा नहीं बढ़ती। मेरे कुछ दोस्त हैं जिन्होंने अपने घर के लिए क़र्ज़ लिया था। उन्हें दस लाख डॉलर से भी ज़्यादा का क़र्ज़ चुकाना है पर आज उस घर की क़ीमत सात लाख डॉलर से ज़्यादा नहीं है।

5. सबसे बड़े नुक़सान अवसर गँवाने की वजह से होते हैं। अगर आपका सारा पैसा मकान में फँसा रहता है तो आपको ज़्यादा कड़ी मेहनत करनी पड़ती है ताकि आपका ख़र्च चलता रहे। इस दौरान आपके

संपत्ति वाले कॉलम में कोई बढ़ोतरी नहीं होती है। अगर एक युवा पति-पत्नी शुरुआत में ही अपना पैसा संपत्ति वाले कॉलम में लगाएँ तो उनके आगे के साल आराम से गुज़रेंगे, ख़ासकर उस समय जब वे अपने बच्चों को कॉलेज में भेजेंगे। इस दौरान उनकी संपत्ति भी बढ़ जाएगी और उनके ख़र्चे भी आराम से चलते रहेंगे। अक्सर, ऐसा होता है कि आपका घर आपके बढ़ते हुए ख़र्च के भुगतान के लिए होम-इक्विटी लोन का साधन बन जाता है।

संक्षेप में, अपना घर ख़रीदने का फ़ैसला बहुत ख़र्चीला पड़ता है। इसके बजाय बेहतर यह होगा कि जल्दी ही इन्वेस्टमेंट पोर्टफ़ोलियो बना लिया जाए। किसी आदमी पर इसका असर कम से कम तीन तरह से पड़ता है :

1. समय की बर्बादी, क्योंकि इस दौरान दूसरी संपत्तियों का मूल्य बढ़ गया होता।

2. अतिरिक्त पूंजी की बर्बादी, जिसे दुबारा निवेश किया जा सकता था, जबकि घर ख़रीदने के बाद आपको घर से सीधे जुड़े बहुत से ख़र्च उठाने पड़ते हैं।

3. शिक्षा की बर्बादी। अक्सर ऐसा होता है कि लोग यह मानते हैं कि उनके संपत्ति वाले कॉलम में उनका घर, बचत और रिटायरमेंट प्लान आते हैं। चूँकि उनके पास निवेश करने के लिए पैसा नहीं होता, इसलिए वे बिलकुल भी निवेश नहीं करते हैं। इस कारण उन्हें निवेश का अनुभव कभी नहीं मिल पाता। ज़्यादातर लोग कभी एक 'समझदार निवेशक' नहीं बन पाते। और सबसे बढ़िया निवेश सामान्य तौर पर सबसे पहले 'समझदार निवेशकों' को बेचे जाते हैं, जो बाद में उन्हें सुरक्षित खेलने वाले लोगों को बेचते हैं।

मेरे पढ़े-लिखे डैडी का फ़ायनेंशियल स्टेटमेंट चूहा दौड़ में फँसे व्यक्ति का सबसे अच्छा उदाहरण है। उनके ख़र्च हमेशा उनकी आमदनी से ज़्यादा होते थे, इसलिए उन्हें संपत्ति में निवेश करने का मौक़ा ही नहीं मिलता था। इसका नतीजा यह होता था कि उनके दायित्व, जैसे मॉर्टगेज और क्रेडिट कार्ड के क़र्ज़ उनकी संपत्ति से कहीं ज़्यादा होते थे। अगला चित्र एक हज़ार शब्दों की तरह एक कहानी बताता है :

पढ़े–लिखे डैडी का फ़ायनेंशियल स्टेटमेंट

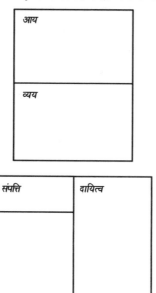

दूसरी तरफ़, मेरे अमीर डैडी का फ़ायनेंशियल स्टेटमेंट यह दिखाता है कि वे जी-जान लगाकर निवेश कर रहे थे और उन्होंने अपने दायित्वों को कम से कम रखा था :

अमीर डैडी का फ़ायनेंशियल स्टेटमेंट

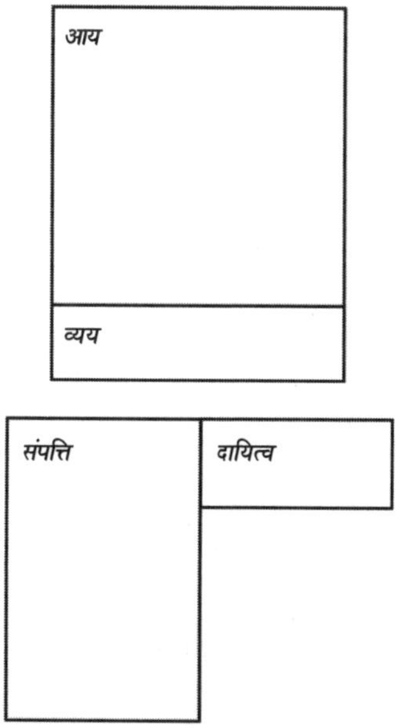

मेरे अमीर डैडी के फ़ायनेंशियल स्टेटमेंट से यह भी पता चलता है कि अमीर लोग और ज़्यादा अमीर क्यों बनते हैं। संपत्ति वाले कॉलम से इतनी ज़्यादा आमदनी होती है कि ख़र्च आराम से चल जाता है और कुछ पैसा बच भी जाता है। इस बचे हुए पैसे को एक बार फिर से संपत्ति वाले कॉलम में दुबारा निवेश कर दिया जाता है। संपत्ति वाला कॉलम बढ़ता रहता है और इससे होने वाली आमदनी भी बढ़ती रहती है।

नतीजा यह होता है : अमीर लोग और ज़्यादा अमीर होते जाते हैं!

अमीर लोग और ज़्यादा अमीर क्यों होते जाते हैं

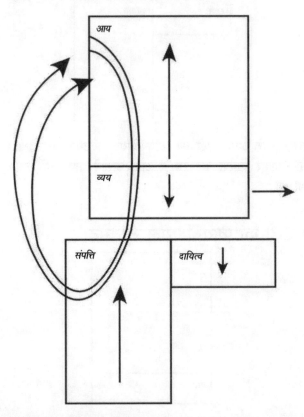

मध्य वर्ग के लोग हमेशा पैसे की तंगी से जूझते रहते हैं। उनकी मूल आमदनी तनख़्वाह से होती है और जैसे-जैसे उनकी तनख़्वाह बढ़ती है, उनके टैक्स भी बढ़ते जाते हैं। इसके साथ ही आमदनी बढ़ने पर उनके ख़र्च भी बढ़ जाते हैं, इसीलिए इसे 'चूहा दौड़' कहा गया है। यह लोग मानते हैं कि उनका घर उनकी मूल संपत्ति है और इसीलिए वे आमदनी दिलाने वाली संपत्ति में निवेश नहीं करते।

मध्य वर्ग को पैसे की तंगी क्यों होती है

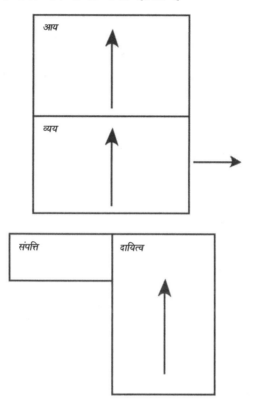

आज की क़र्ज़दार सोसायटी दो बातें मानती है। पहली यह कि ख़ुद का घर एक निवेश होता है। और दूसरी यह कि तनख़्वाह बढ़ने पर ख़र्च भी बढ़ना चाहिए या एक ज़्यादा बड़ा घर ख़रीद लेना चाहिए। बढ़ते हुए ख़र्च के कारण परिवार ज़्यादा क़र्ज़ में फँस जाते हैं और उन्हें पैसे की और ज़्यादा तंगी का सामना करना पड़ता है, हालाँकि वे अपनी नौकरियों में लगातार तरक़्क़ी कर रहे हैं और उनकी तनख़्वाह लगातार बढ़ती जा रही है। इसे हाई रिस्क लिविंग या बहुत जोखिम भरी जीवनशैली कहा जाता है, और इसका कारण यह है कि ऐसे लोगों में पैसे की समझ नहीं होती।

1990 के दशक में नौकरियों में भारी कटौती से यह बात पता चली कि मध्य वर्ग पैसे के मामले में कितना असुरक्षित है। अचानक, कंपनी पेंशन प्लान की जगह पर 401k प्लान आ गए हैं। सोशल सिक्युरिटी निश्चित रूप से संकट में है और इसे रिटायरमेंट का सहारा नहीं बनाया जा सकता। मध्य वर्ग में घबराहट का माहौल पैदा हो गया है। आज एक अच्छी बात यह है कि ज़्यादातर लोग यह बातें समझते हैं और इसलिए उन्होंने म्यूचुअल फ़ंड ख़रीदना शुरू कर दिया है। निवेश में हुई बढ़ोतरी के कारण ही हमने स्टॉक मार्केट में

इतनी तेज़ी देखी है। आज, मध्य वर्ग की बढ़ती माँग को पूरा करने के लिए नए-नए म्यूचुअल फ़ंड बनते जा रहे हैं।

म्यूचुअल फ़ंड इसलिए लोकप्रिय हैं क्योंकि वे सुरक्षा के प्रतीक हैं। औसत म्यूचुअल फ़ंड ख़रीदने वाले आदमी नौकरी में, टैक्स और मॉर्टगेज चुकाने में, अपने बच्चों की कॉलेज की फ़ीस के लिए पैसे बचाने में, और अपने क्रेडिट कार्ड का हिसाब साफ़ करने में बहुत ज़्यादा व्यस्त हैं। उनके पास इतना समय नहीं है कि वे निवेश करने की कला सीख सकें इसलिए वे म्यूचुअल फ़ंड के मैनेजर की क़ाबिलियत पर भरोसा करते हैं। साथ ही, चूँकि म्यूचुअल फ़ंड कई तरह के निवेश करता है, इसलिए उन्हें ऐसा लगता है कि उनका पैसा ज़्यादा सुरक्षित है क्योंकि यह कई टुकड़ों में बँट गया है या 'डायवर्सिफ़ाइड' हो गया है।

पढ़े-लिखे मध्य वर्ग का यह समूह म्यूचुअल फ़ंड ब्रोकर्स और फ़ायनेंशियल प्लानर्स के 'डायवर्सिफ़ाई' सिद्धांत को सही मानता है। सुरक्षित रहो। जोखिम से बचो।

असली त्रासदी यह है कि पैसे की समझ न होने के कारण औसत मध्य वर्गीय लोग ख़तरों का सामना करते हैं। उनके सुरक्षित खेलने का असल कारण यह होता है कि उनके पास पैसे की तंगी होती है। उनकी बैलेंस शीट में बैलेंस नहीं होता। उनका संपत्ति वाला कॉलम तो ख़ाली रहता है जहाँ से आमदनी आती है, जबकि उनके दायित्वों वाला कॉलम पूरा भरा रहता है। सामान्य तौर पर, उनकी आमदनी का इकलौता साधन उनका वेतन होता है। उनका जीवनयापन पूरी तरह से उनके बॉस पर निर्भर होता है।

और जब सचमुच 'ज़िंदगी में एक बार आने वाला मौक़ा' आता है, तो ये लोग उस मौक़े का फ़ायदा नहीं उठा पाते। चूँकि वे इतनी कड़ी मेहनत कर रहे हैं इसलिए वे सुरक्षित खेल खेलते हैं, सबसे ज़्यादा टैक्स चुकाते हैं और क़र्ज़ के बोझ से दबे रहते हैं।

जैसा मैंने इस खंड के शुरू में कहा था, सबसे महत्वपूर्ण नियम यह है कि संपत्ति और दायित्व के बीच के अंतर को पहचाना जाए। एक बार आप इनमें फ़र्क़ समझ लें, इसके बाद आप आमदनी देने वाली संपत्ति ख़रीदने की लगातार कोशिश करते रहें। यह अमीर बनने की राह पर चलने का सबसे बढ़िया तरीक़ा है। इसे करते रहें और आपका संपत्ति वाला कॉलम बढ़ता रहेगा। अपने दायित्व और ख़र्च को कम करने की कोशिश भी करते रहें। इससे पैसा आपके संपत्ति वाले कॉलम में आता रहेगा। जल्द ही, आपका संपत्ति वाला कॉलम इतना ज़्यादा मज़बूत हो जाएगा कि आप और ज़्यादा जोखिम वाले निवेश कर सकेंगे। ऐसे निवेश जिनमें 100 फ़ीसदी से अनंत तक फ़ायदा हो सकता है। ऐसे निवेश जिनमें 5,000 डॉलर की रक़म जल्दी ही दस लाख डॉलर या इससे ज़्यादा हो जाती है। ऐसे निवेश जिन्हें मध्य वर्ग 'बहुत जोखिम भरा' मानता है। निवेश

जोखिम भरा नहीं है। यह उस व्यक्ति की पैसे की नासमझी है, वित्तीय निरक्षरता है जो उसे 'बहुत जोखिम भरा' बना देती है।

अगर आप वही करते हैं जो सभी लोग करते हैं, तो आपको यह चित्र मिलेगा।

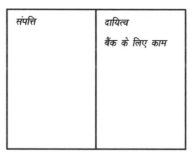

एक कर्मचारी होने के नाते, जो घर का मालिक भी है, आपकी नौकरी का पैटर्न सामान्यतः यह होता है :

1. आप किसी के लिए काम करते हैं। तनख़्वाह पर काम करने वाले ज़्यादातर लोग मालिक को, या शेयरहोल्डर्स को ज़्यादा अमीर बना रहे हैं। आपकी कोशिशों, मेहनत और सफलता से दरअसल आपका मालिक सफल होता है और उसके रिटायरमेंट में मदद मिलती है।
2. आप सरकार के लिए काम करते हैं। आप इसे देख पाएँ, इसके पहले ही सरकार आपकी तनख़्वाह में से अपना हिस्सा ले लेती है। ज़्यादा कड़ी मेहनत करके, आप सरकार को देने वाले टैक्स में बढ़ोतरी करते हैं- ज़्यादातर लोग जनवरी से मई तक सिर्फ़ सरकार के लिए काम करते हैं।
3. आप बैंक के लिए काम करते हैं। टैक्स चुकाने के बाद आपका सबसे बड़ा ख़र्च आम तौर पर अपना मॉर्टगेज और क्रेडिट कार्ड का क़र्ज़ चुकाना होता है।

अगर आप सिर्फ़ ज़्यादा कड़ी मेहनत से काम करते जाएँ तो समस्या यह है कि तीनों ही मामलों में आपकी ज़्यादा मेहनत से किसी और को ज़्यादा फ़ायदा मिलता है। आपको यह सीखना चाहिए कि आपकी ज़्यादा मेहनत से किस तरह आपको और आपके परिवार को सीधा फ़ायदा मिल सकता है।

अगर आप यह फ़ैसला कर भी लें कि आप अपने काम से काम रखेंगे, फिर भी आपको यह नहीं पता होता कि आपके लक्ष्यों को किस तरह से निर्धारित किया जाए। ज़्यादातर लोग अपने प्रोफ़ेशन को बनाए रखना चाहते हैं और अपनी तनख़्वाह के सहारे ही संपत्ति बनाना चाहते हैं।

जब उनकी संपत्ति बढ़ती है, तो वे किस तरह अपनी सफलता का आकलन करते हैं। कब कोई आदमी यह महसूस करता है कि वह अमीर है, कि उसके पास दौलत है। संपत्ति और दायित्व की मेरी अपनी परिभाषाओं की ही तरह, दौलत के बारे में भी मेरी अपनी परिभाषा है। दरअसल मैंने इसे बकमिंस्टर फ़ुलर नामक व्यक्ति से सीखा है। कुछ लोग उसे नीमहक़ीम कहते हैं, और कई लोग उसे एक जीता-जागता जीनियस कहते हैं। सालों पहले सभी वास्तुविद इसलिए हैरान हो गए थे क्योंकि 1961 में उसने जियोडेसिक डोम के पेटेंट के लिए आवेदन किया था। और उस आवेदन में फ़ुलर ने दौलत के बारे में भी कुछ कहा था। पहले तो उसका ठीक-ठीक मतलब समझ में नहीं आया था, परंतु उसे कई बार पढ़ने के बाद, इसका मतलब समझ में आने लगा : दौलत किसी आदमी की वह योग्यता है जिसके सहारे वह आगे आने वाले इतने दिनों तक ज़िंदा रह सकता है... यानी अगर मैं आज काम करना बंद कर दूँ तो मैं कितने समय तक ज़िंदा रह सकता हूँ।

यह नेट वर्थ की तरह नहीं है, जो आपकी संपत्ति और दायित्व के बीच का अंतर है। हर व्यक्ति को लगता है कि उसके पास जो सामान है वह बहुत क़ीमती है। परंतु इस परिभाषा से सचमुच सही आकलन किया जा सकता है। मैं अब आकलन कर सकता हूँ और सचमुच जानता हूँ कि आर्थिक रूप से आज़ाद होने के मेरे लक्ष्य के संदर्भ में मैंने कितनी तरक़्क़ी कर ली है।

हालाँकि नेट वर्थ में ऐसी चीज़ें भी आ जाती हैं जिनसे पैसा नहीं आता, जैसे वह वस्तु जो आपके गैरेज में खड़ी है। दौलत का सीधा सा हिसाब यह है कि आपका पैसा कितना पैसा बना रहा है और इसलिए आप आर्थिक रूप से कितने दिनों तक ज़िंदा रह सकते हैं।

दौलत दरअसल संपत्ति के कॉलम की कैशफ़्लो के दायित्व वाले कॉलम के साथ तुलना है।

एक उदाहरण लें। यह कहें कि मेरे पास हर महीने में संपत्ति वाले कॉलम से 1,000 डॉलर का कैशफ़्लो है। और मेरा ख़र्च हर महीने 2,000 डॉलर है। मेरे पास कितनी दौलत है?

अब हम बकमिंस्टर फ़ुलर की परिभाषा की तरफ़ चलें। उनकी परिभाषा के हिसाब से मैं कितने दिनों तक ज़िंदा रह सकता हूँ। अगर हम एक महीने में 30 दिन मान लें, तो इस परिभाषा के हिसाब से मैं 15 दिन तक ज़िंदा रह सकता हूँ।

जब मैं अपनी संपत्ति से हर महीने 2,000 डॉलर का कैशफ़्लो हासिल करने लग जाऊँगा तो मैं दौलतमंद हो जाऊँगा।

हालाँकि मैं अमीर नहीं हूँ, परंतु मैं दौलतमंद ज़रूर हूँ। हर महीने मेरी संपत्ति से मुझे जो आमदनी मिलती है वह मेरे महीने भर के ख़र्च के लिए काफ़ी होती है। अगर मैं अपने ख़र्च को बढ़ाना चाहता हूँ तो मुझे इसके पहले अपनी संपत्ति से आने वाले कैशफ़्लो को बढ़ाना होगा। यह ध्यान रखें कि इस बिंदु पर मैं अपनी तनख़्वाह पर बिलकुल भी निर्भर नहीं हूँ। मैंने संपत्ति वाले कॉलम को भरने में जीतोड़ कोशिश की थी और मैं इसमें सफल भी हुआ था, जिसके कारण आज मैं आर्थिक रूप से आज़ाद हो गया हूँ। अगर मैं आज अपनी नौकरी छोड़ भी दूँ तो भी मेरी संपत्तियों से इतना कैशफ़्लो आता रहेगा कि मेरा ख़र्च आसानी से चलता रहेगा।

मेरा अगला लक्ष्य यह होगा कि मेरी संपत्तियों से आने वाले अतिरिक्त कैशफ़्लो को फिर से संपत्ति वाले कॉलम में निवेश कर दिया जाए। मेरे संपत्ति वाले कॉलम में जितना ज़्यादा पैसा जाता है, मेरा संपत्ति वाला कॉलम उतना ही बढ़ता रहता है। मेरा संपत्ति वाला कॉलम जितना ज़्यादा बढ़ता है, वहाँ से उतना ही ज़्यादा कैशफ़्लो आता है। और जब तक मैं अपने ख़र्च को आने वाले कैशफ़्लो से कम रखता हूँ तब तक मैं ज़्यादा अमीर बनता रहूँगा। और ध्यान देने वाली बात यह है कि मेरी आमदनी शारीरिक मेहनत से नहीं, बल्कि दूसरे ज़रियों से हो रही है।

जब तक पुनर्निवेश की यह प्रक्रिया चलती रहती है, मैं अमीर बनने की राह पर तेज़ी से चलता रहूँगा। अमीरी की असली परिभाषा देखने वाले की निगाह में होती है। आप कभी अत्यधिक अमीर नहीं हो सकते।

इस आसान सबक़ को याद रखें :

अमीर संपत्ति ख़रीदते हैं।

ग़रीब केवल ख़र्च करते हैं।

मध्य वर्ग दायित्व ख़रीदता है परंतु यह सोचता है कि वह संपत्ति ख़रीद रहा है।

तो किस तरह मैंने अपने काम से काम रखा? इस सवाल का जवाब क्या है? मैक्डॉनल्ड के मालिक की बात सुनें।

सबक़ तीन :
अपने काम से काम रखो

अध्याय चार

सबक़ तीन :

अपने काम से काम रखो

1974 में, मैक्डॉनल्ड के मालिक रे क्रॉक से आग्रह किया गया कि वे ऑस्टिन में टेक्सास युनिवर्सिटी में एम.बी.ए. की कक्षा में व्याख्यान दें। मेरा एक क़रीबी दोस्त कीथ कनिंघम वहाँ एम.बी.ए. कर रहा था। बहुत अच्छी और प्रेरणादायी चर्चा के बाद कक्षा ख़त्म हो गई और विद्यार्थियों ने रे से पूछा कि क्या वे बीयर के लिए उनके फ़ेवरिट बार में चलेंगे। रे तैयार हो गए।

जब सब लोगों के हाथ में बीयर आ गई तब रे ने पूछा, "मेरा असली बिज़नेस क्या है?"

कीथ ने कहा, "हर कोई हँस पड़ा, ज़्यादातर एम.बी.ए. विद्यार्थियों को लगा जैसे रे मज़ाक़ कर रहे थे।"

किसी ने जवाब नहीं दिया, इसलिए रे ने दुबारा यही सवाल पूछा। "आप लोगों की नज़र में मेरा बिज़नेस क्या है?"

विद्यार्थी दुबारा हँस दिए और आख़िरकार एक बहादुर विद्यार्थी ने ज़ोर से कहा, "रे, दुनिया में ऐसा कौन है जो यह नहीं जानता कि आप हैमबर्गर बिज़नेस में हैं।"

रे हँस दिए। "मुझे मालूम था आप लोग यही कहोगे।" वे एक पल के लिए रुके और इसके बाद उन्होंने कहा, "लेडीज़ एंड जेंटलमैन, मैं हैमबर्गर बिज़नेस में नहीं हूँ। मेरा असली बिज़नेस रियल एस्टेट है।"

कीथ ने कहा कि रे ने अपने नज़रिए को समझाने के लिए काफ़ी समय लिया। अपने बिज़नेस प्लान में रे जानते थे कि बिज़नेस का मूल लक्ष्य हैमबर्गर फ्रैंचाइज़ी बेचना था, परंतु वे कभी भी हर फ्रैंचाइज़ी की लोकेशन को नहीं भूले। वे जानते थे कि रियल एस्टेट और इसकी लोकेशन हर फ्रैंचाइज़ी की सफलता में सबसे महत्वपूर्ण तत्व हैं। मूलतः, वह आदमी जो फ्रैंचाइज़ी ख़रीद रहा था और रे क्रॉक के संगठन की फ्रैंचाइज़ी चेन का सदस्य बनता था, वह भी उस ज़मीन के लिए पैसे दे रहा था और उसे ख़रीद रहा था।

आज मैक्डॉनल्ड दुनिया में रियल एस्टेट का सबसे बड़ा अकेला मालिक

है, जिसके पास कैथोलिक चर्च से भी ज़्यादा रियल एस्टेट है। आज, मैक्डॉनल्ड के पास अमेरिका और दुनिया के दूसरे देशों में सबसे क़ीमती चौराहे और नुक्कड़ हैं।

कीथ ने कहा कि यह उसकी ज़िंदगी का बहुत बड़ा सबक़ था। आज कीथ के पास कार धोने का बिज़नेस है, परंतु उसका असली बिज़नेस है कार धोने के गैरेज के नीचे का रियल एस्टेट।

पिछले अध्याय के अंत में हमने यह बताया था कि ज़्यादातर लोग दूसरों के लिए काम करते हैं, बस अपने लिए काम नहीं करते। वे पहले तो कंपनी के मालिकों के लिए काम करते हैं, फिर टैक्स के कारण सरकार के लिए काम करते हैं, और आख़िरकार बैंक के लिए काम करते हैं जो उनके मॉर्टगेज का मालिक होता है।

जब हम छोटे थे, तो हमारे आस-पास मैक्डॉनल्ड का कोई फ्रैंचाइज़ी आउटलेट नहीं था। परंतु मेरे अमीर डैडी ने माइक और मुझे वही सबक़ सिखा दिया था जो टेक्सॉस युनिवर्सिटी में रे क्रॉक ने सिखाया था। यह अमीरों का रहस्य नंबर तीन है।

रहस्य है : 'अपने काम से काम रखो।' लोगों की ज़िंदगी में पैसे की तंगी इसलिए आती है क्योंकि वे अपनी सारी ज़िंदगी दूसरों के लिए काम करते रहते हैं। कई लोगों के पास तो ज़िंदगी भर काम करने के बाद भी अपने लिए कुछ नहीं बच पाता।

एक बार फिर, एक चित्र एक हज़ार शब्दों के बराबर है। यहाँ एक इन्कम स्टेटमेंट और बैलेंस शीट का चित्र दिया गया है जो रे क्रॉक की सलाह का सबसे अच्छा उदाहरण है।

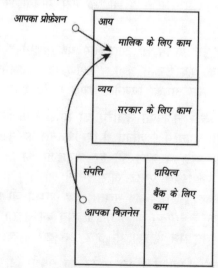

हमारी वर्तमान शिक्षा पद्धति आज के युवाओं में अकादमिक कुशलताएँ विकसित कर उन्हें अच्छी नौकरियाँ दिलाने के लिए तैयार करती है। उनकी ज़िंदगी उनकी तनख़्वाह के चारों तरफ़ घूमती है या जैसा पहले बताया जा चुका है, उनकी आमदनी वाले कॉलम के चारों तरफ़। और ज़्यादा अकादमिक कुशलताओं को विकसित करने के बाद वे अपनी व्यावसायिक योग्यताओं को बढ़ाने के लिए और ऊँची शिक्षा हासिल करते हैं। वे इंजीनियर, वैज्ञानिक, रसोइए, पुलिस अफ़सर, कलाकार, लेखक इत्यादि बनने के लिए पढ़ाई करते हैं। उनकी व्यावसायिक योग्यताएँ उन्हें काम करने और पैसा कमाने का मौक़ा देती हैं। परंतु ध्यान रहे वे पैसे के लिए काम करते हैं।

आपके प्रोफ़ेशन और आपके बिज़नेस में बहुत बड़ा अंतर है। मैं अक्सर लोगों से पूछता हूँ, "आपका बिज़नेस क्या है?" और वे कहते हैं, "मैं एक बैंकर हूँ।" फिर मैं उनसे पूछता हूँ कि क्या वे बैंक के मालिक हैं? और सामान्यतः उनका जवाब होता है, "नहीं, मैं वहाँ काम करता हूँ।"

इस तरह उन्होंने अपने प्रोफ़ेशन और अपने बिज़नेस को एक ही समझ लिया है। उनका प्रोफ़ेशन एक बैंकर का हो सकता है, परंतु उनका अपना बिज़नेस कुछ भी नहीं है। रे क्रॉक अपने प्रोफ़ेशन और अपने बिज़नेस के बीच के अंतर को बहुत अच्छी तरह जानते थे। उनका प्रोफ़ेशन हमेशा वही था। वे एक सेल्समैन थे। एक समय वे मिल्कशेक के लिए मिक्सर बेचते थे और कुछ ही समय बाद वे हैमबर्गर फ़्रैंचाइज़ी बेचने लगे। हालाँकि उनका प्रोफ़ेशन हैमबर्गर फ़्रैंचाइज़ी बेचने का था, परंतु उनका बिज़नेस आय दिलाने वाले रियल एस्टेट को इकट्ठा करना था।

स्कूल के साथ एक समस्या यह है कि आप जो विषय पढ़ते हैं, आप वही बन जाते हैं। उदाहरण के लिए अगर आप कुकिंग का अध्ययन करते हैं, तो आप शेफ़ बन जाते हैं। अगर आप क़ानून का अध्ययन करते हैं तो आप वकील बन जाते हैं और अगर आप ऑटो मैकेनिक्स का अध्ययन करते हैं तो आप मैकेनिक बन जाते हैं। जो पढ़ा जाए वही बन जाने में ग़लती यहाँ होती है कि लोग अपने काम से काम रखना भूल जाते हैं। वे अपना सारा जीवन दूसरे के काम पर ध्यान देने में लगा देते हैं और इस तरह उसको अमीर बनाते हैं।

आर्थिक रूप से सुरक्षित बनने के लिए किसी आदमी को अपने काम से काम रखने की ज़रूरत है। आपका बिज़नेस आपके संपत्ति वाले कॉलम के चारों तरफ़ घूमता है, जो आपकी आमदनी वाले कॉलम के विपरीत होता है। जैसा पहले बताया जा चुका है, नंबर एक नियम यह जानना है कि संपत्ति और दायित्व के बीच अंतर होता है और इसलिए हमें संपत्ति ही ख़रीदनी चाहिए। अमीर लोग अपने संपत्ति वाले कॉलम पर ध्यान देते हैं जबकि बाक़ी सभी लोग अपने इन्कम स्टेटमेंट पर ध्यान देते हैं।

इसीलिए हमें यह बहुत सुनने में आता है, "मुझे ज़्यादा तनख़्वाह की ज़रूरत है।" "काश कि मुझे प्रमोशन मिल जाए।" "मैं एक बार फिर स्कूल जाकर कुछ और प्रशिक्षण लेने वाला हूँ ताकि मैं बेहतर नौकरी पा सकूँ।" "मैं ओवरटाइम करने वाला हूँ।' "शायद मुझे कोई पार्ट टाइम काम मिल जाए।" 'मैं दो सप्ताह में नौकरी छोड़ रहा हूँ। मुझे एक नई नौकरी मिल गई है जिसमें तनख़्वाह ज़्यादा है।"

कई समूहों में ये समझदारी के विचार हैं। परंतु अगर आप रे क्रॉक की बात समझ लेते हैं, तो ऐसा करके आप अपने काम से काम नहीं रख रहे हैं। ये सभी विचार अपना पूरा ध्यान आमदनी वाले कॉलम पर केंद्रित किए हुए हैं और अगर अतिरिक्त धन का उपयोग आमदनी बढ़ाने वाली संपत्तियों को ख़रीदने में किया जाता है तभी वह आदमी आर्थिक रूप से सुरक्षित हो सकता है।

ग़रीब और मध्य वर्ग के ज़्यादातर लोग आर्थिक रूप से पुरातनपंथी होते हैं यानी- "मैं जोखिम नहीं उठा सकता"- यानी कि उनका कोई आर्थिक आधार नहीं होता। वे अपनी नौकरियों से चिपके रहते हैं। वे खेल को सुरक्षित तरीक़े से खेलते हैं।

जब कंपनियों का आकार छोटा होने लगा तो लाखों-करोड़ों लोगों को पता चला कि जिसे वे अपनी सबसे बड़ी संपत्ति मानते थे यानी कि उनका घर, वह उन्हें ज़िंदा मार रहा है। उनकी घर नामक संपत्ति हर माह उनकी जेब से पैसे निकलवा रही थी। उनकी कार, उनकी दूसरी संपत्ति भी उन्हें ज़िंदा मार रही थी। गैरेज में रखे 1,000 डॉलर में ख़रीदे गए उनके गोल्फ़ क्लब अब 1,000 डॉलर के नहीं रह गए थे। नौकरी की सुरक्षा न होने के कारण अब उनके पास जीवनयापन का कोई आधार नहीं बचा था। उनके विचार में जो संपत्तियाँ थीं, वे पैसे के संकट के समय में उनकी कुछ भी मदद नहीं कर सकती थीं।

मैं यह मानकर चल रहा हूँ कि हममें से ज़्यादातर ने मकान ख़रीदने या कार ख़रीदने के लिए बैंकर से लोन के लिए आवेदन फ़ॉर्म भरा है। 'नेट वर्थ' खंड पर नज़र डालना हमेशा रोचक रहता है। यह रोचक इसलिए होता है क्योंकि इससे हम जान पाते हैं कि बैंकिंग और अकाउंटिंग में किन चीज़ों को संपत्तियाँ माना जाता है।

एक दिन, क़र्ज़ लेने के लिए, मेरी माली हालत बहुत अच्छी नहीं लग रही थी। इसलिए मैंने अपने नए गोल्फ़ क्लब, मेरे आर्ट कलेक्शन, पुस्तकें, स्टीरियो, टेलीविज़न, अर्मानी सूट्स, कलाई घड़ियाँ, जूते और दीगर चीज़ों को संपत्ति वाले कॉलम में दिखा दिया।

मेरे लोन के आवेदन को अस्वीकार कर दिया गया क्योंकि मेरा बहुत ज़्यादा निवेश रियल एस्टेट में था। लोन कमेटी को यह पसंद नहीं आया था कि मैं अपार्टमेंट हाउसेस से इतने ज़्यादा पैसे कमा रहा था। वे यह जानना

चाहते थे कि मेरे पास एक सामान्य नौकरी क्यों नहीं है, जिसमें वेतन मिलता हो। उन्होंने मेरे अर्मानी सूट्स, गोल्फ़ क्लब या आर्ट कलेक्शन के बारे में कोई सवाल नहीं किए। ज़िंदगी कई बार कठिन हो जाती है जब आप 'स्टैंडर्ड' प्रोफ़ाइल में फ़िट नहीं होते हैं।

मैं हर बार चौंक जाता हूँ जब मैं किसी को यह कहते हुए सुनता हूँ कि उनकी नेट वर्थ दस लाख डॉलर है या एक लाख डॉलर है या ऐसा ही कोई और आँकड़ा। नेट वर्थ के सटीक न होने का एक ख़ास कारण यह है कि जिस पल आप अपनी संपत्तियों को बेचना शुरू करते हैं, आपको प्राप्तियों पर टैक्स चुकाना पड़ता है।

इतने सारे लोग अपने आपको पैसे के गहरे संकट में डाल लेते हैं जब उनकी आमदनी कम हो जाती है। पैसा जुटाने के लिए वे अपनी संपत्तियाँ बेचते हैं। पहले, तो उनकी व्यक्तिगत संपत्तियाँ सामान्यतः उस मूल्य से बहुत कम में बिकती हैं, जो उनकी बैलेंस शीट में दिखाया गया है। या अगर संपत्तियों को बेचने से कोई फ़ायदा होता है, तो उस पर टैक्स लगा दिया जाता है। तो एक बार फिर, सरकार फ़ायदे में से अपना हिस्सा ले लेती है और इस तरह क़र्ज़ से उबरने के लिए जुटाई जाने वाली रक़म को कम कर देती है।

अपने काम से काम रखना शुरू कर दें। दिन की नौकरी को करते रहें, परंतु असली संपत्तियों को ख़रीदना भी शुरू कर दें। परंतु ऐसे दायित्वों या व्यक्तिगत चीज़ों से बचें जिनकी क़ीमत एक बार घर लाने पर कम हो जाए। आप जिस क्षण एक नई कार शोरूम से बाहर ले जाते हैं, उसकी क़ीमत 25 फ़ीसदी कम हो जाती है। यह सच्ची संपत्ति नहीं है, हालाँकि आपके बैंकर भी इसे संपत्ति मानते हैं। मेरा 400 डॉलर का नया टाइटेनियम ड्राइवर ख़रीदने के कुछ ही मिनटों बाद 150 डॉलर मूल्य का हो गया था।

वयस्कों के लिए यही सही है कि अपने ख़र्च कम कर लें, अपने दायित्वों को घटा लें और मेहनत से ठोस संपत्तियों का आधार बना लें। उन युवा लोगों को जिन्होंने अभी घर नहीं छोड़ा है, यह सिखाया जाना चाहिए कि संपत्ति और दायित्व के बीच क्या फ़र्क़ होता है। घर छोड़ने से पहले ही उन्हें संपत्ति वाले कॉलम को बनाने की प्रेरणा दी जानी चाहिए। इसके पहले कि वे घर छोड़ें, शादी करें, घर ख़रीदें, बच्चे पैदा करें, ख़तरनाक आर्थिक स्थिति में फँसें, नौकरी को कसकर पकड़े रहें और हर चीज़ को उधार ख़रीदें। मैं बहुत सारे युवा दंपतियों को देखता हूँ जो शादी कर लेते हैं और अपने आपको एक ऐसे जाल में फँसा लेते हैं जिससे वे अपनी नौकरी के बहुत सालों तक क़र्ज़ से बाहर नहीं निकल पाएँगे।

जब आख़िरी बच्चा घर छोड़कर चला जाता है, तब ज़्यादातर लोगों को यह एहसास होता है कि उन्होंने रिटायरमेंट की पर्याप्त तैयारी नहीं की है और

वे थोड़ा पैसा अलग रखना शुरू कर देते हैं। फिर उनके अपने मम्मी-डैडी बीमार हो जाते हैं और उन पर नई ज़िम्मेदारियाँ आ जाती हैं।

तो मैं आपको या आपके बच्चों को किस तरह की संपत्तियों के संग्रह की प्रेरणा दे रहा हूँ? मेरी दुनिया में असली संपत्तियाँ कई तरह की होती हैं :

1. ऐसे बिज़नेस जिनमें मेरे होने की ज़रूरत न हो। मैं उनका मालिक ज़रूर हूँ, परंतु उन्हें दूसरे लोग चलाते हैं। अगर मुझे वहाँ काम करना पड़े तो यह बिज़नेस नहीं होगा। यह मेरी नौकरी होगी।
2. स्टॉक
3. बॉन्ड
4. म्यूचुअल फ़ंड
5. आमदनी देने वाला रियल एस्टेट
6. नोट्स (IOU)
7. बौद्धिक संपदा जैसे संगीत, पटकथा, पेटेंट इत्यादि से मिलने वाली रॉयल्टी
8. और ऐसी हर चीज़ जो क़ीमती है, जो आमदनी देती है और जिसका मूल्य बढ़ जाता है और जिसका बाज़ार तैयार है।

जब मैं एक छोटा बच्चा था, तो मेरे पढ़े-लिखे डैडी ने मुझे एक सुरक्षित नौकरी ढूँढ़ने की सलाह दी। दूसरी तरफ़ मेरे अमीर डैडी ने मुझे ऐसी संपत्तियों को इकट्ठा करने की सलाह दी, जिन्हें मैं पसंद करता था। "अगर तुम इन्हें पसंद नहीं करते होगे, तो तुम इनका ध्यान नहीं रख पाओगे।" मैं रियल एस्टेट इसलिए इकट्ठा करता हूँ क्योंकि मुझे इमारतों और ज़मीन से प्यार है। मैं उनके लिए शॉपिंग करना भी पसंद करता हूँ। मैं सारा दिन उनको निहार सकता हूँ। जब समस्याएँ आती हैं तो समस्याएँ उतनी बुरी नहीं होतीं कि उनके कारण रियल एस्टेट के लिए मेरा प्यार कम हो जाए। ऐसे लोग जो रियल एस्टेट से नफ़रत करते हैं, उन्हें इसे नहीं ख़रीदना चाहिए।

मुझे छोटी कंपनियों के स्टॉक से भी प्रेम है, ख़ासकर नई कंपनियों के स्टॉक से। इसका कारण यह है कि मैं इंटरप्रेन्योर हूँ, न कि कोई कॉरपोरेट व्यक्ति। मेरे शुरुआती सालों में मैं बड़े संगठनों में काम कर चुका हूँ, जैसे कैलिफ़ोर्निया के स्टैंडर्ड में, यू.एस. मरीन कॉर्प्स और ज़ेरॉक्स कॉरपोरेशन में। मैंने इन संगठनों में बिताए समय का मज़ा लिया है और मेरे पास कई सुखद यादें हैं, परंतु भीतर से मैं कंपनी में काम करने वाला आदमी नहीं हूँ। मुझे कंपनी शुरू करना अच्छा लगता है, परंतु उन्हें चलाना मुझे उतना अच्छा नहीं लगता। इसलिए मैं जो शेयर ख़रीदता हूँ, वे भी सामान्यतः छोटी कंपनियों के होते हैं

और कई बार तो मैं कंपनी शुरू करता हूँ और उसे सार्वजनिक बना देता हूँ। नए स्टॉक के शेयर में क़िस्मत चमक सकती है और मुझे यह खेल पसंद है। कई लोग कम पूँजी वाली कंपनियों से डरते हैं और उन्हें ख़तरनाक कहते हैं और वे ख़तरनाक हैं भी। परंतु ख़तरा हमेशा कम हो जाता है अगर आप निवेश से प्रेम करते हैं, उसे समझते हैं और खेल को अच्छी तरह से जानते हैं। छोटी कंपनियों के साथ मेरी रणनीति यह होती है कि एक साल में अपने शेयर बेच दिए जाएँ। दूसरी तरफ़, मेरी रियल एस्टेट की रणनीति छोटी प्रॉपर्टी से शुरू करने की होती है। फिर मैं उस छोटी प्रॉपर्टी को बेचकर उससे थोड़ी बड़ी प्रॉपर्टी ले लेता हूँ और इस तरह अपने फ़ायदे पर टैक्स चुकाने से बचता रहता हूँ। इससे प्रॉपर्टी की वैल्यू में नाटकीय बढ़ोतरी होती है। मैं सामान्य तौर पर रियल एस्टेट को सात साल से कम समय अपने पास रखता हूँ।

वर्षों तक, जब मैं मरीन कॉर्प्स और ज़ेरॉक्स में था तब भी मैंने वही किया जो मेरे अमीर डैडी ने मुझे सिखाया था। मैं अपनी दिन की नौकरी करता था, परंतु मैं अपने काम से काम भी रखता था। मैं अपनी संपत्ति वाले कॉलम में कुछ न कुछ करता रहता था। मैं रियल एस्टेट और छोटे स्टॉक्स की ख़रीद-फ़रोख़्त भी करता था। अमीर डैडी ने हमेशा पैसे की समझ के महत्व पर ज़ोर दिया था। जितनी अच्छी तरह मैं अकाउंटिंग और कैश मैनेजमेंट को समझ सकता था, उतनी ही अच्छी तरह मैं निवेशों का विश्लेषण कर सकता था और आख़िरकार ख़ुद की कंपनी शुरू कर सकता था और उसे सफल बना सकता था।

जब तक कि कोई पहले से ही ऐसा न सोच रहा हो, मैं किसी को अपनी कंपनी बनाने के लिए प्रोत्साहित नहीं करता। मैं जानता हूँ कि कंपनी चलाने में कितना झंझट होता है और मैं नहीं चाहता कि आप उस झंझट में फँसें। कई बार ऐसा भी समय आता है जब लोगों को रोज़गार नहीं मिलता और उनके लिए कंपनी शुरू करना एक समाधान होता है। परंतु सफलता के अवसर बहुत कम हैं : दस में से नौ कंपनियाँ पाँच साल में डूब जाती हैं। पहले पाँच साल में जो कंपनियाँ बची रहती हैं, उनमें से भी दस में से नौ कंपनियाँ बाद में बंद हो जाती हैं। तो अगर आपकी पहले से ही अपनी कंपनी शुरू करने की इच्छा हो तभी मैं इसकी सलाह दूँगा। अन्यथा, अपनी दिन की नौकरी करते रहें और अपने काम से काम रखें।

जब मैं कहता हूँ कि अपने काम से काम रखें, तो मेरा यह मतलब है कि आप अपनी संपत्ति वाले कॉलम को ज़्यादा मज़बूत बनाते रहें। एक बार इसमें एक डॉलर जाए, तो वह बाहर न निकल पाए। इसे इस तरह सोचें कि जब एक डॉलर आपकी संपत्ति वाले कॉलम में जाता है तो वह आपका कर्मचारी बन जाता है। पैसे के बारे में सबसे अच्छी चीज़ यह है कि यह हर दिन 24 घंटे काम करता है और ऐसा पीढ़ियों तक कर सकता है। अपनी दिन की नौकरी करते रहें, एक अच्छे मेहनती कर्मचारी की तरह काम करें, परंतु अपने

संपत्ति वाले कॉलम को बढ़ाते रहें।

जब आपका कैशफ़्लो बढ़ता है, तब आप कुछ विलासिता की चीज़ें ख़रीद सकते हैं। इस बारे में एक महत्वपूर्ण तथ्य यह है कि अमीर लोग विलासिता की चीज़ें सबसे बाद में ख़रीदते हैं, जबकि ग़रीब और मध्य वर्गीय लोग विलासिता की चीज़ें सबसे पहले ख़रीदते हैं। ग़रीब और मध्य वर्गीय लोग अक्सर बड़े घर, हीरे, फ़र, ज्वेलरी या नाव जैसी विलासिता की चीज़ें इसलिए ख़रीद लेते हैं ताकि वे अमीर दिख सकें। वे अमीर दिखते हैं, परंतु असल में वे उधार के दलदल में गहरे धँसते चले जाते हैं। वे लोग जिनके पास पीढ़ियों से पैसा है, जो लंबे समय से अमीर हैं, वे अपने संपत्ति वाले कॉलम को सबसे पहले बनाते हैं। फिर, संपत्ति वाले कॉलम से होने वाली आमदनी उनके लिए विलासिता की चीज़ें ख़रीद लेती है। ग़रीब और मध्य वर्गीय लोग अपनी ख़ून-पसीने की कमाई और बच्चों की विरासत की क़ीमत पर विलासिता की चीज़ें ख़रीदते हैं।

सच्ची विलासिता असली संपत्ति में निवेश करने और उसे विकसित करने का प्रोत्साहन है। उदाहरण के तौर पर, जब मेरी पत्नी और मेरे पास हमारे अपार्टमेंट हाउसेस से अतिरिक्त पैसा आने लगा, तो वह बाज़ार गई और अपने लिए मर्सिडीज़ ख़रीद लाई। इसमें ज़रा सी भी मेहनत या जोखिम नहीं था क्योंकि अपार्टमेंट हाउस के कारण उसने कार ख़रीदी थी। परंतु उसे इसके लिए चार साल तक इंतज़ार करना पड़ा था जब रियल एस्टेट पोर्टफ़ोलियो बढ़ रहा था और आख़िरकार उसने इतना अतिरिक्त पैसा दे दिया कि कार ख़रीदी जा सके। परंतु मर्सिडीज़ की यह विलासिता दरअसल एक सच्चा पुरस्कार है क्योंकि उसने यह साबित कर दिया था कि वह अपने संपत्ति वाले कॉलम को सही तरह से बढ़ाना जानती है। अब उसके लिए उस कार की क़ीमत सामान्य रूप से ख़रीदी गई कार से कहीं ज़्यादा है।

ज़्यादातर लोग अक्सर इच्छा जागने पर बिना सोचे-समझे जाते हैं और क़र्ज़ पर कार या विलासिता की कोई और चीज़ ख़रीद लाते हैं। हो सकता है कि वे ज़िंदगी से ऊब चुके हों या उन्हें सिर्फ़ एक नए खिलौने की ज़रूरत हो। क़र्ज़ पर विलासिता की चीज़ ख़रीदने से देर-सबेर वह आदमी उस चीज़ से चिढ़ने लगेगा क्योंकि उसके कारण जो क़र्ज़ लिया गया है, वह एक भार बन जाएगा।

एक बार आप अपने बिज़नेस को बनाने, उसमें निवेश करने का समय निकाल लेते हैं, तो फिर आप उसमें जादू की छड़ी घुमा सकते हैं– जो अमीरों का सबसे बड़ा रहस्य है। यह रहस्य अमीरों को भीड़ में सबसे आगे रखता है। अपने काम से काम रखने का इनाम, जो आपको उस राह पर चलने के लिए मिलता है जिस पर अमीर लोग चलते हैं।

सबक़ चार :

टैक्स का इतिहास और कॉरपोरेशन्स की ताक़त

अध्याय पाँच

सबक़ चार :

टैक्स का इतिहास और कॉरपोरेशन्स की ताक़त

मुझे याद है हमें स्कूल में रॉबिनहुड और उनके सुखी गिरोह की कहानी बताई गई थी। मेरे स्कूल टीचर का मानना था कि यह केविन कोस्नर की तरह के एक रोमांटिक हीरो की अद्भुत कहानी है, जो अमीरों को लूटता था और ग़रीबों में बाँट देता था। मेरे अमीर डैडी की नज़र में रॉबिनहुड हीरो नहीं था। वे उसे बदमाश मानते थे।

रॉबिनहुड को गुज़रे हुए तो लंबा समय गुज़र चुका है, परंतु उसके अनुयायी आज भी ज़िंदा हैं। कितनी बार मैंने लोगों को यह कहते सुना है, "इसके लिए अमीर लोग पैसे क्यों नहीं देते?" या "अमीरों को और ज़्यादा टैक्स देना चाहिए और उसे ग़रीबों में बाँट देना चाहिए।"

रॉबिनहुड का यह विचार कि अमीरों से लेकर ग़रीबों में बाँट दिया जाए, ग़रीब और मध्य वर्ग के लोगों के लिए सर्वाधिक कष्ट का कारण है। इसी रॉबिनहुड आदर्श के कारण मध्य वर्ग पर टैक्स का इतना भारी बोझ लदा हुआ है। सच्चाई तो यह है कि अमीरों पर टैक्स लगता ही नहीं है। ग़रीबों की भलाई के लिए जो पैसा लगता है, वह मध्य वर्ग से आता है, ख़ासकर शिक्षित और ऊँची आमदनी वाले मध्य वर्ग से।

टैक्स के बारे में पूरी तरह से समझने के लिए हमें इसकी ऐतिहासिक पृष्ठभूमि को समझने की ज़रूरत है। हमें टैक्स के इतिहास को जानने की ज़रूरत है। हालाँकि मेरे पढ़े-लिखे डैडी शिक्षा के इतिहास पर कमाल का ज्ञान रखते थे, परंतु मेरे अमीर डैडी टैक्स के इतिहास के विशेषज्ञ थे।

अमीर डैडी ने माइक और मुझे यह समझाया कि इंग्लैंड और अमेरिका में पहले कोई टैक्स नहीं लगते थे। कभी-कभार युद्ध का ख़र्च जुटाने के लिए कुछ समय के लिए टैक्स ज़रूर लगा करते थे। राजा या राष्ट्रपति मुँह से कह भर देता है और हर आदमी उसकी कही बात मानकर अपना सहयोग देता

था। ब्रिटेन में 1799 से 1816 से बीच नेपोलियन से युद्ध के समय टैक्स लगाया गया था और अमेरिका में 1861 से 1865 के बीच हुए सिविल वॉर के ख़र्च को जुटाने के लिए टैक्स लगाया गया था।

1874 में इंग्लैंड ने इन्कम टैक्स को अपने नागरिकों पर स्थायी रूप से लागू कर दिया। 1913 में, संविधान के 16वें संशोधन के साथ अमेरिका में भी आयकर स्थायी रूप से लागू हो गया। एक समय था जब अमेरिकी लोग टैक्स-विरोधी हुआ करते थे। चाय पर बहुत ज़्यादा टैक्स लगने के कारण ही बोस्टन हार्बर पर प्रसिद्ध टी पार्टी की घटना हुई थी, जिससे क्रांतिकारी युद्ध को ताक़त मिली थी। इंग्लैंड और अमेरिका दोनों को ही नियमित इन्कम टैक्स के विचार को जनता के गले उतारने में लगभग 50 साल का समय लगा।

इन ऐतिहासिक तिथियों से हमें यह पता नहीं चल पाता कि दोनों ही मामलों में टैक्स शुरू में केवल अमीरों पर लगाए गए थे। अमीर डैडी चाहते थे कि माइक और मैं इस बात को कभी नहीं भूलें। उन्होंने स्पष्ट किया कि टैक्स का विचार लोकप्रिय बना और उसे ज़्यादातर लोगों ने सिर्फ़ इसलिए माना क्योंकि उन्हें यह बताया गया कि टैक्स अमीरों को सज़ा देने का और मध्य वर्ग तथा ग़रीबों को मदद देने का साधन है। इसी कारण जनता ने टैक्स क़ानून के समर्थन में वोट दिए और यह वैधानिक बन गया। हालाँकि इसका मक़सद अमीरों को दंड देना है, परंतु दरअसल यह उन्हीं लोगों को दंड देता है जिन्होंने इसका समर्थन किया था, यानी ग़रीब लोग और मध्य वर्ग।

"एक बार सरकार ने पैसे का स्वाद चख लिया, तो उसकी भूख बढ़ती गई," अमीर डैडी ने कहा। "तुम्हारे डैडी और मैं पूरी तरह विरोध में हैं। वह एक सरकारी ब्यूरोक्रेट हैं और मैं एक पूँजीपति हूँ। हमें विपरीत व्यवहार के कारण पैसे मिलते हैं और हमारी सफलता अलग-अलग मानदंडों पर तौली जाती है। उन्हें पैसा ख़र्च करने और लोगों को काम देने के लिए पैसे दिए जाते हैं। वे जितना ज़्यादा ख़र्च करते हैं और जितने ज़्यादा लोगों को काम पर रखते हैं, उनका संगठन उतना ही बड़ा होता जाता है। सरकार में जितना बड़ा उनका संगठन होता है उतना ही ज़्यादा सम्मान उन्हें दिया जाता है। दूसरी तरफ़, मेरे संगठन में, मैं जितने कम लोगों को रखूँ और जितना कम पैसा ख़र्च करूँ, मेरे निवेशक मेरा उतना ही ज़्यादा सम्मान करते हैं। इसीलिए मैं सरकारी आदमियों को पसंद नहीं करता हूँ। उनके लक्ष्य बिज़नेस के ज़्यादातर लोगों से हटकर होते हैं। जैसे-जैसे सरकार के कर्मचारी बढ़ते हैं, उन्हें तनख़्वाह देने के लिए उतने ही ज़्यादा टैक्स की ज़रूरत होती है।"

मेरे पढ़े-लिखे डैडी इस बात में भरोसा करते थे कि सरकार को लोगों की मदद करनी चाहिए। वे जॉन एफ़. कैनेडी से प्रेम करते थे और ख़ासकर

पीस कॉर्प्स के विचार से। वे इस विचार को इतना ज़्यादा चाहते थे कि वे और मेरी माँ दोनों ही पीस कॉर्प्स के लिए काम करते थे और मलेशिया, थाईलैंड और फ़िलीपीन्स जाने वाले स्वयंसेवकों को प्रशिक्षित करते थे। वे हमेशा अतिरिक्त अनुदानों और बजट में बढ़ोतरी की कोशिश करते थे ताकि वे ज़्यादा लोगों को भर्ती कर सकें। ऐसा वे शिक्षा विभाग की अपनी नौकरी में भी करते थे और पीस कॉर्प्स में भी। यह उनका काम था।

जब मैं दस साल का था, तब से मैं अपने अमीर डैडी से यह सुनता आया हूँ कि सरकारी कर्मचारी आलसी चोरों का गिरोह हैं और मेरे ग़रीब डैडी से मैं यह सुनता हूँ कि अमीर लोग लालची और बदमाश होते हैं जिनसे सरकार को ज़्यादा टैक्स लेना चाहिए। दोनों ही विचारों के पक्ष में तर्क दिए जा सकते हैं। मेरे लिए यह बहुत मुश्किल था क्योंकि एक तरफ़ तो मैं शहर के सबसे बड़े उद्योगपतियों में से एक के लिए काम करता था और दूसरी तरफ़ जब मैं घर आता था तो वहाँ मेरे डैडी होते थे, जो एक नामी सरकारी नेता थे। यह तय करना आसान नहीं था कि कौन सही बोल रहा है और किसकी बात पर मुझे भरोसा करना चाहिए।

परंतु जब आप टैक्स के इतिहास का अध्ययन करते है, तो एक दिलचस्प पहलू सामने आता है। जैसा मैंने कहा कि टैक्स का लागू होना सिर्फ़ इसलिए संभव हो सका क्योंकि जनता रॉबिनहुड के अर्थशास्त्रीय सिद्धांत में भरोसा करती थी, जिसमें अमीरों से लेकर बाक़ी सबमें बाँट दिया जाता है। समस्या यह थी कि सरकार की पैसे की भूख इतनी बढ़ गई कि जल्द ही मध्य वर्ग पर भी टैक्स लगाने की नौबत आ गई और वहाँ से धीरे-धीरे टैक्स का बोझ नीचे की तरफ़ आता गया।

दूसरी तरफ़ अमीरों ने इसे एक मौक़े की तरह देखा। वे उन्हीं नियमों से नहीं खेलते हैं, जिनसे जनता खेलती है। जैसा मैंने बताया है, अमीर पहले ही कॉरपोरेशन के बारे में जानते थे, जो पानी के जहाज़ों के दिनों में लोकप्रिय हुए थे। अमीरों ने हर समुद्री यात्रा की संपत्ति के जोखिम को सीमित करने के लिए कॉरपोरेशन का उपयोग किया। अमीर लोग हर समुद्री यात्रा के लिए पैसा जुटाने के लिए कॉरपोरेशन में अपना पैसा डालते थे। फिर यह कॉरपोरेशन न्यू वर्ल्ड में ख़ज़ाने की खोज के लिए नाविकों को भर्ती करता था। अगर जहाज़ डूब जाता था, तो नाविकों की जान जाती थी, परंतु अमीर लोगों को सिर्फ़ इतना ही नुक़सान होता था कि उनका वह पैसा डूब जाता था जो उन्होंने उस समुद्री यात्रा के लिए दिया था। आगे आने वाला चित्र दर्शाता है कि किस तरह कॉरपोरेट स्ट्रक्चर आपके इन्कम स्टेटमेंट और बैलेंस शीट के बाहर बैठता है।

अमीर लोग किस तरह खेल को खेलते हैं

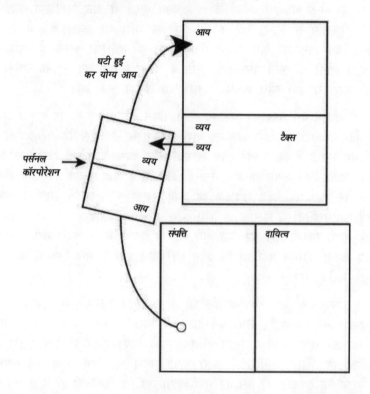

कॉरपोरेशन के क़ानूनी ढाँचे की ताक़त के ज्ञान से अमीरों को ग़रीबों और मध्य वर्ग की तुलना में बहुत ज़्यादा फ़ायदा मिलता है। मुझे दो डैडियों ने शिक्षा दी थी जिनमें से एक समाजवादी थे और दूसरे पूँजीपति। मुझे जल्द ही यह महसूस हुआ कि पूँजीपति में पैसे की ज़्यादा समझ है। मुझे ऐसा लगा कि पैसे की नासमझी के कारण समाजवादी आख़िरकार ख़ुद को ही सज़ा देते हैं। 'अमीरों से वसूलो' का नारा लगाने वाली भीड़ चाहे जितना ज़ोर लगा ले, अमीर लोग उनसे जीतने का रास्ता हमेशा ढूँढ़ निकालते हैं। इसी कारण टैक्स आख़िरकार मध्य वर्ग पर लगे। अमीरों ने बुद्धिजीवियों को अपनी बुद्धि से हरा दिया, सिर्फ़ इस कारण क्योंकि वे पैसे की ताक़त को जानते थे और यह विषय स्कूलों में नहीं पढ़ाया जाता।

अमीर लोगों ने बुद्धिजीवियों को किस तरह हराया। एक बार 'अमीरों से वसूलो' का क़ानून पारित हुआ, तो सरकार की तिजोरी में पैसा आने लगा। पहले तो लोग इस बात से ख़ुश हुए। यह पैसा सरकारी कर्मचारियों और अमीरों को दिया जाने लगा। सरकारी कर्मचारियों के पास यह पैसा नौकरियों और पेंशनों के रूप में गया। अमीरों के पास यह पैसा उनकी फ़ैक्ट्रियों के ज़रिए मिले सरकारी कॉन्ट्रैक्ट्स से आया। सरकार के पास ढेर सारे पैसे थे, परंतु

उस पैसे के मैनेजमेंट की समस्या थी। उसमें कोई रिसर्कुलेशन नहीं था। दूसरे शब्दों में, सरकारी नीति में अगर आप एक सरकारी ब्यूरोक्रेट हैं तो आप पैसा बचाना पसंद नहीं करते। अगर आप अपने लिए आवंटित फ़ंड को ख़र्च नहीं कर पाते हैं तो आपको अगले बजट में उतनी राशि नहीं मिलेगी। और निश्चित रूप से आपको योग्य तो माना ही नहीं जाएगा। दूसरी तरफ़ बिज़नेस में पैसे बचाने के लिए इनाम मिलता है और ऐसा करने पर आपको क़ाबिल माना जाता है।

जब बढ़ते हुए सरकारी ख़र्चों का यह चक्र चलता रहा, तो पैसे की माँग बढ़ी और 'अमीरों से टैक्स वसूलो' के विचार में अब कम अमीर लोगों को भी शामिल कर लिया गया और इस तरह सरकार इतनी नीचे आ गई कि वे ग़रीब और मध्य वर्गीय लोग भी टैक्स के दायरे में आ गए जिन्होंने इसके लिए वोट दिए थे।

सच्चे पूँजीपतियों ने बचने का तरीक़ा खोजने के लिए अपनी पैसे की समझ का प्रयोग किया। वे कॉरपोरेशन की सुरक्षा में चले गए। कॉरपोरेशन अमीर लोगों को सुरक्षा देता है। परंतु कई लोग जिन्होंने कभी कॉरपोरेशन नहीं बनाया यह नहीं जानते कि कॉरपोरेशन जैसी कोई चीज़ नहीं होती। कॉरपोरेशन केवल एक फ़ाइल का फ़ोल्डर होता है जिसमें कुछ क़ानूनी दस्तावेज़ लगे होते हैं और जो राज्य सरकार की एजेंसी में दर्ज होकर किसी वकील के ऑफ़िस में रखा होता है। यह कोई बड़ी बिल्डिंग नहीं होती जिसके बाहर कॉरपोरेशन का नाम लिखा होता है। यह कोई फ़ैक्ट्री या लोगों का समूह भी नहीं होता। कॉरपोरेशन केवल एक क़ानूनी दस्तावेज़ है जो एक ऐसी क़ानूनी देह बना देता है जिसकी कोई आत्मा नहीं होती। अमीरों की संपत्ति एक बार फिर सुरक्षित हो गई। एक बार फिर, कॉरपोरेशन्स का प्रयोग लोकप्रिय हो गया – यह स्थायी इन्कम टैक्स क़ानूनों के पारित होने के बाद हुआ – क्योंकि कॉरपोरेशन के लिए इन्कम टैक्स की दर व्यक्तिगत इन्कम टैक्स की दर से कम थी। इसके अलावा, जैसा पहले बताया जा चुका है, कॉरपोरेशन द्वारा कुछ ख़र्च टैक्स चुकाने से पहले किए जा सकते हैं।

अमीरों और ग़रीबों के बीच यह लड़ाई सदियों से चली आ रही है। 'अमीरों से वसूलो' का नारा लगाने वाली भीड़ अमीरों के हमेशा ख़िलाफ़ रही है। यह लड़ाई तब छिड़ती है जब क़ानून बनते हैं। और यह लड़ाई अनंत काल तक चलती रहेगी। समस्या यह है कि जो लोग हारते हैं उनमें समझ की कमी है। हारने वाले लोग वे हैं जो हर सुबह उठकर तैयार होते हैं और अपनी नौकरी में कड़ी मेहनत करते हैं और उस पर टैक्स देते हैं। अगर वे यह समझ पाते कि अमीर लोग किस तरह से पैसे का खेल खेलते हैं तो वे भी इस खेल को उसी तरह से खेल सकते। फिर वे भी पैसे से आज़ाद हो सकते हैं और अमीर बन सकते हैं। इसीलिए मैं हर बार सिहर जाता हूँ जब भी मैं किसी

को अपने बच्चे को यह सलाह देते सुनता हूँ कि स्कूल जाओ, ताकि सुरक्षित नौकरी मिल सके। जिस कर्मचारी में पैसे की समझ नहीं है, वह बच नहीं सकता, चाहे उसकी नौकरी कितनी भी सुरक्षित क्यों न हो।

औसत अमेरिकी व्यक्ति आज सरकार के लिए पाँच से छह महीनों तक काम करता है ताकि वह टैक्स चुकाने के लिए पैसा जमा कर सके। मेरे विचार में, यह समय बहुत ज़्यादा है। आप जितनी ज़्यादा मेहनत करते हैं, आपको सरकार को उतना ही ज़्यादा टैक्स देना पड़ता है। इसीलिए मेरा मानना है कि 'अमीरों से वसूलो' का नारा उन्हीं लोगों पर भारी पड़ गया है जिन्होंने इसके लिए वोट दिया था।

हर बार लोग अमीरों को सज़ा देने की कोशिश करते हैं, अमीर लोग चुपचाप उसका पालन नहीं करते हैं बल्कि वे पलटकर वार करते हैं। उनके पास पैसा, ताक़त और इरादा होता है जिनके दम पर वे चीज़ों को बदल सकते हैं। वे चुपचाप बैठकर स्वेच्छा से ज़्यादा टैक्स नहीं चुकाते। वे ऐसे तरीक़े खोजते हैं जिनसे उन पर टैक्स का कम से कम बोझ पड़े। इसके लिए वे चतुर और स्मार्ट वकीलों तथा अकाउंटेंट्स की सेवाएँ लेते हैं और राजनेताओं को मनाते हैं कि वे क़ानून बदलें या क़ानूनी बचाव के रास्ते बनाएँ। उनके पास परिवर्तन करवाने के लिए ज़रूरी संसाधन होते हैं।

अमेरिका का टैक्स क़ानून भी टैक्स बचाने के लिए कई रास्ते प्रदान करता है। इनमें से ज़्यादातर रास्ते हर एक के लिए खुले हैं, परंतु इनका फ़ायदा सामान्य तौर पर अमीर लोग ही उठाते हैं क्योंकि वे इनकी खोज करते हैं और ऐसा इसलिए होता है क्योंकि वे अपने काम से काम रखते हैं। उदाहरण के तौर पर लोकप्रिय शब्द '1031' इंटरनल रेवेन्यू कोड के अनुच्छेद 1031 का संक्षिप्त रूप है, जिससे रियल एस्टेट बेचने वाले को टैक्स चुकाने में देरी करने का मौक़ा मिलता है अगर वह ज़्यादा महँगे रियल एस्टेट को ख़रीदता है और सौदेबाज़ी में फ़ायदा नहीं लेता। रियल एस्टेट एक ऐसा पूँजी निवेश है जो इतना बड़ा टैक्स लाभ देता है। जब तक आप कम क़ीमत की प्रॉपर्टी बेचकर ऊँची क़ीमतों में बड़ी प्रॉपर्टी ख़रीदते रहते हैं, तो आपको तब तक टैक्स नहीं देना पड़ता जब तक कि आप उसे नक़द ही न रखना चाहें। जो लोग क़ानून द्वारा दी गई इन टैक्स की छूटों का लाभ नहीं उठाते वे अपने संपत्ति वाले कॉलम को बनाने का एक बहुत बड़ा मौक़ा खो देते हैं।

ग़रीबों और मध्य वर्ग के पास उतने संसाधन नहीं होते। वे चुपचाप बैठे रहते हैं और सरकार की सुइयों को अपनी बाँह पर लगने देते हैं और ब्लड डोनेशन की इजाज़त दे देते हैं। आज, मैं ज़्यादा टैक्स चुकाने वाले या कम छूट लेने वाले लोगों की संख्या से लगातार स्तब्ध होता रहता हूँ, और वे ऐसा सिर्फ़ इसलिए करते हैं क्योंकि वे सरकार से डरते हैं। और मैं जानता हूँ कि सरकारी

टैक्स एजेंट कितना डरावना होता है। मेरे कुछ दोस्त हैं जिनके बिज़नेस बंद हो गए हैं और इसके लिए सरकार दोषी थी। मुझे यह सब पता है। परंतु जनवरी से लेकर मई के पहले पखवाड़े तक सरकार के लिए काम करना एक बहुत बड़ी क़ीमत है जो हम टैक्स के डर के कारण चुकाते हैं। मेरे ग़रीब डैडी ने कभी पलटकर वार नहीं किया। मेरे अमीर डैडी ने भी ऐसा नहीं किया। उन्होंने केवल खेल को चतुरता से खेला और उन्होंने ऐसा कॉरपोरेशन्स के माध्यम से किया- जो अमीरों का सबसे बड़ा रहस्य है।

अमीर डैडी से मेरा पहला सीखा गया सबक़ आपको याद होगा। मैं नौ साल का बच्चा था और मुझे उनसे बात करने के लिए बहुत समय तक इंतज़ार करना पड़ा था। मैं अक्सर उनके ऑफ़िस में बैठकर उनका इंतज़ार करता था। वे जान-बूझकर मुझे नज़रअंदाज़ करते रहते थे। वे चाहते थे कि मैं उनकी ताक़त को पहचानूँ और एक दिन ख़ुद भी इतना ही ताक़तवर बनना चाहूँ। जितने भी समय तक मैंने उनके मार्गदर्शन में पढ़ा और सीखा, उन्होंने मुझे हमेशा याद दिलाया कि ज्ञान ही ताक़त है। और पैसे के साथ जो बड़ी ताक़त आती है उसे बनाए रखने के लिए और उसे कई गुना करने के लिए सही ज्ञान की ज़रूरत होती है। उस ज्ञान के बिना संसार आपको इधर-उधर धक्के मारता रहता है। अमीर डैडी हमेशा माइक और मुझे यह याद दिलाया करते थे कि सबसे ज़्यादा डरावना व्यक्ति बॉस या सुपरवाइज़र नहीं होता, बल्कि टैक्समैन होता है। अगर आप उसे मौक़ा देते हैं तो टैक्समैन हमेशा आपसे ज़्यादा से ज़्यादा वसूल कर लेगा।

पैसा मेरे लिए काम करे, मैं पैसे के लिए काम न करूँ, मेरा यह पहला सबक़ दरअसल ताक़त के बारे में है। अगर आप पैसे के लिए काम करते हैं तो आप ताक़त को अपने बॉस के हाथ में दे देते हैं। अगर आपका पैसा आपके लिए काम करता है तो आप ताक़त को अपने पास रखते हैं और उसे क़ाबू में रखते हैं।

एक बार हमें हमारे लिए काम करने वाले पैसे की ताक़त का ज्ञान हो जाए, फिर हमें पैसे के लिहाज़ से स्मार्ट हो जाना चाहिए और हमें डराने वाले लोगों से निपटने के रास्ते ढूँढ़ लेने चाहिए। इसके लिए आपके पास क़ानून की समझ होनी चाहिए और इस बात की भी कि सिस्टम कैसे काम करता है। अगर आप अज्ञानी हैं तो आपको आसानी से डराया जा सकता है। अगर आप जानते हैं कि आप क्या बात कर रहे हैं तो आपके पास बचने का मौक़ा होता है। इसीलिए अमीर डैडी स्मार्ट टैक्स अकाउंटेंट्स और वकीलों को इतना ज़्यादा वेतन देते थे। वकीलों को वेतन देना सरकार को टैक्स देने से सस्ता था। मेरे लिए उनका सर्वश्रेष्ठ सबक़ था, 'स्मार्ट बनो ताकि तुम्हें इधर-उधर धक्के न दिए जा सकें' और मैंने ज़िंदगी भर इसे अपनाया है। वे क़ानून जानते थे क्योंकि वे क़ानून का आदर करते थे। वे क़ानून जानते थे क्योंकि क़ानून

न जानना बहुत महँगा साबित हो सकता था। "अगर आप जानते हैं कि आप सही हैं, तो आप किसी से भी उलझने से नहीं डरेंगे।" चाहे आपका मुक़ाबला रॉबिनहुड और उसके गिरोह से ही क्यों न हो।

मेरे पढ़े-लिखे डैडी मुझे हमेशा प्रोत्साहित करते थे कि मैं किसी अच्छे कॉरपोरेशन में बढ़िया सी नौकरी खोजूँ। वे मुझे हमेशा उन अच्छाइयों के बारे में बताते थे जो 'कॉरपोरेट सीढ़ी पर चढ़ने से' हासिल की जा सकती हैं। वे यह नहीं समझ पाते थे, कि कॉरपोरेट नियोक्ता से मिलने वाले वेतन के चेक पर पूरी तरह निर्भर रहने से मैं एक ऐसी दुधारू गाय बन जाता था जिसे दुहा जा सकता है।

जब मैंने अपने अमीर डैडी को अपने डैडी की सलाह बताई, तो वे केवल हँसे। उन्होंने सिर्फ़ यही कहा, "सीढ़ी का मालिक ही क्यों न बना जाए?"

बचपन में मुझे यह समझ में नहीं आया था कि अपने कॉरपोरेशन के मालिक होने से अमीर डैडी का क्या मतलब था। यह एक ऐसा विचार था जो असंभव और डरावना लग रहा था। हालाँकि मैं इस विचार से रोमांचित था, परंतु मेरी कम उम्र में मैं इस संभावना पर विचार ही नहीं कर पा रहा था कि वयस्क लोग किसी दिन मेरी कंपनी में काम करेंगे।

मुद्दे की बात यह है कि अगर अमीर डैडी नहीं होते तो मैं अपने पढ़े-लिखे डैडी की सलाह का पालन कर रहा होता। मेरे अमीर डैडी के बार-बार याद दिलाने के कारण ही मेरे अपने कॉरपोरेशन का विचार जीवित रहा और यह मुझे एक अलग राह पर चलाता रहा। जब मैं 15 या 16 साल का था, तो मैं जानता था कि मैं उस राह पर नहीं चलने वाला जो मेरे पढ़े-लिखे डैडी ने बताई है। मैं नहीं जानता था कि मैं ऐसा किस तरह करूँगा, परंतु मैंने दृढ़ निश्चय कर लिया था कि मैं भीड़ के साथ नहीं चलूँगा और उस दिशा में नहीं जाऊँगा जिस तरफ़ मेरे सहपाठी जा रहे थे। इस फ़ैसले ने मेरी ज़िंदगी बदल दी।

जब तक मैं पच्चीस साल का हुआ, तब तक मेरे अमीर डैडी की सलाह मुझे पूरी तरह समझ में नहीं आई थी। मैंने हाल ही में मरीन कॉर्प्स छोड़ी थी और मैं ज़ेरोक्स के लिए काम कर रहा था। मुझे बहुत पैसा मिल रहा था, परंतु हर बार जब भी मैं अपनी तनख़्वाह के चेक को देखता था, तो मुझे हमेशा निराशा होती थी। कटौतियाँ इतनी ज़्यादा थीं और जितना ज़्यादा मैं काम करता था, कटौतियाँ उतनी ही ज़्यादा होती थीं। जब मैं ज़्यादा सफल होने लगा, तो मेरे वरिष्ठ बॉस मेरे प्रमोशन और तनख़्वाह बढ़ाने की बातें करने लगे। यह सुनने में अच्छा लगता था, परंतु मैं अपने कानों में अपने अमीर डैडी की यह आवाज़ भी सुन सकता था : "तुम किसके लिए काम कर रहे हो? तुम किसे अमीर बना रहे हो?"

1974 में ज़ेरॉक्स के कर्मचारी के रूप में ही मैंने अपना पहला कॉरपोरेशन बनाया और अपने काम से काम रखना शुरू कर दिया। पहले से ही मेरे संपत्ति वाले कॉलम में कुछ संपत्तियाँ मौजूद थीं, परंतु अब मैंने ठान लिया था कि उन्हें ज़्यादा बढ़ाया जाए। कटौतियों वाली तनख़्वाह को देख-देखकर मुझे अमीर डैडी की सलाह में समझदारी दिखने लगी थी। अगर मैं अपने पढ़े-लिखे डैडी की सलाह पर चलता, तो मुझे अपना भविष्य साफ़ नज़र आ रहा था।

कई नियोक्ता यह अनुभव करते हैं कि अगर कर्मचारी अपने काम से काम रखें तो यह उनके बिज़नेस के लिए बुरा होता है। मुझे विश्वास है कि ऐसा कुछ लोगों के साथ हो सकता है। परंतु मेरे साथ ऐसा नहीं था। एक बार मैंने अपने काम से काम रखने की ठान ली और अपनी संपत्तियाँ बढ़ाना शुरू कर दिया तो मैं एक बेहतर कर्मचारी बन गया। मेरे पास अब एक लक्ष्य था। मैं सुबह जल्दी आ जाता था और मेहनत से काम करता था और इस तरह ज़्यादा से ज़्यादा पैसे कमाता था ताकि मैं उसे रियल एस्टेट में निवेश कर सकूँ। हवाई में उस समय क़ीमतें तेज़ी से बढ़ रही थीं और वहाँ क़िस्मत चमकाई जा सकती थी। जितना ही ज़्यादा मुझे यह लगा कि वहाँ निवेश की संभावनाएँ हैं उतनी ही ज़्यादा ज़ेरॉक्स मशीनें मैंने बेचीं। मैंने जितनी ज़्यादा मशीनें बेचीं, मुझे उतना ही ज़्यादा पैसा मिला और हाँ, मेरी तनख़्वाह के चेक से उतनी ही ज़्यादा कटौतियाँ हुईं। यह प्रेरणादायक था। मैं कर्मचारी होने के जाल से बाहर निकलना चाहता था और इसलिए मैं कम मेहनत करने के बजाय ज़्यादा कड़ी मेहनत करता था। 1978 तक मैं सेल्स में चोटी के पाँच लोगों में से एक था, प्रायः नंबर वन। मैं चूहा दौड़ से बहुत जल्दी बाहर निकलने के लिए बेताब था।

तीन साल से भी कम समय में मैं ज़ेरॉक्स की तुलना में अपने छोटे से कॉरपोरेशन से कहीं ज़्यादा कमा रहा था, जबकि मेरा कॉरपोरेशन रियल एस्टेट में निवेश करने वाली कंपनी थी। और वह पैसा जो मैं अपने कॉरपोरेशन में अपनी संपत्ति वाले कॉलम में बना रहा था, वह पैसा मेरे लिए काम कर रहा था। मुझे कॉपियर बेचने के लिए दरवाज़े खटखटाने की ज़रूरत नहीं थी। अमीर डैडी की सलाह में मुझे ज़्यादा समझदारी दिख रही थी। जल्दी ही मेरी प्रॉपर्टी से आने वाला कैशफ़्लो इतना ज़्यादा हो गया कि मेरी कंपनी ने मेरे लिए मेरी पहली कार ख़रीद दी। ज़ेरॉक्स के लोगों को लगा कि मैं अपने कमीशन बेच रहा हूँ। परंतु मैं ऐसा नहीं कर रहा था। मैं अपने कमीशन को संपत्तियों वाले कॉलम में निवेश कर रहा था।

मेरा पैसा और ज़्यादा पैसा कमाने के लिए कड़ी मेहनत कर रहा था। मेरी संपत्ति वाले कॉलम का हर डॉलर एक बढ़िया कर्मचारी था, जिसकी कड़ी मेहनत के कारण और ज़्यादा कर्मचारी तैयार होते थे और वे सब मिलकर अपने बॉस को एक नई कार तोहफ़े के रूप में दे देते थे और वह भी टैक्स चुकाने के पहले। मैंने ज़ेरॉक्स के लिए ज़्यादा कड़ी मेहनत करना शुरू कर

दिया। मेरी योजना सही तरह से चल रही थी और मेरी कार इसका जीता-जागता सबूत थी।

अपने अमीर डैडी से सीखे गए सबक़ के कारण मैं उस **'चूहा दौड़ के मिथक'** से बाहर निकलने में सफल हो सका था और कम उम्र में ही एक नियोक्ता बन गया था। यह पैसे की समझ से ही संभव हुआ था। इस वित्तीय ज्ञान के बिना, जिसे मैं फ़ायनेंशियल आई.क्यू. कहूँगा, आर्थिक स्वतंत्रता की मेरी राह में बहुत ज़्यादा मुश्किलें आई होतीं। अब मैं फ़ायनेंशियल सेमिनारों में दूसरों को इस आशा के साथ सिखाता हूँ ताकि मैं उनके साथ अपना ज्ञान बाँट सकूँ। जब भी मैं लेक्चर देता हूँ तो मैं लोगों को यह याद दिलाता हूँ कि फ़ायनेंशियल आई.क्यू. विशेषज्ञता के चार बड़े क्षेत्रों से आने वाले ज्ञान से बनता है।

नंबर एक है अकाउंटिंग। जिसे मैं फ़ायनेंशियल साक्षरता कहता हूँ। अगर आप साम्राज्य बनाना चाहते हैं तो यह बहुत महत्वपूर्ण दक्षता है। आप जितने ज़्यादा धन के लिए ज़िम्मेदार होंगे, उतनी ही ज़्यादा सूक्ष्मता की ज़रूरत होगी नहीं तो आपका साम्राज्य ताश के पत्तों के महल की तरह ढह जाएगा। यह बाएँ मस्तिष्क का पहलू है जिसमें वर्णन या सूक्ष्मता ज़रूरी है। फ़ायनेंशियल साक्षरता वह योग्यता है जिसके सहारे फ़ायनेंशियल स्टेटमेंट्स को पढ़ा और समझा जा सकता है। इस योग्यता से आप किसी भी व्यवसाय की कमज़ोरियों और मज़बूतियों को पहचान सकते हैं।

नंबर दो है निवेश। जिसे मैं पैसे से पैसे बनाने का विज्ञान कहता हूँ। इसमें तकनीकों, रणनीतियों और फ़ॉर्मूलों की ज़रूरत होती है। यह मस्तिष्क का दायाँ पहलू है यानी रचनात्मक पहलू।

नंबर तीन है बाज़ार की समझ। माँग और पूर्ति का विज्ञान। बाज़ार के तकनीकी पहलुओं को जानने की ज़रूरत है जो कि भावनाओं द्वारा संचालित होते हैं। 1996 में क्रिसमस के दौरान *टिकल मी एल्मो डॉल* का प्रकरण भी तकनीकी या भावनाओं द्वारा संचालित बाज़ार का उदाहरण है। बाज़ार का दूसरा तत्व निवेश की 'मूलभूत' या आर्थिक समझ है। क्या किसी निवेश में समझदारी है या वर्तमान बाज़ार की परिस्थितियों के हिसाब से ऐसा करना नासमझी है?

कई लोग यह सोचते हैं कि बाज़ार को समझना या निवेश की अवधारणाएँ बच्चों को समझ में नहीं आएँगी क्योंकि ये जटिल होती हैं। वे यह नहीं देख पाते कि बच्चे इन विषयों को अनुभूति से समझ लेते हैं। जो लोग *एल्मो डॉल* से परिचित नहीं होंगे, उनके लिए यह एक सीसॅम स्ट्रीट कैरेक्टर थी जिसे क्रिसमस के पहले बच्चों में ख़ूब प्रचारित किया गया था। लगभग सभी बच्चे इसे ख़रीदना चाहते थे और अपनी क्रिसमस की सूची में उन्होंने इसे सबसे ऊपर रखा था। परंतु क्रिसमस के लिए इसका विज्ञापन करने के बाद जब यह

बाज़ार से ग़ायब हो गई तो कई लोग यह सोचने लगे कि कहीं कंपनी ने जान-बूझकर तो इसे बाज़ार से ग़ायब नहीं कर दिया है। इसकी माँग बहुत ज़्यादा थी और पूर्ति बहुत कम, इसलिए बाज़ार में भगदड़ और हड़बड़ी का माहौल बन गया। स्टोर्स में जब ख़रीदने के लिए कोई डॉल नहीं बची, तो दुकानदारों और दूसरे खिलौने बनाने वालों ने इसमें मुनाफ़ा कमाने का मौक़ा देखा। जिन्हें डॉल नहीं मिल पाई थी, वे दुर्भाग्यशाली मम्मी-डैडी क्रिसमस के लिए कोई दूसरा खिलौना ख़रीदने के लिए मजबूर हो गए। *टिकल मी एल्मो डॉल* की अविश्वसनीय लोकप्रियता मेरी समझ में नहीं आई, परंतु यह माँग और पूर्ति के अर्थशास्त्र का बढ़िया उदाहरण है। यही बात स्टॉक, बॉन्ड, रियल एस्टेट और बेसबॉल-कार्ड बाज़ारों पर लागू होती है।

नंबर चार है क़ानून। उदाहरण के तौर पर अकाउंटिंग, निवेश और बाज़ारों की तकनीकी दक्षताओं के सहारे कॉरपोरेशन का प्रयोग विस्फोटक वृद्धि प्रदान कर सकता है। कोई भी आदमी जिसे कॉरपोरेशन द्वारा दिए जाने वाले टैक्स फ़ायदों और सुरक्षा का ज्ञान हो वह बहुत ज़्यादा तेज़ी से तरक़्क़ी कर सकता है और अमीर बन सकता है, जो किसी कर्मचारी या छोटे बिज़नेस के मालिक के लिए संभव नहीं है। इसमें उतना ही अंतर है जितना पैदल चलने वाले और उड़ने वाले में होता है। यह अंतर बहुत ज़्यादा हो जाता है जब हम इसे दीर्घकालीन संपत्ति के संदर्भ में देखते हैं।

1. टैक्स लाभ : एक कॉरपोरेशन कई ऐसी चीज़ें कर सकता है जो एक आदमी नहीं कर सकता। जैसे कि यह टैक्स देने के पहले ख़र्च कर सकता है। यह विशेषज्ञता का एक ऐसा क्षेत्र है जो बहुत रोमांचक है, परंतु इसमें अंदर घुसना तब तक ज़रूरी नहीं है जब तक कि आपका बिज़नेस या संपत्ति बहुत बड़ी न हो।

कर्मचारी कमाते हैं और टैक्स चुकाते हैं और फिर जो बचता है उससे अपना ख़र्च चलाते हैं। एक कॉरपोरेशन कमाता है, जितना ख़र्च कर सकता है करता है और फिर बची हुई रक़म पर टैक्स चुकाता है। यह अमीरों द्वारा इस्तेमाल किया जाने वाला सबसे बड़ा क़ानूनी बचाव का रास्ता है। इन्हें बनाना आसान है और बहुत ज़्यादा महँगा नहीं है बशर्ते कि आपके पास अपने ख़ुद के निवेश हों जो अच्छा कैशफ़्लो दे रहे हों। उदाहरण के तौर पर, अपने कॉरपोरेशन का फ़ायदा यह है- घूमने जाने का कार्यक्रम हवाई में बोर्ड मीटिंग बन जाता है। कार का भुगतान, बीमा, रिपेयर इत्यादि कंपनी ख़र्च में डाल दिए जाते हैं। हैल्थ क्लब की सदस्यता भी कंपनी ख़र्च है। ज़्यादातर रेस्टोरेंट के डिनर भी आंशिक व्यय हैं। और भी ऐसे बहुत से ख़र्च हैं जो टैक्स चुकाने के पहले किए जाते हैं।

2. क़ानूनी मुकदमों से सुरक्षा। हम एक क़ानूनी समाज में रह रहे हैं।

हर आदमी आपसे फ़ायदा चाहता है। अमीर लोग अपने क्रेडिटर्स से अपनी ज़्यादातर संपत्ति को छुपाने के लिए कॉरपोरेशन्स और ट्रस्ट्स का सहारा लेते हैं। जब भी कोई किसी अमीर आदमी पर दावा ठोकता है तो उसे यह पता चलता है कि वह क़ानूनी कवच से घिरा हुआ है और दरअसल उस अमीर आदमी के पास कोई संपत्ति है ही नहीं। वे हर चीज़ पर नियंत्रण रखते हैं, परंतु वे किसी चीज़ के मालिक नहीं होते। ग़रीब और मध्य वर्गीय लोग हर चीज़ के स्वामी होने की कोशिश करते हैं और इसलिए जब उन पर दावा ठोका जाता है तो वे सरकार या अपने साथी नागरिकों के हाथों अपनी संपत्ति खो बैठते हैं। उन्होंने रॉबिनहुड की कहानी से यह सीखा है कि अमीरों से वसूलो, ग़रीबों में बाँट दो।

इस पुस्तक का लक्ष्य यह नहीं है कि कॉरपोरेशन बनाने का तरीक़ा बताया जाए। परंतु मैं कहूँगा कि अगर आपके पास किसी तरह की वैध संपत्तियाँ हों तो आप जितनी जल्दी हो सके कॉरपोरेशन द्वारा दिए जाने वाले फ़ायदों और सुरक्षा के बारे में ज़्यादा जान लें। इस विषय पर कई पुस्तकें लिखी गई हैं जो इन फ़ायदों के बारे में विस्तार से बताती हैं और कॉरपोरेशन बनाने के लिए ज़रूरी सीढ़ियों को भी समझाती हैं। एक पुस्तक ख़ास तौर पर बहुत अच्छी है जिसका शीर्षक है *'इन्क. एंड ग्रो रिच'* (यह पुस्तक कॉरपोरेशन्स की ताक़त का बख़ूबी वर्णन करती है।)

फ़ायनेंशियल आई.क्यू. दरअसल कई कुशलताओं और गुणों का मेल है। मैं तो यही कहूँगा कि यह ऊपर बताई गई चार तकनीकी दक्षताओं का समन्वय है जो मूलभूत फ़ायनेंशियल ज्ञान का आधार हैं। अगर आप बहुत ज़्यादा पैसा कमाना चाहते हैं तो इन दक्षताओं के समन्वय से आपका फ़ायनेंशियल ज्ञान बहुत ज़्यादा बढ़ जाएगा।

संक्षेप में

कॉरपोरेशन के मालिक अमीर लोग	कॉरपोरेशन के लिए काम करने वाले कर्मचारी
1. कमाते हैं	1. कमाते हैं
2. ख़र्च करते हैं	2. टैक्स चुकाते हैं
3. टैक्स चुकाते हैं	3. ख़र्च करते हैं

आपकी संपूर्ण फ़ायनेंशियल रणनीति के लिए हम आपकी संपत्तियों के चारों तरफ़ कॉरपोरेशन का कवच लपेटने की बहुत ज़्यादा सलाह देते हैं।

सबक़ पाँच :

अमीर लोग पैसे का आविष्कार करते हैं

अध्याय छह

सबक़ पाँच :

अमीर लोग पैसे का आविष्कार करते हैं

पिछली रात मैंने लिखना बंद किया और अलैग्ज़ेंडर ग्राहम बेल के जीवन पर आधारित एक टीवी कार्यक्रम देखा। बेल ने टेलीफ़ोन का पेटेंट करवाया था और उनकी नई खोज की बहुत माँग थी। चूँकि उन्हें एक बड़ी कंपनी की ज़रूरत थी इसलिए वे उस समय की नामी कंपनी वेस्टर्न यूनियन के पास गए और उनसे कहा कि वे उनके पेटेंट और उनकी छोटी सी कंपनी को ख़रीद लें। वे पूरे पैकेज के एक लाख डॉलर चाहते थे। वेस्टर्न यूनियन के अध्यक्ष ने यह सुनते ही त्यौरियाँ चढ़ा लीं और प्रस्ताव को यह कहकर ठुकरा दिया कि माँगी जाने वाली क़ीमत बहुत ज़्यादा है। बाक़ी इतिहास है। खरबों डॉलर के उद्योग का जन्म हुआ और ए.टी. एंड टी. का जन्म हुआ।

अलैग्ज़ेंडर ग्राहम बेल की कहानी ख़त्म होने के बाद शाम के समाचार आ रहे थे। समाचारों में एक स्थानीय कंपनी के स्टाफ़ में कटौती के बारे में एक ख़बर थी। कर्मचारी नाराज़ थे और शिकायत कर रहे थे कि कंपनी के मालिक ज़्यादती कर रहे हैं। फ़ैक्ट्री के सामने एक 45 साल का नौकरी से निकाला गया मैनेजर अपनी पत्नी और दो बच्चों के साथ खड़ा था और सुरक्षा गार्डों से अंदर जाने की इजाज़त माँग रहा था ताकि वह मालिकों से यह विनती कर सके कि उसे नौकरी से न निकाला जाए। उसने हाल ही में एक मकान ख़रीदा था और उसे डर था कि उसे मकान बेचना पड़ेगा। कैमरा उसके अनुनय-विनय पर नज़रें गड़ाए था और पूरी दुनिया इसे देख रही थी। यह कहने की ज़रूरत नहीं है कि इसने मेरा ध्यान खींच लिया।

मैं 1984 से व्यावसायिक रूप से पढ़ा रहा हूँ। यह एक बहुत अच्छा अनुभव और पुरस्कार रहा है। यह एक विचलित करने वाला काम भी है, क्योंकि मैंने हज़ारों बच्चों को पढ़ाया है और मैंने सभी में एक बात देखी है जिसमें मैं भी शामिल हूँ। हममें बहुत ज़्यादा संभावनाएँ होती हैं और हमें प्रकृति ने बहुत से उपहार दिए होते हैं। परंतु, जो चीज़ हम सभी को पीछे धकेलती

है वह है ख़ुद के बारे में शंका। तकनीकी जानकारी की कमी के कारण हम पीछे नहीं रहते, बल्कि आत्मविश्वास की कमी के कारण पीछे रहते हैं। कई लोगों पर इसका असर ज़्यादा होता है।

एक बार हम स्कूल छोड़ देते हैं तो हम सभी जानते हैं कि कॉलेज डिग्री के होने या अच्छे नंबर आने का कोई ख़ास महत्व नहीं होता। शैक्षणिक माहौल के बाहर असली ज़िंदगी में अच्छे नंबरों से ज़्यादा महत्वपूर्ण चीज़ की ज़रूरत होती है। इसे 'गट्स,' 'बहादुरी,' 'चालाकी,' 'साहस,' 'निरंतरता,' 'प्रतिभा,' 'जोखिम लेने की क्षमता' इत्यादि के नाम से पुकारा जाता है। यह तत्व, चाहे इसे किसी भी नाम से पुकारा जाए, कुल मिलाकर हमारे भविष्य पर स्कूल के नंबरों से ज़्यादा असर डालता है।

हम सभी के भीतर एक बहादुर, प्रतिभाशाली और जोखिम लेने वाला चरित्र मौजूद होता है। परंतु हम सभी के भीतर चरित्र का एक दूसरा पहलू भी होता है जो अपने घुटने टेककर ज़रूरत पड़ने पर भीख भी माँग सकता है। मरीन कॉर्प्स के पायलट के रूप में वियतनाम में एक साल रहने के बाद मुझे अपने भीतर छुपे इन दोनों चरित्रों के बारे में अंतरंग जानकारी मिली। दोनों में से किसी को भी बुरा नहीं कहा जा सकता।

परंतु एक अध्यापक के रूप में मैंने यह जाना कि आदमी की प्रतिभा के सबसे बड़े दुश्मन हैं बहुत ज़्यादा डर और ख़ुद की क्षमताओं के बारे में शंका। यह देखकर मुझे दुख होता था कि कई विद्यार्थी जवाब जानते थे परंतु उनमें जवाब देने की हिम्मत नहीं थी। असली ज़िंदगी में स्मार्ट लोग आगे नहीं बढ़ पाते हैं, बहादुर लोग आगे बढ़ जाते हैं।

मेरे अपने अनुभव में, आपके फ़ायनेंशियल जीनियस के लिए तकनीकी ज्ञान भी ज़रूरी है और साहस भी। अगर आपको बहुत ज़्यादा डर लगता है तो आपकी प्रतिभा का दमन होता है। मेरी कक्षाओं में मैं विद्यार्थियों को बहुत प्रेरित करता हूँ कि वे ख़तरे लेना सीखें, बहादुर बनें और अपनी प्रतिभा के द्वारा अपने डर को ताक़त और चतुराई में बदल लें। कुछ लोगों के लिए यह सिद्धांत काम करता है जबकि कइयों को यह डरावना लगता है। मैंने यह भी जाना है कि ज़्यादातर लोग पैसे के बारे में बहुत सुरक्षित खेल खेलना पसंद करते हैं। मैंने ऐसे सवाल भी सुने हैं : जोखिम क्यों लिए जाएँ? अपने फ़ायनेंशियल आई.क्यू. को विकसित करने का झंझट क्यों उठाया जाए? मैं पैसे की समझ क्यों विकसित करूँ?

और मैं जवाब देता हूँ, "केवल इसलिए ताकि आपके पास ज़्यादा विकल्प हों।"

हमारे आगे बहुत बड़े परिवर्तन खड़े हुए हैं। जिस तरह मैंने इस अध्याय के शुरू में युवा आविष्कारक अलैग्ज़ेंडर ग्राहम बेल की कहानी बताई थी, आगे

आने वाले सालों में उनकी तरह के कई और लोग होंगे। बिल गेट्स की तरह के सैकड़ों लोग होंगे और दुनिया भर में हर साल माइक्रोसॉफ़्ट जैसी बहुत सी अत्यधिक सफल कंपनियाँ बनेंगी। और दीवालियापन, कंपनी बंद होने, स्टाफ़ निकालने की बहुत सी घटनाएँ भी होंगी।

तो आपको फ़ायनेंशियल आई.क्यू. विकसित करने के झंझट में क्यों पड़ना चाहिए? इसका जवाब कोई और नहीं दे सकता, आप ख़ुद दे सकते हैं। परंतु मैं आपको बता सकता हूँ कि मैं ऐसा क्यों करता हूँ। मैं इसलिए ऐसा करता हूँ क्योंकि आज का युग सबसे ज़्यादा रोमांचकारी युग है। मैं चाहता हूँ कि मैं परिवर्तन से डरने के बजाय उसका स्वागत कर सकूँ। मैं चाहता हूँ कि मैं लाखों-करोड़ों बनाने के बारे में रोमांचित रहूँ, न कि सिर्फ़ अपनी तनख़्वाह बढ़ने के बारे में। आज का युग सर्वाधिक रोमांचकारी समय है, जो दुनिया के इतिहास में अभूतपूर्व है। कई पीढ़ियों के बाद लोग इस युग को याद करते हुए यह कहेंगे कि यह कितना ज़्यादा रोमांचकारी रहा होगा। इसे पुराने की मौत और नए के जन्म का युग कहा जाएगा। इस युग में बहुत उथलपुथल थी और रोमांच भी था।

तो अपने फ़ायनेंशियल आई.क्यू. को विकसित करने का झंझट क्यों उठाया जाए? क्योंकि अगर आप ऐसा करते हैं तो आप ज़्यादा अमीर हो जाएँगे। और अगर आप ऐसा नहीं करते हैं तो आगे आने वाला समय आपके लिए डरावना होगा। उस समय आप बहादुरी से आगे बढ़ने वाले लोगों को सफल होते देखेंगे और पुराने सिद्धांतों से जकड़े रहने वाले लोगों को असफल होते देखेंगे।

300 साल पहले ज़मीन ही संपत्ति थी। इसलिए जिस आदमी के पास ज़मीन थी, उसके पास संपत्ति थी। फिर फ़ैक्ट्रियाँ आईं, उत्पादन शुरू हुआ और अमेरिका ने अपना दबदबा बना लिया। उद्योगपति के पास संपत्ति आ गई। आज, सूचना का युग है। इसलिए जिस आदमी के पास जितनी ज़्यादा और जल्दी सूचना आ जाती है, वह अमीर हो जाता है। समस्या यह है कि सूचना दुनिया भर में प्रकाश की गति से उड़ रही है। इस नई संपत्ति को सीमाओं और दायरों में नहीं बाँधा जा सकता जिस तरह ज़मीन या फ़ैक्ट्रियों को बाँधा जा सकता था। परिवर्तन ज़्यादा तेज़ और नाटकीय होंगे। नए करोड़पतियों की संख्या में नाटकीय बढ़ोतरी होगी। ऐसे भी लोग होंगे जो पीछे छूट जाएँगे।

आज मैं इतने सारे लोगों को संघर्ष करते देखता हूँ और प्रायः ज़्यादा कड़ी मेहनत करते देखता हूँ और ऐसा सिर्फ़ इसलिए होता है क्योंकि वे पुराने विचारों को कसकर पकड़े रहते हैं। वे चाहते हैं कि चीज़ें उनके हिसाब से हों। वे परिवर्तन का विरोध करते हैं। मैं ऐसे लोगों को जानता हूँ जिनकी नौकरी

छूट गई है, घर बिक गया है और वे इसके लिए टैक्नोलॉजी या अर्थव्यवस्था या अपने बॉस को दोष देते हैं। दुर्भाग्य से उन्हें यह महसूस ही नहीं होता कि वे भी समस्या का कारण हो सकते हैं। पुराने विचार उनके सबसे बड़े विरोधी बन जाते हैं। और ऐसा इसलिए होता है क्योंकि वे यह जान ही नहीं पाते कि जो विचार पुराने ज़माने में संपत्ति था, वह आज इसलिए नहीं है क्योंकि ज़माना आगे बढ़ चुका है।

एक दोपहर मैं अपने द्वारा ईजाद किए गए बोर्ड गेम कैशफ़्लो से शिक्षा दे रहा था। मेरा एक दोस्त किसी को अपने साथ लेकर आया था ताकि वह भी सीख सके। दोस्त की दोस्त का हाल ही में तलाक़ हुआ था, तलाक़ के मुकदमे में उसके हाथ बुरी तरह जल गए थे और वह अब कुछ जवाब ढूँढ़ रही थी। उसके मित्र को लगा कि शायद इस खेल से उसे कुछ सीखने को मिलेगा।

इस खेल को इस तरह से बनाया गया है ताकि लोग यह सीख सकें कि पैसा किस तरह काम करता है। खेलने के दौरान वे इन्कम स्टेटमेंट और बैलेंस शीट के आपसी संबंध के बारे में सीखते हैं। वे सीखते हैं कि किस तरह दोनों के बीच कैश का फ़्लो होता है और किस तरह पैसे की राह में आपको अपनी संपत्ति वाले कॉलम से निकलने वाले मासिक कैशफ़्लो को बढ़ाना होता है ताकि यह आपके मासिक ख़र्च से ज़्यादा हो जाए। एक बार आप इसे हासिल कर लेते हैं तो आप 'चूहा दौड़' से बाहर निकल जाते हैं और 'तेज़ राह' पर चल पड़ते हैं।

जैसा मैंने कहा है, कुछ लोग इस खेल से नफ़रत करते हैं, कुछ इससे प्रेम करते हैं और कुछ इसका मतलब ही नहीं समझ पाते। इस महिला ने कुछ सीखने का बहुमूल्य अवसर खो दिया। शुरुआती राउंड में, उसने एक 'डूडैड' कार्ड खींचा जिस पर एक नाव बनी हुई थी। पहले तो वह ख़ुश हुई। "अरे, मेरे पास तो एक नाव है।" फिर जब उसके मित्र ने यह बताया कि किस तरह आँकड़े उसके इन्कम स्टेटमेंट और बैलेंस शीट पर काम करते हैं, तो वह कुंठित हो गई क्योंकि उसे गणित ज़रा भी पसंद नहीं था। बाक़ी के खिलाड़ियों ने शांतिपूर्वक इंतज़ार किया जब उसका दोस्त इन्कम स्टेटमेंट, बैलेंस शीट और मासिक कैशफ़्लो के बारे में उसे समझाता रहा। अचानक, जब उसने यह जान लिया कि आँकड़े किस तरह काम करते हैं तो उसे यह जानकर झटका लगा कि उसकी नाव उसे ज़िंदा खा रही है। बाद में, वह 'डाउनसाइज़' हो गई और उसे एक बच्चा भी हो गया। यह उसके लिए एक भयानक खेल साबित हुआ।

कक्षा के बाद, उसका दोस्त आया और उसने मुझे बताया कि वह बहुत विचलित है। वह कक्षा में निवेश के बारे में सीखने के लिए आई थी और उसे यह बहुत मूर्खतापूर्ण लगा था कि इतने बेकार खेल को खेलने में इतना ज़्यादा समय बर्बाद किया जाए।

उसके मित्र ने उसे यह समझाने की कोशिश की कि वह अपने भीतर झाँककर देखे कि क्या यह खेल उसके किसी अंदरूनी पहलू को उजागर कर रहा था। इस सुझाव पर, उस महिला ने अपना पैसा वापस माँग लिया। उसने कहा कि यह विचार मूर्खतापूर्ण है कि कोई खेल किसी के अंदरूनी पहलू को उजागर करता है। उसका पैसा तत्काल वापस कर दिया गया और वह वापस चली गई।

1984 से मैं करोड़ों कमा रहा हूँ और सिर्फ़ इसलिए कमा रहा हूँ क्योंकि स्कूल सिस्टम वह नहीं सिखाता जो मैं सिखा रहा हूँ। स्कूल में ज़्यादातर शिक्षक भाषण देते हैं। अपने छात्र जीवन में मुझे भाषणों से चिढ़ थी, मुझे बहुत जल्दी बोरियत हो जाती थी और मेरा दिमाग़ इधर-उधर भटकने लगता था।

1984 में मैंने खेल-खेल में शिक्षा देना शूरू किया। मैंने वयस्क विद्यार्थियों को प्रोत्साहित किया कि वे इन खेलों को ज्ञान बढ़ाने के इस पहलू से देखें कि वे क्या जानते हैं और उन्हें क्या सीखना चाहिए। सबसे महत्त्वपूर्ण बात यह है कि इस खेल से आदमी के व्यवहार पर भी प्रकाश पड़ता है। यह एक तात्कालिक फ़ीडबैक सिस्टम भी है। टीचर लेक्चर दे, इसके बजाय खेल एक व्यक्तिगत लेक्चर बन जाता है जो आपके लिए ही बनाया गया है।

उस महिला के मित्र ने बाद में मुझे पूरी बात बताने के लिए फ़ोन किया। उसने कहा कि उसकी मित्र अब शांत है। शांत होने के बाद उसने खेल और अपने जीवन के बीच में कुछ आपसी संबंध भी महसूस किए हैं।

हालाँकि उसके और उसके पति के पास नाव नहीं थी, परंतु उनके पास बाक़ी सब चीज़ें थीं। वह अपने तलाक़ के बाद बहुत नाराज़ थी। उसका पति एक कम उम्र की महिला के साथ भाग गया था और बीस साल के वैवाहिक जीवन के बाद उनके पास दौलत के नाम पर बहुत कम सामान था। उनके बीच बाँटने के लिए लगभग कुछ भी नहीं था। बीस साल की उनकी शादी-शुदा ज़िंदगी में मज़ा बहुत आया था, परंतु उन्होंने केवल 'डूडैड' ही इकट्ठे किए थे।

उसने यह महसूस किया कि आँकड़ों पर उसका ग़ुस्सा - इन्कम स्टेटमेंट और बैलेंस शीट पर - इसलिए था क्योंकि वह उन्हें समझ नहीं पा रही थी। उसका यह मानना था कि पैसे-धेले का हिसाब-किताब रखना पुरुष का काम है। वह घर सँभालती थी और उसका पति पैसों को सँभालता था। उसे अब यह पक्का भरोसा हो चुका था कि उनकी शादी के आख़िरी पाँच सालों में उसके पति ने उससे पैसे छुपाए थे। वह इस बात पर ख़ुद से नाराज़ थी कि उसे यह पता ही नहीं चला था कि पैसा कहाँ गया है और यह भी पता नहीं चला था कि उसका किसी दूसरी औरत के साथ संबंध बन चुका है।

बोर्ड गेम की ही तरह, दुनिया भी तत्काल फ़ीडबैक देती है। अगर हम ज़्यादा ध्यान दें तो हम ज़्यादा सीख सकते हैं। कुछ समय पहले की बात है,

मैंने अपनी पत्नी से कहा कि धोबी ने मेरे पैंट को सिकोड़ दिया है। मेरी पत्नी धीमे से मुस्कराई और उसने मेरे पेट में उँगली गड़ाते हुए मुझे बताया कि पैंट नहीं सिकुड़ा है, बल्कि कोई और चीज़ फैल गई है : मैं!

कैशफ़्लो नामक यह खेल हर खिलाड़ी को व्यक्तिगत फ़ीडबैक देने के हिसाब से तैयार किया गया है। इसका लक्ष्य आपको विकल्प प्रदान करना है। अगर आप नाव वाला कार्ड निकालते हैं और यह आपको क़र्ज़ में डाल देता है तो सवाल यह उठता है, "अब आप क्या कर सकते हैं?" आपके पास कितने फ़ायनेंशियल विकल्प मौजूद हैं? यही खेल का लक्ष्य है : खिलाड़ियों को सोचना सिखाना ताकि वे नए और बहुत से फ़ायनेंशियल विकल्प बना सकें।

मैंने एक हज़ार से ज़्यादा लोगों को यह खेल खेलते देखा है। वे लोग जो इस खेल की 'चूहा दौड़' से सबसे जल्दी निकल जाते हैं, उन्हें अंकों की समझ होती है और उनके पास रचनात्मक फ़ायनेंशियल दिमाग़ होता है। वे बहुत से फ़ायनेंशियल विकल्पों को देख सकते हैं। जिन लोगों को सबसे ज़्यादा समय लगता है वे ऐसे लोग होते हैं जिन्हें अंकों की समझ नहीं होती और जिन्हें प्रायः निवेश की ताक़त का एहसास नहीं होता। अमीर लोग प्रायः रचनात्मक होते हैं और सोच-समझकर ख़तरे उठाते हैं।

कैशफ़्लो खेलने वाले कई ऐसे भी लोग होते हैं जो इस खेल में बहुत सा पैसा तो कमा लेते हैं परंतु उन्हें यह नहीं पता होता कि वे इस पैसे का क्या करें। उनमें से ज़्यादातर असली ज़िंदगी में भी आर्थिक रूप से सफल नहीं होते। हर कोई उनसे आगे निकल जाता है, इस तथ्य के बावजूद कि उनके पास पैसा होता है। और यही असली ज़िंदगी में भी होता है। ऐसे बहुत से लोग हैं जिनके पास बहुत सा पैसा होता है और फिर भी वे आर्थिक रूप से आगे नहीं बढ़ पाते।

अपने विकल्पों को सीमित कर लेना पुराने विचारों से चिपके रहने की ही तरह है। हाई स्कूल के समय का मेरा एक दोस्त अभी तीन नौकरियाँ कर रहा है। बीस साल पहले, वह मेरे सभी सहपाठियों में सबसे अमीर हुआ करता था। जब स्थानीय शुगर प्लांट बंद हुआ तो वह जिस कंपनी के लिए काम करता था वह भी बंद हो गई। उसके दिमाग़ में केवल एक विकल्प था और वह पुराना विकल्प था : कड़ी मेहनत करो। समस्या यह थी कि उसे कोई बराबरी की नौकरी नहीं मिल पाई जो पुरानी कंपनी में उसकी वरिष्ठता को माने। इसका परिणाम यह हुआ कि वह अभी जो काम कर रहा है वे उसकी योग्यता के बहुत नीचे के काम हैं और इसलिए उसकी तनख़्वाह कम है। उसे ज़िंदा रहने के लिए जितना पैसा चाहिए, उतना कमाने के लिए उसे तीन नौकरियाँ करनी पड़ रही हैं।

मैंने कैशफ़्लो खेलने वाले लोगों को यह शिकायत करते सुना है कि 'सही' मौक़ा देने वाले कार्ड उनके पास नहीं आ रहे हैं। इसलिए वे जहाँ के तहाँ बैठे

रहते हैं। मैं ऐसे लोगों को जानता हूँ जो असली ज़िंदगी में भी ऐसा ही करते हैं। वे बैठकर 'सही' मौक़े के आने का इंतज़ार करते हैं।

मैंने लोगों को 'सही' मौक़े वाले कार्ड का इंतज़ार करते देखा है और फिर उनके पास पर्याप्त पैसा नहीं होता। फिर वे यह शिकायत करते हैं कि अगर उनके पास ज़्यादा पैसा होता तो वे चूहा दौड़ से बाहर निकल सकते थे। इसलिए वे वहीं बैठे रहते हैं। मैं असली ज़िंदगी में भी ऐसे लोगों को जानता हूँ जो यही करते हैं। वे महान अवसर देखते हैं, परंतु उनके पास पैसा नहीं होता।

और मैं देखता हूँ कि लोग एक महान अवसर वाले कार्ड को खींचते हैं, उसे ज़ोर से पढ़ते हैं और उन्हें यह पता ही नहीं होता कि यह एक महान अवसर है। उनके पास पैसा भी होता है, समय भी सही होता है, कार्ड भी होता है परंतु वे अवसर को नहीं देख पाते। वे यह देखने में असफल हो जाते हैं कि चूहा दौड़ से बच निकलने के लिए यह किस तरह उनकी फ़ायनेंशियल योजना में फ़िट होता है। और मेरी राय में इस तरह के लोग दूसरे सभी तरह के लोगों से ज़्यादा संख्या में होते हैं। ज़्यादातर लोगों को ज़िंदगी में एक बार मिलने वाला सुनहरा अवसर उनके सामने पड़ा हुआ मिलता है, परंतु वे उसे नहीं देख पाते। एक साल बाद उन्हें इसका पता चलता है, जब बाक़ी सभी लोग अमीर बन जाते हैं।

फ़ायनेंशियल बुद्धि का मतलब है ज़्यादा विकल्प होना। अगर अवसर आपके सामने नहीं आ रहे हैं, तो आप अपनी आर्थिक स्थिति सुधारने के लिए क्या कर सकते हैं? अगर कोई अवसर आपकी गोद में आ रहा है और आपके पास पैसा नहीं है, और बैंक वाले आपको उधार नहीं दे रहे हैं तो आप उस अवसर से कैसे लाभ उठा सकते हैं। अगर आपका अनुमान ग़लत है और अगर आप जिसकी उम्मीद करते हैं वह नहीं होता है तो आप किस तरह एक नींबू को लाखों में बदल सकते हैं। यही फ़ायनेंशियल बुद्धि है। क्या होता है इससे हमारा ज़्यादा सरोकार नहीं है, बल्कि आप एक नींबू को लाखों में बदलने के लिए कितने अलग-अलग तरह के आर्थिक समाधान खोज सकते हैं। इसका मतलब है कि आप अपनी पैसे की समस्याओं को सुलझाने में कितने रचनात्मक हैं।

ज़्यादातर लोग केवल एक समाधान जानते हैं : कड़ी मेहनत करो, बचत करो और उधार लो।

तो आपको अपनी फ़ायनेंशियल बुद्धि क्यों बढ़ानी चाहिए?

क्योंकि आप उस तरह के इंसान होना चाहते हैं जो अपनी क़िस्मत ख़ुद बनाता हो। आप जो होता है होने देते हैं और उसे बेहतर में बदलने की क्षमता रखते हैं। बहुत कम लोग यह समझ पाते हैं कि क़िस्मत भी हम ही बनाते हैं, जिस तरह कि पैसा बनाया जाता है। अगर आप ज़्यादा क़िस्मत वाले होना चाहते हैं और ज़्यादा पैसा बनाना चाहते हैं तो कड़ी मेहनत करने के अलावा

आपकी फ़ायनेंशियल बुद्धि महत्वपूर्ण है। अगर आप उस तरह के आदमी हैं जो 'सही' चीज़ होने का इंतज़ार करता है, तो शायद आपको बहुत लंबे समय तक इंतज़ार करना पड़ेगा। यह तो उसी तरह की बात हो गई कि आप गैरेज से गाड़ी निकालने के पहले यह सुनिश्चित करना चाहें कि अगले पाँच मील तक की सभी स्ट्रीट लाइट्स हरी हों।

जब हम छोटे थे, तो अमीर डैडी माइक और मुझे लगातार यह बताते थे, "पैसा असली नहीं है।" अमीर डैडी हमें बार-बार यह याद दिलाया करते थे कि जब हमने प्लास्टर ऑफ़ पेरिस से सिक्के ढाले थे, तो हम पैसे के रहस्य के सबसे क़रीब आ गए थे, क्योंकि हम पैसा बना रहे थे। "ग़रीब और मध्य वर्ग पैसे के लिए काम करते हैं," उनका कहना था। "अमीर लोग पैसे बनाते हैं। आप धन को जितना असली समझेंगे, आप उसके लिए उतनी ही ज़्यादा मेहनत से काम करेंगे। अगर आप इस विचार को मन में उतार लें कि पैसा असली चीज़ नहीं है, तो आप ज़्यादा तेज़ी से अमीर बन सकते हैं।"

"अगर पैसा असली चीज़ नहीं है, तो फिर यह क्या है?" माइक और मैं उनसे यह सवाल पूछते थे।

"पैसा वह है जिसके बारे में हम सहमत हो जाएँ," अमीर डैडी इतना ही जवाब देते थे।

हमारे पास जो इकलौती सबसे शक्तिशाली पूँजी है वह है हमारा दिमाग़। अगर इसे अच्छी तरह प्रशिक्षित कर दिया जाए तो यह एक पल में ढेर सारी दौलत बना सकता है। इतनी दौलत जो 300 साल पहले के राजाओं और रानियों ने सपने में भी नहीं देखी होगी। एक अप्रशिक्षित व्यक्ति बहुत ज़्यादा ग़रीबी भी बना सकता है जो पीढ़ी दर पीढ़ी चलने के कारण कई पीढ़ियों तक बनी रह सकती है।

सूचना के इस युग में पैसा मिनटों में बन जाता है। कुछ लोग तो ज़ीरो से शुरू करके अविश्वसनीय रूप से अमीर हो जाते हैं और इसके लिए वे केवल कुछ विचारों और अनुबंधों का सहारा लेते हैं। आपको यह बात वे लोग आसानी से बता सकते हैं जो स्टॉक मार्केट में ट्रेडिंग करते हैं या दूसरे निवेश करते हैं क्योंकि वहाँ ऐसा अक्सर होता रहता है। कुछ नहीं से तत्काल करोड़ों बनाए जा सकते हैं। और कुछ नहीं से मेरा मतलब है कि बिना पैसे के लेन-देन के। यह अनुबंध के द्वारा किया जाता है : ट्रेडिंग पिट में हाथ के एक संकेत से टोरंटो के ग्राहक के आदेश पर लिस्बन के ट्रेडर की स्क्रीन पर बत्ती जलती है और शेयर पल भर में टोरंटो पहुँच जाते हैं। एक मिनट बाद शेयर बेचने का आदेश दिया जाता है और वे पल भर में बिक जाते हैं। इस पूरे मामले में धन का लेनदेन नहीं हुआ था। अनुबंधों का हुआ था।

तो अपनी फ़ायनेंशियल प्रतिभा क्यों विकसित करें? इसका जवाब केवल

आप ही दे सकते हैं। मैं आपको बता सकता हूँ कि मैं क्यों इसे विकसित कर रहा हूँ। मैं ऐसा इसलिए करता हूँ क्योंकि मैं तेज़ी से धन कमाना चाहता हूँ। इसलिए नहीं कि मुझे इसकी ज़रूरत है, बल्कि इसलिए क्योंकि मैं ऐसा करना चाहता हूँ। यह सीखने की एक दिलचस्प प्रक्रिया है। मैं अपना फ़ायनेंशियल आई.क्यू. इसलिए विकसित करता हूँ क्योंकि मैं दुनिया के सबसे तेज़ और सबसे बड़े खेल में भाग लेना चाहता हूँ। और अपने छोटे तरीक़े से मैं मानवता के अभूतपूर्व विकास का हिस्सा होना चाहता हूँ, एक ऐसे युग का जहाँ इंसान विशुद्ध रूप से केवल अपने दिमाग़ से काम करते हैं, शरीर से नहीं। इसके अलावा, यहाँ ज़्यादा रोमांच है। यहाँ पैसा है। यहाँ डर है। यहाँ आनंद है।

इसलिए मैं अपनी फ़ायनेंशियल बुद्धि में निवेश करता हूँ और अपनी सबसे शक्तिशाली संपत्ति को विकसित करता हूँ। मैं बहादुरी से आगे बढ़ने वाले लोगों के साथ होना चाहता हूँ। मैं पीछे रह जाने वाले लोगों के साथ नहीं होना चाहता हूँ।

मैं पैसे बनाने का एक आसान उदाहरण देना चाहता हूँ। 1990 के दशक की शुरुआत में फ़ीनिक्स की अर्थव्यवस्था बहुत बुरी थी। मैं 'गुड मॉर्निंग अमेरिका' टीवी सीरियल देख रहा था जब एक फ़ायनेंशियल प्लानर आया और उसने निराशावादी भविष्यवाणियाँ करना शुरू कर दिया। उसकी सलाह थी 'पैसे बचाओ'। हर महीने 100 डॉलर बचाएँ और 40 सालों में आप भी करोड़पति बन सकते हैं।'

ख़ैर, हर महीने निश्चित रक़म बचाना भी एक अच्छा विचार है। यह एक विकल्प है- एक ऐसा विकल्प जिसे बहुत से लोग मान लेंगे। समस्या यह है कि ऐसा करने से आदमी यह नहीं जान पाता कि उसके आस-पास क्या हो रहा है। वे अपने पैसे में ज़्यादा महत्वपूर्ण बढ़ोतरी के बड़े मौक़ों का फ़ायदा नहीं उठा पाते। दुनिया उनके पास से गुज़रकर आगे बढ़ जाती है।

जैसा मैंने कहा, अर्थव्यवस्था उस समय बहुत बुरे हाल में थी। निवेशकों के लिए यह एक आदर्श बाज़ार स्थिति थी। मेरा काफ़ी पैसा उस समय स्टॉक मार्केट और अपार्टमेंट हाउसेस में फँसा हुआ था। मेरे पास नक़द पैसा नहीं था। चूँकि हर कोई बेच रहा था, इसलिए मैं ख़रीद रहा था। मैं पैसे बचा नहीं रहा था, मैं निवेश कर रहा था। मेरी पत्नी और मेरे पास दस लाख डॉलर से ज़्यादा नक़द थे जो तेज़ी से बढ़ते हुए बाज़ार में काम कर रहे थे। निवेश करने के लिए यह सबसे बढ़िया मौक़ा था। अर्थव्यवस्था भयावह थी। मैं बहुत छोटे-छोटे निवेशों का तो वर्णन नहीं कर सकता, परंतु कई बड़ी बातें ज़रूर बताना चाहूँगा।

वे घर जिनकी क़ीमत कभी एक लाख डॉलर होती थी, अब 75,000 डॉलर के हो गए थे। परंतु स्थानीय रियल एस्टेट ऑफ़िस में ख़रीदारी करने के बजाय मैंने दीवालिया वकील के ऑफ़िस या अदालत की सीढ़ियों पर

ख़रीदारी करना शुरू कर दिया। इन जगहों पर 75,000 डॉलर का घर 20,000 डॉलर या इससे भी कम में ख़रीदा जा सकता था। मैंने अपने मित्र से 2,000 डॉलर का लोन लिया। 90 दिनों के इस लोन पर ब्याज 200 डॉलर था। मैंने वकील को कैशियर का चेक दे दिया। जब अनुबंध की कार्यवाही चल रही थी, तब मैंने अख़बार में विज्ञापन दिया कि 75,000 डॉलर का घर केवल 60,000 में बिकाऊ है और किसी डाउन पेमेंट की ज़रूरत नहीं है। मेरा फ़ोन तत्काल व्यस्त हो गया और लगातार बजने लगा। संभावित ख़रीदारों को छाँटा गया और एक बार मकान क़ानूनी रूप से मेरे नाम हो गया, तो सभी संभावित ख़रीदारों को घर देखने की इजाज़त दी गई। अत्यंत रोमांचकारी घटनाक्रम के बीच घर कुछ ही मिनटों में बिक गया। मैंने 2,500 डॉलर की प्रोसेसिंग फ़ी माँगी, जो उन्होंने ख़ुशी-ख़ुशी दे दी। और इसके बाद क़ानूनी नामांतरण की कार्यवाही शुरू हो गई। मैंने अपने मित्र के 2,000 डॉलर के क़र्ज़ में 200 डॉलर ब्याज मिलाकर उसे दे दिए। वह ख़ुश था, घर ख़रीदने वाला ख़ुश था, वकील भी ख़ुश था और मैं भी ख़ुश था। मैंने 20,000 डॉलर में ख़रीदे गए घर को 60,000 डॉलर में बेच दिया था। मेरे पास ख़रीदार का शपथपत्र था जिसने मेरे संपत्ति वाले कॉलम में 40,000 डॉलर जमा कर दिए थे। इस पूरी कार्यवाही में कुल पाँच घंटे लगे थे।

तो अब जबकि आपमें पैसे की समझ आ चुकी है और आप अंक पढ़ सकते हैं, मैं आपको दिखाऊँगा कि यह किस तरह पैसे का आविष्कार करने का उदाहरण है।

संपत्ति वाले कॉलम में 40,000 डॉलर बनते हैं– बिना टैक्स चुकाए पैसे का आविष्कार कैसे किया जाता है। 10 फ़ीसदी ब्याज पर आपने 4,000 डॉलर प्रति वर्ष के कैशफ़्लो को सुनिश्चित कर लिया।

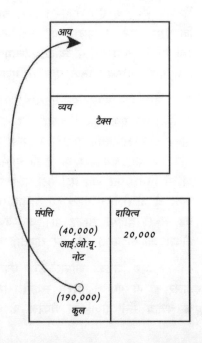

मंदी के बाज़ार में, अपने ख़ाली समय में मैंने और मेरी पत्नी ने इस तरह के छह सौदे निपटाए। जबकि हमारा ज़्यादातर पैसा बड़ी प्रॉपर्टीज़ और स्टॉक मार्केट में फँसा हुआ था। हम ख़रीदने और बेचने के सौदों में अपनी संपत्ति वाले कॉलम में 190,000 डॉलर से ज़्यादा (10 फ़ीसदी ब्याज पर शपथपत्र पर) बनाने में कामयाब हो गए थे। इस तरह हर साल की अनुमानित आय 19,000 डॉलर हो गई थी और इसका ज़्यादातर भाग हमारे प्रायवेट कॉरपोरेशन द्वारा सुरक्षित था। इस 19,000 डॉलर प्रतिवर्ष का बड़ा हिस्सा हमारी कंपनी की कारों, पेट्रोल, ट्रिप्स, बीमे, ग्राहकों के साथ डिनर इत्यादि चीज़ों पर ख़र्च हो सकता था। जब तक सरकार को उस आमदनी पर टैक्स लगाने का मौक़ा मिलता तब तक यह क़ानूनी रूप से ख़र्च हो चुका था।

बचत

आपको 40,000 डॉलर बचाने के लिए कितना समय लगेगा और 50 फ़ीसदी टैक्स के हिसाब से कितना पैसा चुकाना होगा।

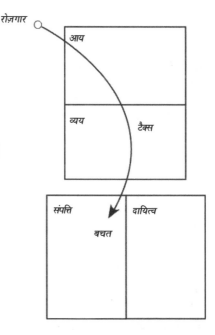

अपनी फ़ायनेंशियल बुद्धि के इस्तेमाल से पैसा किस तरह खोजा जा सकता है, बनाया जा सकता है और सुरक्षित किया जा सकता है, यह इसका एक आसान उदाहरण है।

ख़ुद से पूछें कि 190,000 डॉलर बचाने के लिए आपको कितना समय लगेगा। क्या बैंक आपके पैसे पर 10 फ़ीसदी ब्याज देगी? और शपथपत्र 30 सालों तक वैध था। मुझे आशा है कि वे मुझे कभी 190,000 डॉलर नहीं देंगे। मुझे टैक्स देना पड़ेगा अगर वे मुझे मूलधन देते हैं और इसके अलावा 30 साल

के समय में 190,000 डॉलर दिए जाने से कुल आमदनी 500,000 डॉलर से ज़्यादा होती है।

मुझसे लोग पूछते हैं कि क्या होगा अगर कोई व्यक्ति पैसे नहीं चुकाए। ऐसा होता है और यह एक अच्छी ख़बर है। 1994 से 1997 तक फ़ीनिक्स रियल एस्टेट बाज़ार देश में सबसे ज़्यादा गर्म बाज़ार साबित हुआ है। उस 60,000 डॉलर के घर को दुबारा 70,000 डॉलर में बेचा जा सकता है और एक बार फिर से 2,500 डॉलर प्रोसेसिंग फ़ीस के रूप में वसूल किए जा सकते हैं। नए ख़रीदार के लिए भी यह मुफ़्त का सौदा होगा। और यह प्रक्रिया चलती रह सकती है।

जब मैंने पहली बार घर बेचा था तो मैंने केवल 2,000 डॉलर ख़र्च किए थे। तकनीकी दृष्टि से इस सौदे में मेरा एक भी पैसा ख़र्च नहीं हुआ था। निवेश पर मेरी वसूली अनंत थी। यह एक उदाहरण है कि पैसा पास में नहीं होने पर भी बहुत सा पैसा किस तरह कमाया जा सकता है।

दूसरे सौदे में, दुबारा बेचे जाने पर मैं 2,000 डॉलर अपनी जेब में डालता हूँ और लोन को 30 साल तक फिर से बढ़ा देता हूँ। निवेश पर मेरी वापसी क्या होगी अगर मैं बिना पैसे के पैसे बनाता हूँ। मैं नहीं जानता, परंतु यह 100 डॉलर हर महीने बचाने से बेहतर तो है ही। 100 डॉलर हर महीने दरअसल 150 डॉलर प्रतिमाह की रक़म है क्योंकि 40 साल तक इस पर 5 फ़ीसदी का टैक्स लग चुका है और एक बार फिर आप पर 5 फ़ीसदी टैक्स लगता है। यह करना बहुत बुद्धिमानी की बात नहीं है। यह सुरक्षित हो सकता है, परंतु यह स्मार्ट नहीं है।

आज, 1997 में जब मैं यह पुस्तक लिख रहा हूँ तो बाज़ार की स्थितियाँ पाँच साल पहले की स्थिति से पूरी तरह अलग हैं। फ़ीनिक्स का रियल एस्टेट बाज़ार पूरे अमेरिका की ईर्ष्या का केंद्र बना हुआ है। जो घर उस समय हमने 60,000 डॉलर में बेचे थे, आज उनकी क़ीमत 110,000 डॉलर हो चुकी है। अब भी ऐसे मौक़े हैं, परंतु अब उनकी खोज करने में मुझे बहुत समय और पैसा ख़र्च करना पड़ेगा। वे दुर्लभ हैं। परंतु आज, हज़ारों ख़रीदार इन सौदों की तलाश में भटक रहे हैं और बहुत कम समझदारी भरे मौक़े मौजूद हैं। बाज़ार बदल चुका है। यह आगे बढ़ने का समय है और संपत्ति वाले कॉलम में दूसरे मौक़े ढूँढ़ने का समय है।

"आप यहाँ ऐसा नहीं कर सकते।" "यह क़ानून के ख़िलाफ़ है।" "आप झूठ बोल रहे हैं।"

मैं इस तरह की प्रतिक्रियाओं को ज़्यादा सुनता हूँ और "क्या आप मुझे ऐसा करने का तरीक़ा बता सकते हैं?" यह आग्रह कम सुनता हूँ।

गणित आसान है। आपको इसमें बीजगणित या कैल्क्युलेटर की ज़रूरत नहीं है। मैं ज़्यादा इसलिए नहीं लिखता क्योंकि एस्क्रो कंपनी क़ानूनी सौदों को सँभालती है और भुगतान की सेवा को भी। मुझे छत ठीक करवाने या टॉयलेट ठीक करने का झंझट भी नहीं उठाना पड़ता क्योंकि यह काम घर के मालिक का है। यह उनका घर है। कभी-कभार कोई पैसा नहीं चुकाता। और यह भी अच्छा होता है क्योंकि उसमें विलंब शुल्क मिलता है या वे घर छोड़कर चले जाते हैं और प्रॉपर्टी एक बार फिर से बेच दी जाती है। कोर्ट सिस्टम यह सब सँभाल लेता है।

और हो सकता है यह आपके इलाक़े में काम न करे। बाज़ार की स्थिति अलग हो सकती है। परंतु यह उदाहरण दर्शाता है कि किस तरह एक आसान वित्तीय प्रक्रिया कुछ ही समय में लाखों डॉलर बना सकती है, जिसे बनाने में आपका ज़्यादा पैसा भी नहीं लगता और आपको जोखिम भी कम होता है। यह अनुबंध से बनाए जाने वाले पैसे का उदाहरण है। जिसके पास भी हाई स्कूल तक की शिक्षा है, वह ऐसा कर सकता है।

परंतु ज़्यादातर लोग ऐसा नहीं करते। ज़्यादातर लोग 'मेहनत करो और पैसे बचाओ' की पुरानी सलाह सुनते हैं।

लगभग 30 घंटे की मेहनत के बाद लगभग 190,000 डॉलर संपत्ति वाले कॉलम में आ गए और इसके लिए टैक्स भी नहीं देना पड़ा।

इनमें से कौन सी सलाह आपको ज़्यादा कठिन लगती है?

1. कड़ी मेहनत करो, 50 फ़ीसदी की दर से टैक्स चुकाओ और फिर जो रक़म बचती है उसमें से बचत करो। आपकी बचत पर आपको 5 फ़ीसदी ब्याज मिलता है जिस पर एक बार फिर टैक्स लगता है।

या

2. पैसे की समझ विकसित करने का समय निकालो और अपने दिमाग़ और संपत्ति वाले कॉलम की ताक़त का इस्तेमाल करो।

इसमें वह समय भी जोड़ लें जो आपको विकल्प नंबर एक के प्रयोग द्वारा 190,000 डॉलर बचाने में लगता है, क्योंकि समय आपकी सबसे बड़ी संपत्ति है।

अब आप समझ सकते हैं कि मैं क्यों चुपचाप अपना सिर हिलाता हूँ जब मैं लोगों को यह कहते सुनता हूँ, "मेरा बच्चा स्कूल में अच्छी पढ़ाई कर रहा है और उसे अच्छी शिक्षा मिल रही है।" यह अच्छी हो सकती है, परंतु क्या यह पर्याप्त है?

मैं जानता हूँ कि उपर्युक्त निवेश तकनीक एक छोटी तकनीक है। इसे यह

बताने के लिए लिखा गया है कि किस तरह एक छोटी सी रक़म बड़ी रक़म में बदल सकती है। एक बार फिर, मेरी सफलता यह बताती है कि मज़बूत वित्तीय नींव कितनी महत्वपूर्ण होती है, जो मज़बूत वित्तीय शिक्षा से शुरू होती है। मैंने इसे पहले कहा है और यह इतना महत्वपूर्ण है कि मैं इसे एक बार फिर दोहराना चाहता हूँ- वित्तीय बुद्धि चार मुख्य तकनीकी दक्षताओं से मिलकर बनती है :

1. वित्तीय साक्षरता। अंकों को पढ़ने की योग्यता।
2. निवेश की रणनीति। धन द्वारा धन बनाने का विज्ञान।
3. बाज़ार। माँग और पूर्ति। अलैग्ज़ेंडर ग्राहम बेल ने बाज़ार को वह दिया जो इसे चाहिए था। यही बिल गेट्स ने भी किया। यह मौक़ा भी बाज़ार ने दिया था कि 20,000 डॉलर में कोई मकान ख़रीदकर उसे 60,000 डॉलर में बेच दिया जाए, जबकि उसकी असली क़ीमत 75,000 डॉलर थी। कोई ख़रीद रहा था, कोई बेच रहा था।
4. क़ानून। अकाउंटिंग, कॉरपोरेट, स्टेट और नेशनल क़ानूनों और नीतियों के बारे में जागरुकता। मैं नियमों के भीतर रहकर खेलने की सलाह देता हूँ।

अगर आप पैसे का आविष्कार करना चाहते हैं तो आपमें यह मूलभूत आधारशिला होनी चाहिए या इन दक्षताओं का समन्वय होना चाहिए, चाहे आप ऐसा छोटे घर, बड़े अपार्टमेंट, कंपनियाँ, स्टॉक, बॉन्ड, म्यूचुअल फ़ंड, बहुमूल्य धातुएँ, बेसबॉल कार्ड ख़रीदकर करें या इसी क़िस्म का कोई दूसरा काम करें।

1996 तक, रियल एस्टेट मार्केट सुर्ख़ियों में था और हर कोई इसमें जा रहा था। स्टॉक मार्केट में भी बूम हो रहा था और हर कोई उसमें जा रहा था। अमेरिका की अर्थव्यवस्था अपने पैरों पर खड़ी हो रही थी। मैंने 1996 में बेचना शुरू कर दिया और मैं अब पेरू, नॉर्वे, मलेशिया और फ़िलिपीन्स की यात्रा कर रहा था। निवेश बदल गए थे। जहाँ तक ख़रीदारी का सवाल था, अब हम रियल एस्टेट बाज़ार से बाहर थे। अब मैं अपनी संपत्ति वाले कॉलम के भीतर आँकड़ों को बढ़ते देखता हूँ और शायद इस साल के आख़िर में बेचना शुरू कर दूँगा। यह काँग्रेस द्वारा पारित किए जाने वाले क़ानूनी परिवर्तनों पर निर्भर करता है। मैं आशा करता हूँ कि छह छोटे घरों के सौदों को बेच दूँगा और 40,000 डॉलर के नोट को धन में बदल लूँगा। मुझे अपने अकाउंटेंट को बुलाकर उसे कहना पड़ेगा कि वह इतनी रक़म के लिए तैयार हो जाए और इसे टैक्स से बचाने के लिए तरीक़े खोजे।

मैं सिर्फ़ आपको इतनी सी बात बताना चाहता हूँ कि निवेश आते-जाते रहते हैं, मार्केट घटता-बढ़ता रहता है, अर्थव्यवस्थाएँ सुधरती-बिगड़ती रहती हैं। दुनिया आपको हर दिन ज़िंदगी के अनूठे अवसर देती रहती है - आपकी ज़िंदगी के हर दिन - परंतु प्रायः हम उन्हें देख नहीं पाते हैं। लेकिन वे वहाँ होते हैं। और दुनिया जितनी ज़्यादा बदलती है और टेक्नोलॉजी जितनी ज़्यादा बदलती है, आपके और आपके परिवार के लिए स्थायी आर्थिक सुरक्षा के लिए उतने ही ज़्यादा मौक़े होते हैं।

तो अपनी फ़ायनेंशियल बुद्धि को विकसित करने का झंझट क्यों उठाया जाए? एक बार फिर मैं यही कहूँगा कि आप ही इसका जवाब दे सकते हैं। मैं जानता हूँ कि मैं क्यों इसे सीखता और विकसित करता हूँ। मैं ऐसा इसलिए करता हूँ क्योंकि मुझे पता है कि परिवर्तन हो रहे हैं और होने वाले हैं। मैं परिवर्तनों का स्वागत करना चाहता हूँ और अतीत से चिपके नहीं रहना चाहता हूँ। मैं जानता हूँ कि मार्केट में ज्वार आएगा और मार्केट में भाटा भी आएगा। मैं लगातार अपनी फ़ायनेंशियल बुद्धि को विकसित करना चाहता हूँ क्योंकि मार्केट में हर परिवर्तन पर, कुछ लोग अपनी नौकरियों के लिए अपने घुटने टेककर भीख माँगेंगे। इसी समय, कई दूसरे लोग ज़िंदगी द्वारा दिए गए नींबुओं को लेकर उन्हें करोड़ों में बदल लेंगे- और हमें यह नहीं भूलना चाहिए कि हमें कभी-कभार ज़िंदगी नींबू दे देती है। यही फ़ायनेंशियल बुद्धि है।

मुझसे अक्सर पूछा जाता है कि मैंने नींबुओं को किस तरह करोड़ों में बदला है। व्यक्तिगत रूप से मैं व्यक्तिगत निवेशों के कई और उदाहरण देने में झिझकता हूँ। मैं इसलिए झिझकता हूँ क्योंकि मुझे डर है कि मुझे बड़बोला या अपनी शेख़ी बघारने वाला कहा जाएगा। यह मेरा इरादा नहीं है। मैं सिर्फ़ इसलिए उदाहरण देता हूँ ताकि उसके अंकों और समयावधि से सच्ची और आसान घटनाओं को बताया जा सके। मैं उदाहरण इसलिए देता हूँ ताकि आपको यह बता सकूँ कि यह आसान है। यह ज़्यादा आसान है, अगर आप फ़ायनेंशियल बुद्धि के चार स्तंभों के जानकार हैं।

व्यक्तिगत रूप से, मैं फ़ायनेंशियल वृद्धि के लिए दो मुख्य साधनों का इस्तेमाल करता हूँ : रियल एस्टेट और छोटे स्टॉक्स। मैं रियल एस्टेट को अपनी नींव की तरह इस्तेमाल करता हूँ। हर दिन मेरी प्रॉपर्टीज़ कैशफ़्लो प्रदान करती हैं और उनका मूल्य बढ़ता जाता है। छोटी पूँजी के स्टॉक्स को तेज़ बढ़ोतरी के लिए इस्तेमाल किया जाता है।

मैं अपने द्वारा की गई हर चीज़ की अनुशंसा नहीं करता। उदाहरण केवल उदाहरण ही हैं। अगर अवसर बहुत जटिल है और मैं निवेश को नहीं समझ पाता हूँ तो मैं निवेश नहीं करता हूँ। पैसे के बारे में निर्णय लेने में हमें केवल साधारण गणित और कॉमनसेंस की ज़रूरत होती है।

उदाहरणों का प्रयोग निम्न पाँच कारणों से किया जाता है :

1. लोगों को ज़्यादा सीखने के लिए प्रेरित करने के लिए।

2. लोगों को यह बताने के लिए कि अगर नींव मज़बूत है तो पैसे का महल बनाना आसान है।

3. यह बताने के लिए कि कोई भी ढेर सारा पैसा बना सकता है।

4. यह दिखाने के लिए कि आपके लक्ष्यों को हासिल करने के करोड़ों तरीक़े हैं।

5. यह बताने के लिए कि यह कोई रॉकेट विज्ञान नहीं है।

1989 में मैं ओरेगॉन के पोर्टलैंड में एक ख़ूबसूरत जगह पर जॉगिंग किया करता था। यह एक उपनगर था जहाँ छोटे-छोटे घर बने हुए थे। वे छोटे और सुंदर थे।

हर कहीं मुझे 'बिकाऊ है' के बोर्ड दिखते थे। टिम्बर मार्केट का बुरा हाल था, स्टॉक मार्केट में क्रेश हुआ था और अर्थव्यवस्था में मंदी थी। एक सड़क पर मैंने एक 'बिकाऊ है' का बोर्ड देखा जो वहाँ काफ़ी लंबे समय से लगा हुआ था। यह पुराना दिख रहा था। एक दिन इसके पास से जॉगिंग करते समय मेरी मुलाक़ात इसके मालिक से हो गई जो परेशान दिख रहा था।

मैंने पूछा, "आपने अपने घर की क्या क़ीमत लगाई है?"

मालिक घूमा और कमज़ोर मुस्कराहट के साथ कहा, "आप क़ीमत लगा लें। यह एक साल से ज़्यादा समय से बिकाऊ है और अब तक कोई इसे देखने तक नहीं आया है।"

"मैं इसे देखता हूँ," मैंने कहा और आधा घंटे बाद मैंने इसे 20,000 डॉलर में ख़रीद लिया जो उसके द्वारा माँगी गई क़ीमत से कम थी।

यह दो बेडरूम का छोटा सा सुंदर घर था, जिसकी खिड़कियों पर जिंजरब्रेड का ट्रिम था। यह 1930 में बना था और इसका रंग हल्का नीला था। अंदर एक सुंदर चट्टानी अँगीठी थी और छोटे-छोटे दो बेडरूम थे। यह किराए पर देने के लिए एक आदर्श घर था।

मैंने मालिक को 45,000 डॉलर के घर के लिए 5,000 डॉलर नक़द दिए जिसकी असली क़ीमत 65,000 डॉलर होगी, परंतु दिक़्क़त सिर्फ़ इतनी थी कि इसे कोई ख़रीदना नहीं चाहता था। मालिक ने एक हफ़्ते में इसे ख़ाली कर दिया और वह इससे पीछा छुड़ाकर ख़ुश हुआ। मेरा पहला किराएदार वहाँ आ गया जो एक स्थानीय कॉलेज में प्रोफ़ेसर था। मॉर्टगेज, ख़र्च और मैनेजमेंट फ़ीस चुकाने के बाद हर महीने के आख़िर में मेरी जेब में 40 डॉलर आते थे,

जो बहुत बड़ी रक़म नहीं थी।

एक साल बाद, ओरेगॉन का रियल एस्टेट बाज़ार मंदी से उबर आया और बढ़ने लगा। कैलिफ़ोर्निया के निवेशकों के पास अपने रियल एस्टेट मार्केट की तेज़ी का बहुत सा पैसा था और अब वे उत्तर दिशा में आकर ओरेगॉन और वॉशिंगटन में ख़रीदारी कर रहे थे।

मैंने उस छोटे घर को कैलिफ़ोर्निया से आए एक युवा दंपति को 95,000 डॉलर में बेच दिया, जिन्हें यह बहुत सस्ता सौदा लग रहा था। इस सौदे में मुझे लगभग 40,000 डॉलर का कैपिटल गेन हुआ, जो मैंने 1031 के टैक्सविहीन एक्सचेंज में रख दिए और मैं अपने पैसे को लेकर कोई बड़ी प्रॉपर्टी ख़रीदने चल दिया। एक महीने में, मुझे बीवरटन, ओरेगॉन में इंटेल प्लांट के पास एक 12 यूनिट का अपार्टमेंट मिल गया। उसके मालिक जर्मनी में रहते थे और उन्हें इसकी क़ीमत का अंदाज़ा ही नहीं था और एक बार फिर वे इससे पीछा छुड़ाना चाहते थे। मैंने 450,000 डॉलर की इमारत के लिए 275,000 डॉलर का प्रस्ताव दिया। वे 300,000 डॉलर पर मान गए। मैंने इसे ख़रीद लिया और इसे 2 साल तक अपने पास रखा। फिर उसी 1031 एक्सचेंज प्रक्रिया का फ़ायदा उठाते हुए मैंने उस इमारत को 495,000 डॉलर में बेच दिया और एरिज़ोना, फ़ीनिक्स में एक 30 यूनिट का अपार्टमेंट ख़रीद लिया। तब तक हम फ़ीनिक्स चले गए थे और हमें वैसे भी इसे बेचना था। पहले जो हाल ओरेगॉन के बाज़ार का था, वही मंदी का माहौल फ़ीनिक्स के रियल एस्टेट मार्केट में देखने को मिला। फ़ीनिक्स में 30 यूनिट की अपार्टमेंट इमारत की क़ीमत 875,000 डॉलर थी, जिसमें से 225,000 डाउन पेमेंट था। 30 यूनिटों से आने वाला कैशफ़्लो 5,000 डॉलर प्रतिमाह से कुछ ज़्यादा था। एरिज़ोना का बाज़ार भी बढ़ने लगा और 1996 में एक कोलोरेडो के निवेशक ने हमें उस प्रॉपर्टी के लिए 12 लाख डॉलर देने का प्रस्ताव रखा।

मेरी पत्नी और मैं बेचने पर विचार कर रहे थे, परंतु हमने यह देखने का इंतज़ार किया कि क्या काँग्रेस कैपिटल गेन क़ानूनों में परिवर्तन करेगी। अगर वह परिवर्तन करती है, तो प्रॉपर्टी की क़ीमत 15 से 20 फ़ीसदी तक बढ़ जाएगी। इसके अलावा, हर महीने 5,000 डॉलर मिलते रहना अच्छा लगता था।

इस उदाहरण में मुद्दे की बात यह है कि किस तरह एक छोटी रक़म एक बड़ी रक़म में बदली जा सकती है। एक बार फिर मैं यह कहना चाहता हूँ कि इसके लिए फ़ायनेंशियल स्टेटमेंट्स, निवेश की रणनीति, बाज़ार की समझ और क़ानूनों की जानकारी होना ज़रूरी है। अगर लोग इन विषयों के बारे में जानकारी नहीं रखते हैं तो स्पष्ट रूप से वे स्टैंडर्ड सलाह का पालन करेंगे जो कहती है कि सुरक्षित खेल खेलना चाहिए, और सुरक्षित निवेशों में पैसा

लगाना चाहिए। 'सुरक्षित' निवेशों के साथ समस्या यह है कि वे अक्सर बहुत कम मुनाफ़ा देते हैं। उन्हें इतना सुरक्षित बना दिया जाता है कि उनसे मिलने वाला मुनाफ़ा कम हो जाता है।

ज़्यादातर बड़े ब्रोकरेज हाउसेस जोखिम भरे सौदों से बचते हैं ताकि वे ख़ुद की और अपने ग्राहकों की सुरक्षा कर सकें। और यह नीति समझदारी की भी है।

असली 'गर्म' सौदे नौसिखियों को नहीं दिए जाते। प्रायः सर्वश्रेष्ठ सौदे उन लोगों के लिए सुरक्षित रखे जाते हैं जो इस खेल को अच्छी तरह समझते हैं और ये सौदे अमीरों को और भी ज़्यादा अमीर बना देते हैं। वैसे भी इस तरह के जोखिम भरे सौदे नौसिखियों के सामने रखना तकनीकी रूप से ग़ैरक़ानूनी माना जाता है परंतु ऐसा भी कभी-कभार होता है।

मैं जितना ज़्यादा 'परिष्कृत' होता जाता हूँ, उतने ही अवसर मुझे मिलते जाते हैं। ज़िंदगी में फ़ायनेंशियल बुद्धि विकसित करने का एक और फ़ायदा यह होता है कि इससे आपके सामने ज़्यादा अवसर आते हैं। और आपकी फ़ायनेंशियल बुद्धि जितनी ज़्यादा बढ़ती जाती है, आपके लिए यह बताना आसान होता जाता है कि कोई सौदा अच्छा है या बुरा। आपकी बुद्धि तत्काल एक बुरे सौदे को पहचान सकती है या एक बुरे सौदे को अच्छे सौदे में बदल सकती है। मैं जितना ज़्यादा सीखता हूँ - और सीखने के लिए अभी बहुत कुछ बाक़ी है - मैं उतना ही ज़्यादा पैसा सिर्फ़ इसलिए कमाता हूँ क्योंकि समय के साथ-साथ मेरा अनुभव और बुद्धि बढ़ती जाती है। मेरे कुछ दोस्त अब भी सुरक्षित खेल खेल रहे हैं और अपने प्रोफ़ेशन में कड़ी मेहनत कर रहे हैं परंतु उनकी फ़ायनेंशियल बुद्धि विकसित नहीं हो पाई है जिसे विकसित होने में बहुत समय लगता है।

मेरी कुल जमा फ़िलॉसफ़ी है अपने संपत्ति वाले कॉलम में बीज बोना। यह मेरा फ़ॉर्मूला है। मैं छोटे पैमाने पर शुरू करता हूँ और बीज बोता हूँ। कुछ बीज उग जाते हैं और कुछ नहीं उगते।

हमारे रियल एस्टेट कॉरपोरेशन में हमारे पास करोड़ों डॉलर की प्रॉपर्टी है। यह हमारा अपना आर.ई.आई.टी., यानी रियल एस्टेट इन्वेस्टमेंट ट्रस्ट है। अब मैं आपको यह पते की बात बताना चाहता हूँ कि इन करोड़ों में से कई प्रॉपर्टीज़ तो 5,000 डॉलर से 10,000 डॉलर के निवेश से शुरू हुई थीं। नक़द पैसे से ख़रीदी गई यह प्रॉपर्टीज़ ख़ुशक़िस्मती से तेज़ी से बढ़ते बाज़ार में ज़्यादा क़ीमती हो गई थीं और टैक्स से मुक्त रहते हुए इन्हें ख़रीदा और बेचा गया था और ऐसा कई सालों तक किया गया था।

हमारा एक स्टॉक पोर्टफ़ोलियो भी है, जिसे मैं और मेरी पत्नी हमारा पर्सनल म्यूचुअल फ़ंड कहते हैं। हमारे कुछ दोस्त हमारे जैसे निवेशकों के साथ

ही बिज़नेस करते हैं जिनके पास हर महीने निवेश करने के लिए कुछ अतिरिक्त धन होता है। हम ज़्यादा जोखिम वाली प्रायवेट कंपनियों के शेयर ख़रीदते हैं जो अमेरिका या कनाडा में स्टॉक एक्सचेंज पर सार्वजनिक होने जा रही हैं। कितनी तेज़ी से धन बढ़ता है इसका उदाहरण इस तरह देखें। हमने कंपनी के सार्वजनिक होने से पहले 25 सेंट प्रति शेयर की दर पर एक लाख शेयर ख़रीदे। छह महीने बाद जब कंपनी शेयर बाज़ार में दर्ज हो गई तो उसके शेयर का भाव 2 डॉलर प्रति शेयर हो गया। अगर कंपनी का प्रबंधन अच्छा है, तो क़ीमतें बढ़ती रहेंगी और स्टॉक 20 डॉलर प्रति शेयर या इससे भी ज़्यादा होगा। ऐसे भी कई वर्ष रहे हैं जब हमारे 25,000 डॉलर एक साल से भी कम समय में दस लाख डॉलर बन गए हैं।

यह जुआ नहीं है अगर आप जानते हैं कि आप क्या कर रहे हैं। यह जुआ है अगर आप सौदे में अपना पैसा फेंक रहे हैं और भगवान से सफल होने की दुआ कर रहे हैं। आपको अपने तकनीकी ज्ञान, बुद्धि और खेल के प्रति प्रेम की ज़रूरत होगी ताकि जोखिम कम से कम रहे। वैसे जोखिम तो होता ही है। यह फ़ायनेंशियल बुद्धि होती है जिससे आपकी सफलता के अवसर बढ़ जाते हैं। इसी कारण जो चीज़ एक आदमी के लिए जोखिम भरी होती है, वह दूसरे आदमी के लिए उतनी जोखिम भरी नहीं होती। यही वह मूल कारण है जिसकी वजह से मैं लोगों को लगातार प्रेरित करता हूँ कि वे स्टॉक, रियल एस्टेट या दूसरे बाज़ारों में निवेश करने के बजाय फ़ायनेंशियल बुद्धि में निवेश करें। आप जितने ज़्यादा स्मार्ट होंगे, आपके सफल होने के अवसर उतने ही ज़्यादा होंगे।

मैं व्यक्तिगत रूप से जिन स्टॉक्स में निवेश करता हूँ उनमें बहुत ज़्यादा जोखिम होता है और इसलिए मैं उनकी अनुशंसा नहीं करता हूँ। मैं इस खेल को 1979 से खेल रहा हूँ और मैंने इसमें काफ़ी अनुभव हासिल कर लिया है। परंतु अगर आप दुबारा पढ़ेंगे कि इस तरह के निवेश ज़्यादातर लोगों के लिए जोखिम भरे क्यों होते हैं तो आप अपनी ज़िंदगी को अलग तरह से निर्धारित कर सकेंगे, जिससे 25,000 डॉलर से एक साल में दस लाख डॉलर बनाना आपके लिए कम जोखिम भरा होगा।

जैसा पहले ही कहा जा चुका है, मैंने जो लिखा है, मैं आपको वैसा करने की सलाह नहीं देता हूँ। मैं सिर्फ़ आपको यह समझाना चाहता हूँ कि यह आसान है और संभव है। बात इतनी सी है कि औसत आदमी के लिए एक लाख डॉलर से ज़्यादा की प्रतिवर्ष आय अच्छी होती है और इसे हासिल करने में ज़्यादा मेहनत भी नहीं लगती। बाज़ार कैसा है और आप कितने स्मार्ट हैं, इस बात पर निर्भर करता है कि आप पाँच से दस साल में ऐसा कर सकते हैं। अगर आप अपने ख़र्च को कम रख सकते हैं तो एक लाख डॉलर की अतिरिक्त आय आपको सुखद लगेगी, चाहे आप काम कर रहे हों या नहीं।

आप चाहें तो काम कर सकते हैं या चाहें तो काम छोड़ भी सकते हैं और सरकारी टैक्स सिस्टम को अपने विरोध के बजाय अपने समर्थन में भी प्रयुक्त कर सकते हैं।

मेरा व्यक्तिगत आधार रियल एस्टेट है। मैं रियल एस्टेट से प्रेम करता हूँ क्योंकि यह स्थायी और धीमी गति से चलने वाली होती है। मैं ठोस आधार को पसंद करता हूँ। कैशफ़्लो भी आम तौर पर स्थायी ही होता है और अगर इसे अच्छी तरह मैनेज किया जाए तो इसकी क़ीमत बढ़ने की भी अच्छी संभावना होती है। रियल एस्टेट की ठोस आधारशिला होने के कारण मैं जोखिम भरे स्टॉक्स ख़रीदने का ख़तरा मोल ले सकता हूँ।

अगर मुझे स्टॉक मार्केट में ख़ासा मुनाफ़ा होता है तो मैं मुनाफ़े पर केपिटल गेन्स टैक्स देता हूँ और बची हुई रक़म को रियल एस्टेट में लगा देता हूँ ताकि मेरी संपत्ति की नींव और ज़्यादा मज़बूत हो जाए।

रियल एस्टेट पर एक और बात। मैं दुनिया भर में घूमा हूँ और मैंने हर जगह निवेश करना सिखाया है। हर शहर में मुझे यह सुनने में आया है कि रियल एस्टेट को सस्ते में नहीं ख़रीदा जा सकता। यह मेरा अनुभव नहीं है। न्यूयॉर्क या टोकियो में या शहर से थोड़ा सा दूर, ऐसे शानदार मौक़े हैं जिन्हें ज़्यादातर लोग नज़रअंदाज़ कर देते हैं। सिंगापुर में, जहाँ अभी रियल एस्टेट की क़ीमतें बहुत ज़्यादा चल रही हैं, ऐसी बहुत सी प्रॉपर्टीज़ हैं जो चंद मिनटों की ड्रायविंग की दूरी पर हैं। इसलिए जब भी मैं किसी को यह कहते सुनता हूँ, "आप यहाँ ऐसा नहीं कर सकते," तो मैं उन्हें यह याद दिलाता हूँ कि शायद आपको यह कहना चाहिए, "मैं नहीं जानता कि यहाँ ऐसा कैसे किया जा सकता है... अभी तक।"

महान अवसरों को आपकी आँखें नहीं देख सकतीं। उन्हें आपके दिमाग़ से देखा जा सकता है। ज़्यादातर लोग सिर्फ़ इसलिए अमीर नहीं बन पाते क्योंकि उन्हें यह जानने के लिए फ़ायनेंशियल प्रशिक्षण ही नहीं मिला होता कि वे अपने सामने पड़े हुए अवसरों को देख सकें और उन्हें पहचान सकें।

मुझसे अक्सर पूछा जाता है, "मैं शुरुआत कैसे करूँ?"

पिछले अध्याय में, मैंने आर्थिक स्वतंत्रता की राह पर चलने वाले दस क़दमों का उल्लेख किया है। परंतु यह हमेशा याद रखें कि आपको मज़ा आना चाहिए। यह केवल एक खेल है। कई बार आप जीत जाते हैं और कई बार आपको अनुभव मिलता है। परंतु हमेशा आनंद लें। ज़्यादातर लोग कभी नहीं जीत पाते क्योंकि उन्हें हार का डर लगा रहता है। इसीलिए मुझे स्कूल मूर्खतापूर्ण लगता है। स्कूल में हम सीखते हैं कि ग़लतियाँ बुरी बात होती हैं और ग़लतियाँ करने के लिए हमें सज़ा भी दी जाती है। परंतु अगर हम इंसानों की सीखने की प्रक्रिया पर नज़र डालें तो हम पाएँगे कि इंसान ग़लतियाँ करके

ही सीखते हैं। हम गिर-गिरकर ही चलना सीख पाते हैं। अगर हम कभी नहीं गिरें तो हम कभी चल भी नहीं पाएँगे। यही मोटरसाइकल चलाने के बारे में भी सही है। मेरे घुटनों पर अब भी चोट के निशान हैं, परंतु आज मैं बिना सोचे मोटरसाइकल चला सकता हूँ। यही अमीर बनने के बारे में भी सही है। दुर्भाग्य से ज़्यादातर लोगों के अमीर न बन पाने का मुख्य कारण यह है कि वे हारने से डरते हैं। जीतने वाले हारने से नहीं डरते हैं। परंतु हारने वाले डरते हैं। सफलता की प्रक्रिया का एक भाग असफलता भी है। जो लोग असफलता से बचते हैं, सफलता उनसे बचती है।

मैं पैसे कमाने को टेनिस के खेल की तरह मानता हूँ। मैं मेहनत से खेलता हूँ, ग़लतियाँ करता हूँ, ग़लतियाँ सुधारता हूँ, और ज़्यादा ग़लतियाँ करता हूँ, सुधारता हूँ और इस तरह से मेरा खेल सुधरता जाता है। अगर मैं खेल में हार जाता हूँ, तो मैं नेट के पास जाकर अपने विरोधी से हाथ मिलाता हूँ, मुस्कराता हूँ और कहता हूँ, "अगले शनिवार को मिलेंगे।"

निवेशक दो तरह के होते हैं :

1. पहले और सबसे आम तरह के निवेशक वे लोग होते हैं जो एक पैकेज में निवेश करते हैं। वे रिटेल आउटलेट में फ़ोन करते हैं जैसे एक रियल एस्टेट कंपनी या स्टॉकब्रोकर या फ़ायनेंशियल प्लानर को और फिर वे कुछ ख़रीदते हैं। यह एक म्यूचुअल फ़ंड, आर.ई.आई.टी., स्टॉक या बॉन्ड हो सकता है। यह निवेश का एक अच्छा, साफ़-सुथरा और आसान तरीक़ा है। यह उसी तरह की ख़रीदारी हो गई जैसे कोई ग्राहक कंप्यूटर स्टोर में जाकर शेल्फ़ पर रखे कंप्यूटर को ख़रीद ले।

2. दूसरी तरह के निवेशक वे होते हैं जो निवेशों को बनाते हैं। इस तरह के निवेशक आम तौर पर सौदों को असेंबल करते हैं जिस तरह कंप्यूटर इंजीनियर कंप्यूटर के पुर्ज़ों को असेंबल करते हैं। मैं यह तो नहीं जानता कि कंप्यूटर के पुर्ज़ों को किस तरह असेंबल किया जाता है, परंतु मैं यह जानता हूँ कि आर्थिक अवसरों के पुर्ज़ों को किस तरह असेंबल किया जा सकता है या मैं ऐसे लोगों को जानता हूँ जो ऐसा कर सकते हैं।

दूसरे क़िस्म का निवेशक ही प्रोफ़ेशनल निवेशक होता है। कई बार तो पुर्ज़ों को इकट्ठा करने में सालों लग जाते हैं। और कई बार वे कभी इकट्ठे नहीं हो पाते। मेरे अमीर डैडी ने मुझे दूसरे क़िस्म का निवेशक बनने के लिए प्रोत्साहित किया। यह सीखना महत्वपूर्ण है कि पुर्ज़ों को किस तरह असेंबल किया जाए क्योंकि यहीं पर भारी जीत का मौक़ा होता है और अगर क़िस्मत आपके साथ न हो, तो यहीं पर भारी नुक़सान का ख़तरा होता है।

अगर आप दूसरे क़िस्म के निवेशक बनना चाहते हैं तो आपको मुख्य रूप

से तीन मुख्य दक्षताएँ विकसित करने की ज़रूरत है। फ़ायनेंशियल बुद्धि के अलावा इन दक्षताओं की ज़रूरत होती है :

1. किस तरह ऐसे मौक़े को खोजें जो दूसरों को दिखाई नहीं देता हो। दूसरे लोग अपनी आँखों से उस मौक़े को नहीं देख पाएँगे, पर आप अपने दिमाग़ से उस मौक़े को देख सकते हैं। उदाहरण के लिए, मेरे एक दोस्त ने एक पुराना घर ख़रीदा। जो दिखने में बुरा सा था। हर एक को हैरत थी कि उसने इसे क्यों ख़रीदा। परंतु दूसरे जो नहीं देख पाए थे और जो उसने देख लिया था वह यह था कि उस घर के साथ चार ख़ाली ज़मीन के टुकड़े भी थे। उसने यह कंपनी जाकर पता कर लिया था। घर ख़रीदने के बाद उसने उसे तोड़ दिया और उन पाँचों प्लॉटों को बिल्डर को बेच दिया। इस सारे सौदे में उसे अपने मूल निवेश से तीन गुना रक़म मिली। उसने दो महीने के काम में 75,000 डॉलर कमा लिए। यह बहुत ज़्यादा रक़म तो नहीं है, परंतु यह न्यूनतम वेतन से तो ज़्यादा ही है और यह तकनीकी रूप से कठिन भी नहीं है।

2. पैसा किस तरह जुटाया जाए। औसत आदमी बैंक जाता है। परंतु इस दूसरे क़िस्म के निवेशक को यह पता होना चाहिए कि पूँजी किस तरह जुटाई जाए और बिना बैंक जाए कितने तरीक़ों से पैसा जुटाया जा सकता है। मैंने यह सीखा कि बिना बैंक की मदद लिए घर कैसे ख़रीदे जा सकते हैं। घर ख़रीदना महत्वपूर्ण नहीं है, परंतु पैसा इकट्ठा करना बहुमूल्य कला है।

अक्सर मैं लोगों को यह कहते सुनता हूँ, "बैंक मुझे क़र्ज़ नहीं दे रही है।" या "मेरे पास इसे ख़रीदने के लिए पैसे नहीं हैं।" अगर आप दूसरे क़िस्म के निवेशक बनना चाहते हैं तो आपको यह सीखने की ज़रूरत है क्योंकि इसी कारण ज़्यादातर लोगों की योजनाएँ ठप्प हो जाती हैं। दूसरे शब्दों में, ज़्यादातर लोग सिर्फ़ इसलिए सौदे नहीं कर पाते क्योंकि उनके पास पैसा नहीं होता। अगर आप इस बाधा को पार कर सकते हैं तो आप ऐसे लोगों से मीलों आगे होंगे जिन्होंने इन दक्षताओं को नहीं सीखा। ऐसे कई मौक़े आए हैं जब मैंने घर या स्टॉक या अपार्टमेंट बिल्डिंग को ख़रीदा है, जबकि मेरी बैंक में एक भी पाई नहीं थी। मैंने एक अपार्टमेंट हाउस को 12 लाख में ख़रीदा। मैंने इसके लिए एक अनुबंध किया जो ख़रीदार और बेचने वाले के बीच में लिखित अनुबंध था। फिर मैंने एक लाख डॉलर का डिपॉज़िट इकट्ठा किया, जिससे मुझे बाक़ी पैसे को जुटाने के लिए 90 दिन की मोहलत मिल गई। मैंने ऐसा क्यों किया? क्योंकि मैं जानता था कि इसकी असली क़ीमत 20 लाख डॉलर थी। मैंने इस पैसे को कभी नहीं

जुटाया। इसके बजाय, जिस आदमी ने मुझे एक लाख डॉलर दिए थे उसने मुझे 50,000 डॉलर दिए ताकि वह मेरी जगह पर आ जाए और इस तरह वह मेरी जगह पर आ गया और मैं उस निवेश से बाहर निकल गया। और इस काम में मेरे कुल जमा तीन दिन लगे। एक बार फिर मैं यह कहना चाहता हूँ कि आप क्या ख़रीदते हैं यह महत्वपूर्ण नहीं है, महत्वपूर्ण यह है कि आप कितना जानते हैं। निवेश करना ख़रीदना नहीं है। यह एक ज्ञान है।

3. किस तरह स्मार्ट लोगों को संगठित किया जाए। ऐसे लोग समझदार होते हैं जो या तो अपने से ज़्यादा समझदार लोगों के साथ काम करते हैं या उन्हें काम पर रखते हैं। जब भी आपको सलाह की ज़रूरत हो तो यह सुनिश्चित कर लें कि आपका सलाहकार समझदार हो।

सीखने के लिए बहुत कुछ है, परंतु इसके पुरस्कार भी बहुत क़ीमती हो सकते हैं। अगर आप इन दक्षताओं को नहीं सीखना चाहते हैं तो आपको पहली क़िस्म का निवेशक बनने की सलाह दी जाती है। आप जो जानते हैं, वही आपकी सबसे बड़ी पूँजी है। आप जो नहीं जानते, वही आपका सबसे बड़ा जोखिम है।

जोखिम तो हमेशा रहता है, इसलिए इससे बचने के बजाय इसे मैनेज करना सीखें।

सबक़ छह :

सीखने के लिए काम करें –
पैसे के लिए काम न करें

अध्याय सात

सबक़ छह :

सीखने के लिए काम करें – पैसे के लिए काम न करें

1995 में मैंने सिंगापुर के एक अख़बार में इंटरव्यू दिया। युवा महिला रिपोर्टर समय पर आ गई और इंटरव्यू तत्काल शुरू हो गया। हम एक आलीशान होटल की लॉबी में कॉफ़ी की चुस्कियाँ लगा रहे थे और मेरी सिंगापुर यात्रा के उद्देश्य पर चर्चा कर रहे थे। मैं प्लेटफ़ॉर्म पर ज़िग ज़िग्लर के साथ बैठने वाला था। वे प्रेरणा पर चर्चा करने वाले थे और मैं 'अमीरों के रहस्य' पर बोलने वाला था।

"एक दिन मैं भी आपकी तरह बेस्टसेलिंग लेखक बनना चाहती हूँ," उस महिला ने कहा। मैंने उसके कई लेख पढ़े थे और मैं उनसे प्रभावित हुआ था। उसकी लेखन शैली दमदार और स्पष्ट थी। उसके लेखों में पाठकों की रुचि जगाने की क्षमता थी।

"आपकी शैली बहुत बढ़िया है," मैंने जवाब में कहा। "कौन सी चीज़ आपको अपने सपनों को हक़ीक़त में बदलने से रोक रही है?"

"मेरा काम कहीं का कहीं जाता है," उसने शांतिपूर्वक कहा। "हर आदमी कहता है कि मेरे उपन्यास बढ़िया हैं, परंतु कुछ नहीं होता। इसलिए मैं अख़बार के लिए काम कर रही हूँ। कम से कम इससे मेरा ख़र्च तो चल जाता है। क्या आप इस बारे में कोई सुझाव देना चाहेंगे?"

"हाँ, बिलकुल," मैंने उत्साह से कहा। "सिंगापुर में मेरा दोस्त है। वह एक स्कूल चलाता है जहाँ लोगों को बिक्री संबंधी प्रशिक्षण दिया जाता है। वह सिंगापुर में कई चोटी के कॉरपोरेशन्स के लिए सेल्स-ट्रेनिंग कोर्स चलाता है और मैं समझता हूँ कि उसके कोर्स में शामिल होने से आपका करियर बहुत ज़्यादा विकसित हो जाएगा।"

उसका शरीर सख़्त हो गया। "आप यह कहना चाहते हैं कि बिक्री सीखने के लिए मुझे स्कूल जाना पड़ेगा?"

मैंने सहमति में सिर हिलाया।

"आप सचमुच ऐसा कह रहे हैं या मज़ाक़ कर रहे हैं?"

एक बार फिर मैंने सहमति में सिर हिलाया। "इसमें ग़लत ही क्या है?" मैं अब अपने शब्द वापस लेना चाहता था। उसे मेरी किसी बात से बुरा लग गया था और अब मैं सोच रहा था कि कितना अच्छा होता अगर मैंने उसे कुछ भी सुझाव नहीं दिया होता। उसकी मदद करने की कोशिश में अब मैं ख़ुद के सुझाव की रक्षा करता नज़र आ रहा था।

"मेरे पास अँग्रेज़ी साहित्य में मास्टर्स डिग्री है। मैं सेल्समेन बनना सीखने के लिए स्कूल क्यों जाऊँ? मैं एक प्रोफ़ेशनल हूँ। मैं एक प्रोफ़ेशन में प्रशिक्षित होने के लिए स्कूल गई थी ताकि मुझे सेल्समेन न बनना पड़े। मैं सेल्समेनों से नफ़रत करती हूँ। उन्हें केवल पैसा चाहिए होता है। तो आप मुझे बताएँ कि मैं सेल्स का अध्ययन क्यों करूँ?" अब वह अपना ब्रीफ़केस ताक़त से बंद कर रही थी। इंटरव्यू ख़त्म हो गया था।

कॉफ़ी टेबल पर मेरी एक बेस्टसेलिंग पुस्तक रखी हुई थी। मैंने उसे उठाया और उस महिला द्वारा लिखे गए नोट्स को भी अपने दूसरे हाथ में रखा। "क्या आप इसे देख सकती हैं?" मैंने उसके नोट्स की तरफ़ इशारा किया।

उसने अपने नोट्स पर नज़र डाली। "क्या?" उसने उलझन में कहा।

एक बार फिर मैंने उसके नोट्स की तरफ़ जान-बूझकर इशारा किया। उसके पैड पर उसने लिखा था, "रॉबर्ट कियोसाकी, बेस्ट-सेलिंग लेखक।"

"यहाँ पर बेस्ट-सेलिंग लेखक लिखा हुआ है, न कि बेस्ट-राइटिंग लेखक।"

उसकी आँखें तत्काल फैल गईं।

"मैं बहुत बुरा लेखक हूँ। आप बहुत बढ़िया लेखिका हैं। मैं सेल्स स्कूल गया हूँ। आपके पास मास्टर्स डिग्री है। दोनों को इकट्ठा कर लें और आप एक बेस्ट-सेलिंग लेखिका और बेस्ट-राइटिंग लेखिका बन सकती हैं।"

उसकी आँखों में ग़ुस्सा था। "मैं कभी इतनी नीचे नहीं गिरूँगी कि बिक्री सीखने के लिए प्रशिक्षण लूँ। आप जैसे लोगों को तो लिखना ही नहीं चाहिए। मैं एक प्रोफ़ेशनल लेखिका हूँ और आप एक सेल्समेन हैं। यह सही नहीं है।"

उसने अपने बाक़ी के नोट्स भी समेट लिए और वह सिंगापुर की उस नम सुबह में तेज़ी से बाहर चली गई।

कम से कम उसने अगले दिन मुझे एक अच्छा कवरेज दिया।

दुनिया स्मार्ट, गुणी, शिक्षित और प्रतिभासंपन्न लोगों से भरी हुई है। हम उनसे हर दिन मिलते हैं। वे हमारे चारों तरफ़ हैं।

कुछ दिनों पहले, मेरी कार में कुछ गड़बड़ आ गई थी। मैं एक गैरेज में गया और युवा मैकेनिक ने उसे कुछ मिनटों में ही ठीक कर दिया। इंजन की आवाज़ सुनकर ही उसे समझ आ गया था कि गड़बड़ कहाँ थी। मैं हैरान था।

दुखद सच तो यह है कि प्रतिभा ही पर्याप्त नहीं होती।

मुझे लगातार यह देख-देखकर झटका लगता है कि प्रतिभासंपन्न लोग कितना कम कमा पाते हैं। मैंने अभी हाल ही में सुना है कि 5 फ़ीसदी से भी कम अमेरिकी एक साल में एक लाख डॉलर से ज़्यादा कमा पाते हैं। मैं ऐसे प्रतिभाशाली और उच्च-शिक्षित लोगों से मिला हूँ जो एक साल में 20,000 डॉलर से भी कम कमा पाते हैं। मेडिकल व्यवसाय में विशेषज्ञता रखने वाला एक व्यावसायिक सलाहकार मुझे बता रहा था कि कितने डॉक्टर, दंतचिकित्सक और दूसरे लोग पैसे की समस्या से जूझ रहे हैं। और मेरी सोच यह थी कि एक बार डॉक्टर बनने के बाद तो पैसा उनके घर बरसने लगता होगा। इस व्यावसायिक सलाहकार ने मुझे एक बढ़िया वाक्य दिया, "वे भारी दौलत से सिर्फ़ एक दक्षता दूर हैं।"

इस वाक्य का यह मतलब है कि ज़्यादातर लोगों को केवल एक और दक्षता सीखने की ज़रूरत होती है और इसके बाद उनकी आमदनी अपने आप बहुत ज़्यादा बढ़ जाएगी। मैं यह पहले ही बता चुका हूँ कि फ़ायनेंशियल बुद्धि अकाउंटिंग, निवेश, मार्केटिंग और क़ानून का समन्वय है। इन चार तकनीकी दक्षताओं को मिला दें और पैसे से पैसा बनाना ज़्यादा आसान हो जाएगा। जब पैसे की बात आती है तो ज़्यादातर लोगों में केवल ज़्यादा कड़ी मेहनत करने की दक्षता होती है।

दक्षताओं के समन्वय का एक अच्छा उदाहरण अख़बार की उस रिपोर्टर का है। अगर वह सेल्स और मार्केटिंग के क्षेत्र में दक्षता हासिल कर ले, तो उसकी आमदनी हवा से बातें कर सकती है। अगर मैं उसकी जगह होता, तो मैं एडवर्टाइज़ कॉपीराइटिंग और सेल्स के कोर्स में शामिल हो जाता। फिर, अख़बार में काम करने के बजाय मैंने किसी एडवर्टाइज़िंग एजेंसी में नौकरी खोजी होती। चाहे इस काम में वेतन कम भी मिलता, परंतु इससे वह यह सीख जाती कि सफल एडवर्टाइज़िंग में प्रयुक्त होने वाले 'शॉर्टकट' का प्रयोग किस तरह होता है। उसे अपना कुछ समय जनसंपर्क में भी देना होता, जो एक महत्वपूर्ण दक्षता है। वह यह भी सीखती कि मुफ़्त प्रचार में किस तरह लाखों कमाए जाते हैं। फिर रातों में और सप्ताहांतों में, वह अपना महान उपन्यास पूरा कर सकती थी। जब वह पूरा हो जाता, तो वह अपनी पुस्तक को बेचने के लिए ज़्यादा अच्छी स्थिति में होती। फिर, कुछ ही समय में, वह एक 'बेस्टसेलिंग लेखिका' हो सकती थी।

जब मैंने अपनी पहली पुस्तक *If You Want To Be Rich and*

Happy, Don't Go to School छपवाई, तो एक प्रकाशक ने यह सुझाव दिया कि मैं शीर्षक को बदलकर *The Economics of Education* कर दूँ। मैंने प्रकाशक से साफ़ कह दिया कि इस तरह के शीर्षक से पुस्तक की कुल दो प्रतियाँ ही बिकेंगी, एक तो मेरा परिवार ख़रीदेगा और दूसरा मेरा सबसे अच्छा दोस्त। दिक़्क़त यह है कि वे दोनों ही इसे मुफ़्त में पाने की आशा करेंगे। *If You Want To Be Rich and Happy, Don't Go to School* शीर्षक को जान-बूझकर चुटीला बनाया गया था क्योंकि मैं जानता था कि ऐसा करने से इसे अत्यधिक प्रचार मिल जाएगा। मैं शिक्षा का समर्थक हूँ और शिक्षा के सुधार में विश्वास करता हूँ। अन्यथा, मैं अपने पुरातनपंथी शिक्षा तंत्र को बदलने की बार-बार माँग क्यों करता? इसलिए मैंने एक ऐसा टाइटल चुना जो टीवी और रेडियो शो पर ज़्यादा प्रचारित हो सकता था सिर्फ़ इसलिए क्योंकि मैं विवादास्पद होने से नहीं डरता। कई लोगों का विचार था कि मैं कोई फ़्रूटकेक था, परंतु पुस्तक बिकी और बहुत बिकी।

जब मैं यू.एस. मर्चेंट मरीन एकेडमी से 1969 में ग्रैजुएट हुआ, तो मेरे पढ़े-लिखे डैडी ख़ुश हुए। *स्टैंडर्ड ऑयल ऑफ़ कैलिफ़ोर्निया* ने मुझे अपने ऑयल टैंकर फ़्लीट में काम दे दिया। मैं थर्ड मेट था और हालाँकि मेरी तनख़्वाह मेरे सहपाठियों की तुलना में कम थी, परंतु कॉलेज के बाद पहले काम के हिसाब से ठीक थी। मेरी शुरुआती तनख़्वाह 42,000 डॉलर प्रति वर्ष थी जिसमें ओवरटाइम भी शामिल था और मुझे केवल सात महीने काम करना पड़ता था। बाक़ी के पाँच महीने मेरी छुट्टियाँ होती थीं। अगर मैं चाहता, तो मैं एक सहायक शिपिंग कंपनी के साथ वियतनाम जा सकता था और अपनी पाँच महीनों की छुट्टियों के बदले में अपनी तनख़्वाह दुगनी कर सकता था।

मेरे सामने एक बहुत बढ़िया करियर था, परंतु मैंने छह महीने बाद ही इस्तीफ़ा दे दिया और मरीन कॉर्प्स में भर्ती हो गया ताकि मैं हवाई जहाज़ उड़ाना सीख सकूँ। मेरे पढ़े-लिखे डैडी का दिल टूट गया। अमीर डैडी ने मुझे बधाइयाँ दीं।

स्कूल और नौकरी में 'विशेषज्ञता' का विचार एक लोकप्रिय विचार है। यानी कि ज़्यादा धन कमाने के लिए या प्रमोशन हासिल करने के लिए आपको 'विशेषज्ञता' हासिल करने की ज़रूरत है। इसीलिए मेडिकल डॉक्टर्स तत्काल 'बाल रोग विशेषज्ञ' या 'अस्थि रोग विशेषज्ञ' जैसी विशेषज्ञता हासिल करने में जुट जाते हैं। यही अकाउंटेंट्स, आर्किटेक्ट्स, वकीलों, पायलटों और बाक़ी लोगों के बारे में सही है।

मेरे पढ़े-लिखे डैडी इसी विचारधारा में विश्वास रखते थे। इसीलिए वे डॉक्टरेट मिलने के बाद रोमांचित हो गए थे। वे अक्सर यह मानते थे कि स्कूल में ऐसे लोगों का सम्मान किया जाता है जो कम से कम चीज़ों के बारे में ज़्यादा

से ज़्यादा पढ़ते हैं।

अमीर डैडी मुझे इसका ठीक उल्टा करने के लिए प्रोत्साहित करते थे। 'आपको हर चीज़ के बारे में थोड़ा-थोड़ा पता होना चाहिए' यह उनका सुझाव था। इसीलिए मैंने उनकी कंपनियों में कई विभागों में सालों तक काम किया। कुछ समय के लिए मैंने उनके अकाउंटिंग डिपार्टमेंट में काम किया। हालाँकि मैं कभी अकाउंटेंट नहीं बन सकता था, परंतु वे चाहते थे कि मैं उस विभाग में रहकर उसके बारे में मोटी-मोटी बातें समझ लूँ। अमीर डैडी जानते थे कि मैं वहाँ की 'शब्दावली' को पकड़ लूँगा और यह भी समझ लूँगा कि क्या महत्वपूर्ण होता है और क्या नहीं। मैं एक बस बॉय और कंस्ट्रक्शन वर्कर के रूप में भी काम कर चुका हूँ और सेल्स, रिज़र्वेशन और मार्केटिंग में भी। वे मुझे और माइक को सीढ़ी दर सीढ़ी सिखा रहे थे। इसलिए वे चाहते थे कि हम लोग उनके बैंकर्स, वकीलों, अकाउंटेंट्स और ब्रोकर्स के साथ बैठकों में भाग लें। वे चाहते थे कि हम लोग उनके साम्राज्य के हर पहलू के बारे में थोड़ी-बहुत जानकारी रखें।

जब मैंने स्टैंडर्ड ऑयल की अच्छी तनख़्वाह वाली नौकरी छोड़ी तो मेरे पढ़े-लिखे डैडी ने मुझसे दिल खोलकर बातें कीं। उन्हें कुछ समझ में नहीं आ रहा था। वे मेरे निर्णय के पीछे के कारण को नहीं समझ पा रहे थे क्योंकि जिस नौकरी से मैंने इस्तीफ़ा दिया था उसमें तनख़्वाह अच्छी थी, फ़ायदे बहुत थे, ख़ाली समय भी बहुत मिलता था और प्रमोशन के अच्छे अवसर थे। जब एक शाम को उन्होंने मुझसे पूछा, "तुमने नौकरी क्यों छोड़ दी," तो मैं लाख कोशिश करने के बाद भी उन्हें इसका कारण नहीं समझा सका। मेरे तर्क उनके तर्क के दायरे में फ़िट नहीं हो पा रहे थे। समस्या यह थी कि मेरा तर्क मेरे अमीर डैडी का तर्क था।

मेरे पढ़े-लिखे डैडी के लिए नौकरी की सुरक्षा ही सब कुछ थी। मेरे अमीर डैडी के लिए सीखना ही सब कुछ था।

पढ़े-लिखे डैडी का विचार था कि मैं शिप का ऑफ़िसर बनने की शिक्षा ग्रहण करने स्कूल गया था। अमीर डैडी जानते थे कि मैं अंतर्राष्ट्रीय व्यापार के अध्ययन के लिए स्कूल गया था।

तो एक विद्यार्थी की तरह मैं सुदूर पूर्व और साउथ पैसिफ़िक जाने वाले जहाज़ों पर, बड़े फ्रेटर्स पर, ऑयल टैंकरों और यात्री जहाज़ों पर काम करता रहा। अमीर डैडी इस बात पर ज़ोर देते थे कि मैं यूरोप की तरफ़ जाने वाले जहाज़ों के बजाय प्रशांत महासागर पर अपना ध्यान केंद्रित करूँ क्योंकि 'भविष्य के देश' एशिया में हैं, यूरोप में नहीं। जबकि मेरे ज़्यादातर सहपाठी, जिनमें माइक भी शामिल था, अपने घरों पर पार्टी और मौजमस्ती करते थे तब मैं जापान, ताईवान, थाईलैंड, सिंगापुर, हॉन्गकॉन्ग, वियतनाम, कोरिया,

ताहिती, समोआ और फ़िलीपीन्स में व्यवसाय, लोगों, बिज़नेस की शैलियों और संस्कृतियों का अध्ययन करता था। मैं भी पार्टी कर रहा होता था, परंतु अपने घर पर नहीं। मेरा ज्ञान बहुत तेज़ी से बढ़ रहा था।

पढ़े-लिखे डैडी कभी नहीं समझ सके कि मैंने यह नौकरी क्यों छोड़ी और इसके बाद मरीन कॉर्प्स में क्यों शामिल हुआ। मैंने उन्हें बता दिया कि मैं जहाज़ उड़ाना सीखना चाहता हूँ, परंतु मैं वास्तव में ट्रूप का नेता बनना सीखना चाहता था। अमीर डैडी ने मुझे बता रखा था कि कंपनी चलाने का सबसे कठिन काम था- लोगों से काम लेना। उन्होंने तीन साल तक सेना में काम किया था, मेरे पढ़े-लिखे डैडी ने कभी ऐसा नहीं किया था। अमीर डैडी ने मुझे बताया कि ख़तरनाक परिस्थितियों में किस तरह लोगों का नेतृत्व किया जाए। "तुम्हें जो अगली चीज़ सीखनी चाहिए वह है नेतृत्व।" उन्होंने कहा, "अगर आप एक अच्छे नेता नहीं हैं, तो आप पर पीछे से भी गोली चलाई जा सकती है जैसा बिज़नेस में किया जाता है।"

1973 में वियतनाम से लौटने पर मैंने कमीशन से इस्तीफ़ा दे दिया, हालाँकि मैं हवाई जहाज़ उड़ाना पसंद करता था। मैं ज़ेरॉक्स कंपनी में काम करने लगा। मैंने इसमें एक वजह से नौकरी की थी और नौकरी के फ़ायदे वह वजह नहीं थी। मैं एक शर्मीला आदमी था और बिक्री का विचार मुझे दुनिया का सबसे डरावना विषय लगता था। ज़ेरॉक्स अमेरिका में सेल्स ट्रेनिंग प्रोग्राम्स में बहुत बढ़िया कंपनी मानी जाती थी।

अमीर डैडी को मुझ पर गर्व था। मेरे पढ़े-लिखे डैडी को मुझ पर शर्म आती थी। एक बुद्धिजीवी होने के नाते, वे सोचते थे कि सेल्समेन उनके नीचे के स्तर के होते हैं। मैंने ज़ेरॉक्स में चार साल तक काम किया जब तक कि मुझे दरवाज़े खटखटाने और अस्वीकार कर दिए जाने के डर से मुक्ति नहीं मिल गई। एक बार मैं विक्रय में चोटी के पाँच लोगों में लगातार आने लगा तो मैंने एक बार फिर इस्तीफ़ा दे दिया और आगे बढ़ गया, एक बार फिर मैंने एक अच्छी-ख़ासी कंपनी के साथ अपना बढ़िया करियर छोड़ दिया था।

1977 में मैंने अपनी पहली कंपनी खोली। अमीर डैडी ने मुझे और माइक को कंपनियाँ चलाने का प्रशिक्षण दे रखा था। तो अब मुझे उन्हें स्थापित करना ही सीखना था। मेरा पहला उत्पाद था नायलॉन और वेलक्रो का वॉलेट, जो फ़ार ईस्ट में बनता था और समुद्री जहाज़ से न्यूयॉर्क में एक वेयरहाउस तक आता था। मेरी औपचारिक शिक्षा पूरी हो चुकी थी, और अब मेरे पंखों की मज़बूती की परीक्षा का समय आ गया था। अगर अब मैं असफल होता, तो मैं दीवालिया हो गया होता। अमीर डैडी का मानना था कि 30 साल के पहले दीवालिया होना सबसे अच्छा होता है। "आपके पास सँभलने का मौक़ा होता है," उनकी सलाह थी। मेरे 30वें जन्मदिन की शाम को मेरा पहला शिपमेंट

कोरिया से न्यूयॉर्क के लिए रवाना हुआ।

आज, मैं अंतर्राष्ट्रीय स्तर पर बिज़नेस करता हूँ। और जैसा मेरे अमीर डैडी मुझे प्रोत्साहित किया करते थे, मैं विकासशील देशों पर ध्यान केंद्रित करता हूँ। आज मेरी निवेश कंपनी दक्षिण अमेरिका, एशिया, नॉर्वे और रूस में निवेश करती है।

एक कहावत है, "जॉब एक संक्षिप्त रूप है जस्ट ओवर ब्रोक का"। और दुर्भाग्य से यह करोड़ों लोगों के लिए सही साबित होता है। चूँकि स्कूल यह नहीं समझता कि फ़ायनेंशियल बुद्धि भी बुद्धि का एक रूप है इसलिए ज़्यादातर कर्मचारी या मज़दूर "अपने साधनों के भीतर रह रहे हैं।" वे मेहनत करते हैं और अपने बिल चुकाते हैं।

एक और डरावनी मैनेजमेंट थ्योरी है, "काम करने वाले इसलिए कड़ी मेहनत करते हैं ताकि उन्हें नौकरी से न निकाल दिया जाए। और मालिक उन्हें केवल इतना देते हैं ताकि काम करने वाले छोड़कर न चले जाएँ।" और अगर आप ज़्यादातर कंपनियों की तनख़्वाहें देखें तो आप पाएँगे कि इस बात में थोड़ी-बहुत सच्चाई तो है।

इसका कुल परिणाम यह होता है कि ज़्यादातर कर्मचारी आगे नहीं बढ़ पाते। वे वही करते हैं जो उन्हें सिखाया जाता है : "सुरक्षित नौकरी खोज लो।" ज़्यादातर काम करने वाले कम समय के पुरस्कारों जैसे वेतन और दूसरे फ़ायदों के लिए काम करते हैं, परंतु दीर्घकालीन दृष्टि से यह उनके लिए घाटे का सौदा साबित होता है।

इसके बजाय मैं युवा लोगों को यही सलाह दूँगा कि नौकरी खोजते समय वे इस बात पर कम ध्यान दें कि वे कितना कमा रहे हैं और इस बात पर ज़्यादा ध्यान दें कि वे कितना सीख रहे हैं। रास्ते पर आगे की तरफ़ देखकर यह तय करें कि किसी ख़ास प्रोफ़ेशन को चुनने के पहले और चूहा दौड़ में फँसने से पहले वे कितनी दक्षताओं में पारंगत होना चाहते हैं।

एक बार लोग बिल चुकाने की आजीवन प्रक्रिया में फँस जाते हैं तो वे छोटे हैमस्टर्स की तरह धातु के छोटे पहियों के चारों तरफ़ घूमते रहते हैं। उनके छोटे पैर तेज़ी से घूमते हैं, पहिए भी तेज़ी से घूमते हैं परंतु आने वाले कल में भी वे उसी पिंजरे में रहेंगे : नौकरी।

जेरी मैग्वॉयर फ़िल्म में टॉम क्रूज़ का बहुत बढ़िया रोल था और इस फ़िल्म में कई बहुत ज़ोरदार संवाद थे। शायद सबसे यादगार लाइन थी "मुझे पैसा दिखाओ।" परंतु एक और लाइन थी जो मेरे हिसाब से ज़्यादा सच्ची थी। यह उस दृश्य में थी जहाँ टॉम क्रूज़ फ़र्म छोड़कर जा रहा है। उसे नौकरी से निकाल दिया गया है और वह पूरी कंपनी से पूछता है, "मेरे साथ कौन आना

चाहता है?" और सब लोग मौन और स्तब्ध हैं। केवल एक औरत बोलती है, "मैं आना तो चाहती हूँ परंतु मेरा तीन महीने में प्रमोशन होने वाला है।"

यह वाक्य शायद पूरी फ़िल्म का सबसे सच्चा वक्तव्य है। यह उस तरह का वक्तव्य है जो बिल चुकाने के लिए मेहनत करने वाले लोग हमेशा इस्तेमाल करते हैं। मैं जानता हूँ कि मेरे पढ़े-लिखे डैडी हर साल तनख़्वाह बढ़ने की आशा लगाए रखते थे और हर साल उन्हें निराशा होती थी। इसलिए वे फिर से स्कूल जाकर और ज़्यादा योग्यताएँ हासिल करते थे ताकि उन्हें एक और वेतनवृद्धि मिल सके, परंतु एक बार फिर उन्हें निराशा ही हाथ लगती थी।

मैं अक्सर लोगों से यह सवाल पूछता हूँ, "रोज़मर्रा की यह गतिविधि आपको कहाँ ले जा रही है?" छोटे हैमस्टर की तरह लोगों को यह देखना चाहिए कि उनकी कड़ी मेहनत का नतीजा क्या निकल रहा है। उनका भविष्य कैसा होगा?

सिरिल ब्रिकफ़ील्ड, *द अमेरिकन एसोसिएशन ऑफ़ रिटायर्ड पीपल* के भूतपूर्व एग्ज़ीक्यूटिव डायरेक्टर, का कहना है कि "प्रायवेट पेंशन की हालत बहुत ख़राब है। पहली बात तो यह कि आज काम करने वालों में से 50 फ़ीसदी को कोई पेंशन नहीं मिलेगी। इसी बात से चिंता होनी चाहिए। और बाक़ी बचे 50 फ़ीसदी में से भी 75 से 80 फ़ीसदी लोगों को नाम मात्र की पेंशन मिलेगी जो 55 डॉलर या 150 डॉलर या 300 डॉलर प्रतिमाह होगी।"

अपनी पुस्तक *द रिटायरमेंट मिथ* में क्रेग एस. कार्पेल लिखते हैं : 'मैं एक बड़ी राष्ट्रीय पेंशन सलाहकार फ़र्म के मुख्यालय में गया और मैं मैनेजिंग डायरेक्टर से मिला जिसकी विशेषज्ञता बढ़िया रिटायरमेंट योजनाएँ तैयार करने में थी। जब मैंने उससे पूछा कि छोटे ऑफ़िसों में काम करने वाले लोगों को पेंशन से कितनी आमदनी की उम्मीद करनी चाहिए तो उसने विश्वास भरी मुस्कराहट के साथ कहा : "सिल्वर बुलेट।"

"सिल्वर बुलेट का क्या मतलब होता है?" मैंने पूछा।

उसने अपने कंधे उचकाए, "अगर बुज़ुर्गों को लगता है कि बुढ़ापे में उनके पास ज़िंदा रहने के लिए पर्याप्त धन नहीं है तो वे अपने आपको गोली मार सकते हैं।" कार्पेल इसके बाद पुराने रिटायरमेंट प्लान और ज़्यादा ख़तरनाक नए 401k प्लान में अंतर को स्पष्ट करते हैं। ज़्यादातर काम करने वालों के लिए यह कोई सुखद तस्वीर नहीं है। और यह तो हुई रिटायरमेंट की बात। जब इस तस्वीर में मेडिकल फ़ीस और दीर्घकालीन नर्सिंग होम सुविधा को जोड़ा जाता है तो तस्वीर डरावनी हो जाती है। उनकी 1995 की पुस्तक में वे बताते हैं कि नर्सिंग होम की फ़ीस 30,000 डॉलर प्रति वर्ष से 125,000 डॉलर प्रति वर्ष है। वे अपने इलाक़े के साफ़-सुथरे परंतु साधारण नर्सिंग होम में गए और उन्होंने 1995 में क़ीमत को 88,000 डॉलर पाया।

आज भी, समाजवादी चिकित्सा वाले देशों के कई अस्पतालों में कई कड़े फ़ैसले लेने होते हैं जैसे "कौन जिएगा और कौन मरेगा?" वे यह फ़ैसले विशुद्ध रूप से इस आधार पर लेते हैं कि उनके पास कितना पैसा है और मरीज़ कितने वृद्ध हैं। अगर मरीज़ वृद्ध है तो वे अक्सर मेडिकल केयर को अपेक्षाकृत युवा व्यक्ति को दे देते हैं। बूढ़ा ग़रीब मरीज़ लाइन में सबसे पीछे खड़ा रहता है। तो जिस तरह अमीर लोग बेहतर शिक्षा हासिल कर सकते हैं, उसी तरह अमीर लोग अपने आपको ज़िंदा भी रख सकते हैं जबकि जिनके पास दौलत नहीं है वे मर जाएँगे।

तो मैं हैरान हो जाता हूँ कि क्या कर्मचारी भविष्य में देख पा रहे हैं या उनकी भविष्य दृष्टि केवल उनकी अगली तनख़्वाह तक ही जाती है और वे अपने आपसे कभी दूरगामी भविष्य के बारे में सवाल ही नहीं करते?

जब मैं ज़्यादा पैसा कमाने की इच्छा रखने वाले वयस्कों के सामने बोलता हूँ, तो मैं हमेशा एक ही चीज़ की सलाह देता हूँ। मैं यह सुझाव देता हूँ कि वे अपने जीवन के बारे में एक लंबा दृष्टिकोण रखें। केवल पैसे और सुरक्षा के लिए काम करने के बजाय, जो हालाँकि महत्वपूर्ण हैं, मैं सुझाव देता हूँ कि वे एक और काम करने लगें जो उन्हें एक और दक्षता सिखा दे। अगर वे सेल्स तकनीकें सीखना चाहते हैं तो अक्सर मैं उनसे किसी नेटवर्क मार्केटिंग कंपनी में शामिल हो जाने के लिए कहता हूँ, जिसे मल्टीलेवल मार्केटिंग भी कहा जाता है। इनमें से कुछ कंपनियों के प्रशिक्षण कार्यक्रम बहुत बढ़िया होते हैं जो लोगों के मन से झिझक और असफलता का डर निकाल देते हैं जो लोगों के असफल होने का मुख्य कारण होते हैं। लंबे समय में शिक्षा धन से ज़्यादा मूल्यवान है।

जब मैं यह सुझाव देता हूँ तो अक्सर लोगों की प्रतिक्रिया होती है, "पर इसमें बहुत झंझट है," या "मैं केवल वही करना चाहता हूँ जिसमें मेरी रुचि है।"

"इसमें बहुत झंझट है" के जवाब में मैं पूछता हूँ, "तो आप ज़िंदगी भर सिर्फ़ इसलिए काम करते रहेंगे ताकि आपकी आय में से 50 फ़ीसदी आप सरकार को दे दें?" दूसरे वक्तव्य– "मैं केवल वही करना चाहता हूँ जिसमें मेरी रुचि है"– के जवाब में मैं कहता हूँ, "मैं जिम जाने में बिलकुल रुचि नहीं रखता हूँ, परंतु मैं वहाँ इसलिए जाता हूँ ताकि मैं ज़्यादा फ़िट हो सकूँ और ज़्यादा समय तक ज़िंदा रह सकूँ।"

दुर्भाग्य से उस पुरानी कहावत में कुछ सच्चाई है, "आप एक बूढ़े कुत्ते को नई चालबाज़ी नहीं सिखा सकते।" जब तक कोई आदमी बदलने के लिए तैयार न हो, बदलना बहुत कठिन होता है।

परंतु उन लोगों के लिए जो कुछ नया सीखने के विचार से प्रेरित हो सकते हैं और दोराहे पर खड़े हैं मेरा सुझाव यही है : ज़िंदगी बहुत हद तक

जिम जाने की ही तरह है। इसमें सबसे दर्द भरा हिस्सा वहाँ जाने का फ़ैसला लेना है। एक बार आप यह फ़ैसला कर लेते हैं तो बाक़ी सब आसान हो जाता है। ऐसे कई दिन आए हैं जब मैं जिम जाने के नाम से काँप जाता हूँ, परंतु एक बार मैं वहाँ पहुँच जाता हूँ और काम शुरू कर देता हूँ तो मुझे इसमें मज़ा आने लगता है। जब मैं वहाँ से निकलता हूँ तो मुझे हमेशा ख़ुशी होती है कि मैं वहाँ गया था।

अगर आप कुछ नया सीखने के प्रति अनिच्छुक हों और इसके बजाय आप अपने क्षेत्र में बहुत विशेषज्ञता हासिल करने पर ज़ोर देते हों तो यह सुनिश्चित कर लें कि जिस कंपनी के लिए आप काम करते हैं वहाँ यूनियन हो। लेबर यूनियन विशेषज्ञों की रक्षा के लिए ही बनाई जाती हैं।

मेरे पढ़े-लिखे डैडी जब गवर्नर की कृपादृष्टि से दूर हो गए, तो वे हवाई में टीचर्स यूनियन के अध्यक्ष हो गए। उन्होंने मुझे बताया कि यह उनके द्वारा किया गया सबसे कठिन काम था। मेरे अमीर डैडी ने दूसरी ओर ज़िंदगी भर यह कोशिश की कि उनकी कंपनियों में यूनियन न बन पाए। वे सफल हुए। हालाँकि यूनियन काफ़ी क़रीब आ गई थीं, परंतु अमीर डैडी हमेशा उन्हें दूर रखने में कामयाब हो जाते थे।

व्यक्तिगत रूप से मैं किसी का पक्ष नहीं लेता क्योंकि मुझे दोनों ही बातों में फ़ायदे दिखते हैं और उनकी ज़रूरत दिखती है। अगर आप स्कूल द्वारा सुझाए रास्ते पर चलते हैं, उच्च विशेषज्ञता हासिल करते हैं तो फिर आप यूनियन की सुरक्षा में चले जाएँ। उदाहरण के लिए, अगर मैं अपने हवाई जहाज़ उड़ाने के करियर में गया होता तो मैंने ऐसी कंपनी पसंद की होती जिसकी पायलट यूनियन बहुत तगड़ी होती। क्यों? क्योंकि मेरी ज़िंदगी केवल एक दक्षता को सीखने के लिए समर्पित होती जिसका मूल्य केवल एक उद्योग में ही हो सकता था। अगर मुझे उस उद्योग से निकाल दिया गया होता, तो मेरे जीवन की दक्षताएँ किसी दूसरे उद्योग में उतनी बहुमूल्य नहीं होतीं। अगर किसी वरिष्ठ पायलट को निकाल दिया जाए, जिसके पास हवाई उड़ान का 100,000 घंटे का अनुभव हो और जो हर साल 150,000 डॉलर कमा रहा हो, उसे स्कूल टीचिंग में इतनी ज़्यादा कमाई वाला बराबरी का काम ढूँढ़ने में बहुत दिक़्क़त आएगी। दक्षताएँ एक उद्योग से दूसरे उद्योग में ट्रांसफ़र नहीं होतीं, क्योंकि एयरलाइन उद्योग में जिन दक्षताओं की ज़रूरत होती है और जिसके लिए पायलटों को ज़्यादा वेतन दिया जाता है वे स्कूल सिस्टम में उतनी महत्वपूर्ण नहीं होतीं।

आज डॉक्टरों के लिए भी यही सही है। चिकित्सा के क्षेत्र में इतने परिवर्तन हो रहे हैं। कई मेडिकल विशेषज्ञ मेडिकल संगठनों जैसे एच.एम.ओ. से जुड़ना पसंद करते हैं। स्कूल के शिक्षकों को यूनियन का सदस्य होना पड़ता

है। आज अमेरिका में टीचर्स की यूनियन सबसे बड़ी और अमीर लेबर यूनियन है। एन.ई.ए. यानी नेशनल एज्युकेशन एसोसिएशन के पास बहुत ज़्यादा राजनीतिक प्रभाव है। शिक्षकों को अपनी यूनियन की सुरक्षा की ज़रूरत होती है क्योंकि शिक्षा के बाहर उनकी दक्षताओं का मूल्य अपेक्षाकृत काफ़ी कम होता है। तो नियम यह है, "उच्च्य विशेषज्ञता हासिल करो और यूनियन बना लो।" स्मार्ट लोग यही करते हैं।

जब मैं अपनी कक्षा से पूछता हूँ, "आपमें से कितने मैक्डॉनल्ड से अच्छा हैमबर्गर बना लेते हैं?" तो लगभग सभी विद्यार्थी अपने हाथ खड़े कर देते हैं। मैं फिर पूछता हूँ, "अगर आपमें से ज़्यादातर बेहतर हैमबर्गर बना लेते हैं तो ऐसा क्यों होता है कि मैक्डॉनल्ड आपसे ज़्यादा पैसा बना लेता है?"

जवाब साफ़ है : मैक्डॉनल्ड बिज़नेस सिस्टम में आपसे अच्छा है। ज़्यादातर प्रतिभाशाली लोग सिर्फ़ इसलिए ग़रीब होते हैं क्योंकि वे अपना सारा ध्यान बेहतर हैमबर्गर बनाने में लगाते हैं और बिज़नेस सिस्टम के बारे में कुछ नहीं जानते।

हवाई में मेरा एक दोस्त है जो एक महान कलाकार है। वह काफ़ी पैसा कमा लेता है। एक दिन उसकी माँ के वकील ने उसे बताया कि उसकी माँ ने अपने पुत्र के नाम पर 35,000 डॉलर छोड़े हैं। यह रक़म सरकार और वकीलों द्वारा अपना हिस्सा लेने के बाद बची थी। तत्काल उसने इस पैसे से विज्ञापन करके अपने व्यवसाय को बढ़ाने का सोचा। दो महीने बाद, उसका पहला पूरे पेज का रंगीन विज्ञापन एक महँगी पत्रिका में प्रकाशित हुआ जिसके पाठक बहुत अमीर लोग थे। यह विज्ञापन तीन महीने तक चला। उसे विज्ञापन के प्रत्युत्तर में कोई जवाब नहीं मिला और उसकी सारी पूँजी इस विज्ञापन में ख़त्म हो गई। अब वह पत्रिका पर दावा ठोकना चाहता है।

यह एक ऐसे आदमी का सामान्य उदाहरण है जो एक बेहतरीन हैमबर्गर बना सकता है, परंतु बिज़नेस की बिलकुल समझ नहीं रखता है। जब मैंने उससे पूछा कि उसने क्या सीखा तो उसका जवाब केवल यही था कि "विज्ञापन करने वाले लोग धोखेबाज़ होते हैं।" मैंने फिर उससे पूछा कि क्या वह सेल्स में या डायरेक्ट मार्केटिंग में कोई कोर्स करना चाहता है तो उसका जवाब था, "मेरे पास समय नहीं है और मैं अपना पैसा बर्बाद नहीं करना चाहता।"

दुनिया प्रतिभासंपन्न ग़रीब लोगों से भरी पड़ी है। अक्सर, वे या तो ग़रीब हैं या फिर पैसे की समस्या से जूझ रहे हैं या अपनी क्षमताओं से कम पैसा कमा रहे हैं। और इसका ज़िम्मेदार उनके ज्ञान का विषय नहीं है, बल्कि उनका अज्ञान है। वे एक बेहतर हैमबर्गर बनाने की दक्षता को पैना करने में ही लगे रहते हैं और हैमबर्गर को बेचने और उसे घर तक पहुँचाने की दक्षता पर बिलकुल भी ध्यान नहीं देते हैं। शायद मैक्डॉनल्ड सबसे अच्छे हैमबर्गर नहीं

बनाता है, परंतु वे एक मूलभूत रूप से औसत हैमबर्गर को बेचने और उसे घर तक पहुँचाने में सर्वश्रेष्ठ है।

ग़रीब डैडी चाहते थे कि मैं विशेषज्ञता हासिल करूँ। उनका विचार था कि अगर मैं ऐसा करूँगा तो मुझे ज़्यादा वेतन मिलेगा। हालाँकि उन्हें हवाई के गर्वनर ने साफ़ कह दिया था कि वे राज्य सरकार के लिए अब काम नहीं कर सकते, फिर भी मेरे पढ़े-लिखे डैडी मुझे विशेषज्ञता हासिल करने के लिए प्रोत्साहित किया करते थे। पढ़े-लिखे डैडी ने टीचर्स यूनियन का काम सँभाल लिया था और वे उच्च शिक्षित और निपुण प्रोफ़ेशनल्स के लिए और ज़्यादा सुरक्षा और फ़ायदों के लिए अभियान छेड़ रहे थे। हममें इस बात पर काफ़ी बहस हुई परंतु मैं जानता हूँ कि वे इस बात पर कभी सहमत नहीं हुए कि ज़्यादा विशेषज्ञता के कारण ही यूनियन के संरक्षण की ज़रूरत होती है। वे यह कभी नहीं समझ पाए कि आप जितनी ज़्यादा विशेषज्ञता हासिल कर लेते हैं उतने ही ज़्यादा आप जाल में फँस जाते हैं और आप अपनी विशेषज्ञता पर निर्भर हो जाते हैं।

अमीर डैडी की सलाह यह थी कि माइक और मैं ख़ुद विकास करें। कई कॉरपोरेशन्स यही करते हैं। वे बिज़नेस स्कूल के किसी युवा प्रतिभाशाली विद्यार्थी को चुन लेते हैं और फिर उस आदमी को इस तरह विकसित करते हैं ताकि एक दिन वह कंपनी की ज़िम्मेदारी सँभाल सके। और ये प्रतिभाशाली युवा कर्मचारी किसी एक डिपार्टमेंट में विशेषज्ञ नहीं होते। वे बिज़नेस सिस्टम्स के सभी पहलुओं की जानकारी लेने के लिए इस डिपार्टमेंट से उस डिपार्टमेंट तक काम करना सीखते हैं। अमीर लोग अक्सर अपने बच्चों या दूसरों के बच्चों को इसी तरह विकसित करते हैं। ऐसा करने से उनके बच्चों को बिज़नेस की पूरी प्रक्रिया अच्छी तरह समझ में आ जाती है और वे यह भी समझ जाते हैं कि किस तरह विभिन्न डिपार्टमेंट्स में तालमेल होता है।

दूसरे विश्वयुद्ध की पीढ़ी में एक कंपनी से दूसरी कंपनी में जाना 'बुरा' समझा जाता था। आज, इसे स्मार्ट समझा जाता है। चूँकि लोग ज़्यादा विशेषज्ञता हासिल करने के बजाय इस कंपनी को बदलकर दूसरी कंपनी में जाना पसंद करेंगे, तो क्यों न 'कमाने' के बजाय 'सीखने' पर ध्यान केंद्रित किया जाए। कम समय में हो सकता है कि आपकी आमदनी कम हो। परंतु लंबे समय में इससे आपको बहुत ज़्यादा फ़ायदा होगा।

सफलता के लिए जिन मुख्य मैनेजमेंट दक्षताओं की ज़रूरत होती है, वे हैं :

1. कैशफ़्लो का मैनेजमेंट।
2. सिस्टम्स का मैनेजमेंट (आपके और आपके परिवार के साथ समय को मिलाकर)।

3. लोगों का मैनेजमेंट।

सबसे महत्वपूर्ण विशेषज्ञीय दक्षताएँ सेल्स और मार्केटिंग की समझ है। बिक्री की योग्यता ही व्यक्तिगत सफलता की आधारभूत कुशलता है इसलिए आपको दूसरे आदमी के साथ संप्रेषण में कुशल होना चाहिए, चाहे वह कोई ग्राहक हो, कर्मचारी हो, बॉस हो, पत्नी हो या बच्चे हों। कम्युनिकेशन स्किल्स जैसे लिखना, बोलना और सौदेबाज़ी करना सफल जीवन के लिए बहुत ज़रूरी हैं। यह एक ऐसी कला है जिस पर मैं लगातार मेहनत करता हूँ और अपने ज्ञान को बढ़ाने के लिए पाठ्यक्रमों में भाग लेता हूँ या शैक्षणिक टेप ख़रीदता रहता हूँ।

जैसा कि मैंने बताया, मेरे पढ़े-लिखे डैडी ने जितनी ज़्यादा मेहनत की वे उतने ही ज़्यादा क़ाबिल बने। उन्होंने जितनी ज़्यादा विशेषज्ञता हासिल की, वे उतने ही ज़्यादा फँसते चले गए। हालाँकि उनकी तनख़्वाह बढ़ी, परंतु उनके विकल्प कम होते चले गए। जब उन्हें सरकारी नौकरी से हटा दिया गया, तभी उन्हें पता चला कि वे व्यवसाय की दृष्टि से कितने जोखिम में थे। यह तो उसी तरह का मामला हो गया जैसे प्रोफ़ेशनल एथलीट को अचानक चोट लग जाए या वह खेलने के लिए ज़्यादा बूढ़ा हो जाए। उनकी ऊँची तनख़्वाह वाली स्थिति चली जाती है और वे अपनी सीमित दक्षताओं के सहारे जीवनयापन करते हैं। मैं सोचता हूँ कि इसीलिए मेरे पढ़े-लिखे डैडी बाद में यूनियनों के इतने समर्थक बन गए थे। उन्होंने यह महसूस कर लिया था कि यूनियन ने उन्हें कितना ज़्यादा फ़ायदा दिलाया होता।

अमीर डैडी माइक और मुझे सभी चीज़ों के बारे में थोड़ी-थोड़ी जानकारी रखने के लिए प्रोत्साहित करते थे। वे हमें ऐसे लोगों के साथ काम करने के लिए प्रोत्साहित करते थे जो हमसे ज़्यादा स्मार्ट थे और वे हमसे यह भी चाहते थे कि हम स्मार्ट लोगों से एक टीम के रूप में काम करवाएँ। आज इसे व्यावसायिक विशेषज्ञताओं का समन्वय कहा जाएगा।

आज, मैं भूतपूर्व स्कूल टीचर्स से मिलता हूँ जो हर साल लाखों डॉलर कमा रहे हैं। वे इतना ज़्यादा इसलिए कमा रहे हैं क्योंकि उनके पास अपने क्षेत्र की विशेषज्ञीय दक्षताओं के अलावा भी दक्षताएँ हैं। वे सिखा भी सकते हैं और बेच भी सकते हैं और मार्केटिंग भी कर सकते हैं। बिक्री और मार्केटिंग की दक्षताएँ ज़्यादातर लोगों को इसलिए कठिन लगती हैं क्योंकि इसमें नकारे जाने या अस्वीकार किए जाने का डर होता है। आप संप्रेषण, सौदेबाज़ी और अपने नकारे जाने के डर का सामना करने में जितने बेहतर होंगे, आपके लिए ज़िंदगी उतनी ही आसान होगी। जिस तरह मैंने अख़बार की लेखिका को सलाह दी थी जो 'बेस्टसेलिंग लेखिका' बनना चाहती थी, मैं हर किसी को वही सलाह देना चाहूँगा। तकनीकी रूप से विशेषज्ञता हासिल करने के कुछ मज़बूत पहलू

होते हैं और कुछ कमज़ोर पहलू होते हैं। मेरे कुछ दोस्त हैं जो जीनियस हैं परंतु वे दूसरे लोगों के साथ प्रभावी ढँग से बात नहीं कर पाते और परिणामस्वरूप उनकी आमदनी बहुत कम है। मैं उन्हें सलाह देता हूँ कि वे एक साल तक बिक्री की कला सीख लें। चाहे वे कुछ भी न कमाएँ, परंतु उनकी कम्युनिकेशन स्किल्स सुधर जाएँगी। और यह अनमोल है।

अच्छे सीखने वाले, बेचने वाले और मार्केटिंग करने वाले व्यक्ति होने के अलावा हमें अच्छे शिक्षक और अच्छे विद्यार्थी होने की भी ज़रूरत है। दरअसल अमीर होने के लिए आपमें लेने के साथ ही देने की क़ाबिलियत भी होनी चाहिए। आर्थिक या प्रोफ़ेशनल संघर्ष के मामलों में देने और लेने में बहुधा कमी देखी गई है। मैं ऐसे कई लोगों को जानता हूँ जो सिर्फ़ इसलिए ग़रीब हैं क्योंकि वे न तो अच्छे विद्यार्थी हैं न ही अच्छे शिक्षक हैं।

मेरे दोनों डैडी उदार थे। दोनों ने पहले देने के सिद्धांत का पालन किया था। शिक्षा देना उनके लिए देने का एक प्रकार था। जितना ज़्यादा उन्होंने दिया, उतना ही उन्हें मिला। पैसे देने के मामले में ज़रूर उन दोनों में अंतर था। मेरे अमीर डैडी ने बहुत सा पैसा दान दिया। उन्होंने अपने चर्च को दान दिया, समाजसेवी संस्थाओं को दान दिया और अपने फ़ाउंडेशन को दान दिया। वे जानते थे कि पैसा हासिल करने के लिए पैसा देना होता है। पैसा देना ज़्यादातर अमीर परिवारों का रहस्य है। इसीलिए रॉकफ़ेलर फ़ाउंडेशन और फ़ोर्ड फ़ाउंडेशन जैसे संगठन काम कर रहे हैं। ये संगठन उनकी संपत्ति को लेते हैं, उसे बढ़ाते हैं और लगातार देते रहते हैं।

मेरे पढ़े-लिखे डैडी हमेशा कहा करते थे, "जब मेरे पास अतिरिक्त पैसा होगा, मैं उसे दान में दूँगा।" समस्या यह थी कि उनके पास कभी अतिरिक्त पैसा नहीं आया। इसलिए वे ज़्यादा पैसा कमाने के लिए ज़्यादा मेहनत करते रहे और पैसे के सबसे महत्वपूर्ण नियम को भूल गए, "दो और आपको मिल जाएगा।" इसके बजाय वे यह यक़ीन करते रहे, "लो और फिर दो।"

निष्कर्ष में मैं यही कहना चाहता हूँ कि मुझ पर दोनों ही डैडियों की छाप है। मेरा एक हिस्सा कट्टर पूँजीपति का है जो पैसे से पैसा कमाने के खेल से प्रेम करता है। मेरा दूसरा हिस्सा एक सामाजिक रूप से ज़िम्मेदार शिक्षक का है जो ग़रीबों और अमीरों के बीच बढ़ती आर्थिक खाई से बहुत ज़्यादा चिंतित है। मैं इस बढ़ती हुई खाई के लिए मूल रूप से दक़ियानूसी शिक्षा तंत्र को ज़िम्मेदार मानता हूँ।

शुरुआत

अध्याय आठ

बाधाओं को पार करना

एक बार लोग अध्ययन कर लें और उनमें पैसे की समझ आ भी जाए तो भी आर्थिक आज़ादी हासिल करने के लिए उन्हें कई बाधाओं और अवरोधों का सामना करना पड़ सकता है। ऐसे पाँच कारण हैं जिनके कारण पैसे की समझ रखने वाले लोग अपने संपत्ति वाले कॉलम को ज़्यादा नहीं बढ़ा पाते। संपत्ति वाला कॉलम जिससे बहुत सारा कैशफ़्लो आता है। संपत्ति वाला कॉलम जो उन्हें अपने सपने की ज़िंदगी जीने का मौक़ा देता है और अपने बिल चुकाने के लिए हर दम काम करने के झंझट से मुक्ति दे सकता है। ये पाँच कारण हैं :

1. डर

2. सनकीपन

3. आलस्य

4. बुरी आदतें

5. ज़िद

कारण नंबर 1 : पैसा खोने के डर से पार पाना। मैं कभी किसी ऐसे व्यक्ति से नहीं मिला जिसे पैसे का नुक़सान अच्छा लगता हो। और मेरी ज़िंदगी में मैं कभी किसी अमीर व्यक्ति से नहीं मिला जिसने कभी भी पैसे का नुक़सान न उठाया हो। परंतु मैं ऐसे बहुत से ग़रीब लोगों से ज़रूर मिला हूँ जिन्होंने एक दमड़ी भी नहीं खोई है... निवेश में।

पैसा खोने का डर स्वाभाविक है। यह हर व्यक्ति को होता है। अमीरों को भी। परंतु समस्या डर नहीं है। समस्या यह है कि आप इस डर का सामना किस तरह से करते हैं। पैसा खोने के बाद स्थिति से किस तरह निबटते हैं। आप असफलता को किस तरह से लेते हैं यह आपके जीवन में बहुत महत्वपूर्ण है। यह ज़िंदगी में केवल पैसे के बारे में ही नहीं बल्कि हर चीज़ के बारे में सही है। एक अमीर व्यक्ति और एक ग़रीब व्यक्ति में मूलभूत अंतर यह होता है कि वे इस डर से किस तरह मुक़ाबला करते हैं।

डरने में कोई बुराई नहीं है। पैसे के मामले में डरपोक होना भी कोई बुरी बात नहीं है। आप अब भी अमीर हो सकते हैं। हम सभी कुछ मौक़ों पर बहादुर होते हैं और कुछ मौक़ों पर डरपोक। मेरे दोस्त की पत्नी एक इमरजेंसी रूम की नर्स है। जब भी वह ख़ून देखती है, वह तत्परता से काम में जुट जाती है। जब भी मैं निवेश का ज़िक्र करता हूँ, वह भाग जाती है। जब मैं ख़ून देखता हूँ, तो मैं नहीं भागता। मैं बेहोश हो जाता हूँ।

मेरे अमीर डैडी पैसे के नुक़सान के डर या फ़ोबिया को समझते थे। "कुछ लोग साँपों से डरते हैं। कुछ लोग पैसा गँवाने से डरते हैं। दोनों ही फ़ोबिया हैं," उनका कहना था। पैसा गँवाने के बारे में उनका सुझाव यह छोटी पंक्ति थी :

"अगर आप जोखिम से घबराते हैं और चिंता करते हैं... तो जल्दी शुरू कर दें।"

इसीलिए बैंक तभी बचत की आदत डालना चाहती हैं जब आप छोटे होते हैं। अगर आप कम उम्र में शुरू करते हैं तो आपके लिए अमीर होना ज़्यादा आसान होगा। मैं इस बारे में ज़्यादा विस्तार से कुछ नहीं कहूँगा परंतु 20 साल की उम्र में बचत शुरू करने वाले और 30 साल की उम्र में बचत शुरू करने वाले लोगों में बहुत बड़ा फ़र्क़ होता है। बहुत ही बड़ा फ़र्क़।

कहा जाता है कि विश्व के अजूबों में से एक है चक्रवृद्धि ब्याज की ताक़त। मैनहटन आइलैंड की ख़रीद दुनिया के महानतम सौदों में से एक मानी जाती है। न्यूयॉर्क को 24 डॉलर में ख़रीदा गया था। परंतु अगर उस 24 डॉलर को 8 फ़ीसदी सालाना ब्याज पर निवेश कर दिया जाता, तो वही 24 डॉलर 1995 के अंत तक 28 ट्रिलियन डॉलर से ज़्यादा हो गए होते। मैनहटन को 1995 की रियल एस्टेट की क़ीमतों पर दुबारा ख़रीदा जा सकता था और इसके बाद भी इतना पैसा बच जाता कि लॉस एंजिलस का ज़्यादातर हिस्सा ख़रीदा जा सके।

मेरा पड़ोसी एक बड़ी कंप्यूटर कंपनी के लिए काम करता है। वह 25 सालों से वहाँ पर है। अगले पाँच सालों में वह कंपनी को छोड़ देगा और उसके 401k रिटायरमेंट प्लान में 40 लाख डॉलर जमा होंगे। यह मुख्य रूप से अच्छी गति से विकसित हो रहे म्यूचुअल फ़ंड में निवेश किए गए हैं जो बाद में बॉन्ड और गवर्नमेन्ट सिक्युरिटीज़ में बदल लिए जाएँगे। नौकरी छोड़ते समय उसकी उम्र केवल 55 साल होगी और उसके पास 3 लाख डॉलर से ज़्यादा की निष्क्रिय आय होगी जो कि उसके वेतन से ज़्यादा होगी। अगर आप हारने से डरते हैं या जोखिम लेने से डरते हैं तो भी यह किया जा सकता है। परंतु आपको जल्दी ही इसकी शुरुआत करनी होगी और एक रिटायरमेंट प्लान तो बनाना ही होगा और आपको निवेश करने से पहले एक भरोसेमंद फ़ायनेंशियल प्लानर

की सेवाएँ लेनी होंगी।

परंतु अगर आपके पास ज़्यादा समय नहीं है या आप जल्दी रिटायर होना चाहते हैं तो? आप किस तरह पैसे खोने के डर का सामना करते हैं?

मेरे ग़रीब डैडी ने कुछ नहीं किया। वे केवल इस विषय को टालते रहे और इस बारे में चर्चा करने के लिए तैयार नहीं हुए।

दूसरी तरफ़ मेरे अमीर डैडी का सुझाव था कि मैं टैक्सास के लोगों की तरह की मानसिकता रखूँ। "मैं टैक्सास और वहाँ के लोगों को पसंद करता हूँ," उनका कहना था। "टैक्सास में, हर चीज़ बड़े पैमाने पर होती है। जब टैक्सास के लोग जीतते हैं, तो वह बड़ी जीत होती है। और जब वे हारते हैं, तो वह हार भी अद्‌भुत होती है।"

"वे हारना पसंद करते हैं?" मैंने पूछा।

"मेरे कहने का यह मतलब नहीं है। कोई भी हारना पसंद नहीं करता। मुझे एक ख़ुश हारा हुआ व्यक्ति दिखा दो और मैं तुम्हें बता दूँगा कि हार ऐसी होती है," अमीर डैडी ने कहा। "मैं जोखिम, पुरस्कार और असफलता के बारे में टैक्सास के लोगों के नज़रिए के बारे में बात कर रहा हूँ। वे ज़िंदगी के बारे में इसी तरह से सोचते हैं। वे बड़े स्तर पर जीते हैं। वे यहाँ के ज़्यादातर लोगों की तरह नहीं जीते हैं जो पैसे के मामले में बिलकुल कॉकरोच की तरह होते हैं। जब कोई उन पर रोशनी डालता है तो कॉकरोच घबरा जाते हैं। जब किराने वाला उनकी चिल्लर में से चवन्नी कम कर देता है तो वे शोर मचाने लगते हैं।"

अमीर डैडी समझाते रहे।

"मुझे टैक्सास का नज़रिया सबसे ज़्यादा पसंद है। जब वे जीतते हैं तो उन्हें ख़ुद पर गर्व होता है और जब वे हारते हैं तो वे शेख़ी बघारते हैं। टैक्सास में एक कहावत है, 'अगर आपको दीवालिया होना है, तो बड़े पैमाने पर हुआ जाए। आप डुप्लेक्स के लिए दीवालिया हो जाएँ, इसकी शेख़ी नहीं बघारी जा सकती। यहाँ पर ज़्यादातर लोग हारने से इतना डरते हैं कि उनके लिए दीवालिया होने के लिए डुप्लेक्स भी नहीं होता।'"

वे माइक और मुझे यह लगातार बताया करते थे कि आर्थिक असफलता का सबसे बड़ा कारण यह होता है कि लोग खेल को बहुत ज़्यादा सुरक्षात्मक तरीक़े से खेलते हैं। "लोग हारने से इतना ज़्यादा डरते हैं कि वे हार जाते हैं," ये उनके शब्द थे।

फ्रैन टार्केन्टन, जो एक वक़्त का महान एन.एफ़.एल. क्वार्टरबैक था, ने इसी बात को दूसरी तरह से कहा है, "जीतने का मतलब है हारने से न डरना।"

मेरी अपनी ज़िंदगी में मैंने यह पाया है कि जीत हमेशा हार के ठीक बाद आती है। जब मैंने आख़िरकार मोटरसाइकल चलाना सीखा, तो उसके पहले मैं कई बार गिरा। मैं आज तक किसी गोल्फ़र से नहीं मिला हूँ जिसने कोई गोल्फ़ बॉल न गुमा दी हो। मैं आज तक ऐसे प्रेमियों से भी नहीं मिला हूँ जिनका कभी दिल न टूटा हो। और मैं आज तक कभी ऐसे अमीर आदमी से भी नहीं मिला हूँ जिसने कभी पैसा न गँवाया हो।

तो ज़्यादातर लोग आर्थिक रूप से इसलिए नहीं जीत पाते क्योंकि उन्हें अमीर होने की ख़ुशी से पैसा खोने का दर्द कहीं ज़्यादा होता है। टैक्सास में एक और कहावत है, "हर आदमी स्वर्ग जाना चाहता है, परंतु कोई मरना नहीं चाहता।" ज़्यादातर लोग अमीर होने का सपना देखते हैं, परंतु पैसा खोने के विचार से काँप जाते हैं। इसलिए वे कभी स्वर्ग नहीं पहुँच पाते।

अमीर डैडी माइक और मुझे टैक्सास में अपनी यात्राओं के बारे में कहानियाँ सुनाया करते थे। "अगर आप वास्तव में यह सीखना चाहते हैं कि जोखिम को, हार और असफलता को किस तरह से सँभाला जाए तो सैन एन्टोनियो जाकर अलेमो को देखो। अलेमो उन बहादुर लोगों की महान कथा है जिनके पास सफलता की कोई उम्मीद नहीं थी, फिर भी, यह जानते हुए भी उन्होंने लड़ने का विकल्प चुना। उन्होंने समर्पण करने के बजाय मरने का विकल्प चुना। यह पढ़ने योग्य प्रेरक कथा है। वैसे यह एक दुखद सैन्य हार है। वे आख़िरकार असफल हुए। वे हार गए। तो टैक्सास के लोग किस तरह असफलता का सामना करते हैं? वे अब भी चिल्लाते हैं, 'अलेमो को याद रखो।'"

माइक और मैंने यह कहानी कई बार सुनी। जब भी अमीर डैडी किसी बड़े सौदे को करने वाले होते थे और वे नर्वस होते थे, तब वे हमें यह कहानी सुनाया करते थे। जब भी वे पर्याप्त मेहनत कर चुके होते थे और या तो मामला सही हो जाता था या बिगड़ जाता था, तब वे हमें यह कहानी सुनाया करते थे। हर बार जब वे ग़लती करने या पैसा गँवाने से डरते थे तब वे हमें यह कहानी सुनाया करते थे। इससे उन्हें ताक़त मिलती थी क्योंकि यह कहानी उन्हें याद दिलाती थी कि किस तरह पैसे के नुक़सान को आर्थिक विजय में बदला जा सकता है। अमीर डैडी जानते थे कि असफलता उन्हें ज़्यादा मज़बूत और स्मार्ट बनाएगी। ऐसा नहीं था कि उन्हें हारना पसंद था या वे हारना चाहते थे; वे केवल इतना जानते थे कि वे कौन थे और वे किस तरह हार का सामना करेंगे। वे नुक़सान उठा लेंगे और फिर उसे जीत में बदल लेंगे। यही उन्हें एक विजेता बनाता था और दूसरों को पराजित। इससे उन्हें जोखिम उठाने के लिए सीमा लाँघने का साहस मिलता था, जबकि बाक़ी लोग उस सीमा के पार नहीं जा पाते थे। "इसीलिए मैं टैक्सास के लोगों को इतना पसंद करता हूँ। उन्होंने एक बड़ी असफलता को लिया और उसे एक पर्यटन स्थल के रूप में बदल लिया जिससे करोड़ों की आमदनी हो रही है।"

परंतु उनके सबसे अर्थपूर्ण शब्द शायद ये हैं : "टैक्सास के लोग अपनी असफलताओं को दफ़नाते नहीं हैं। वे उनसे प्रेरणा लेते हैं। वे अपनी असफलताओं को लेकर उन्हें नारों में बदल देते हैं। असफलता टैक्सास के लोगों को जीतने के लिए प्रेरित करती है। परंतु यह फ़ॉर्मूला केवल टैक्सास के लोगों का ही फ़ॉर्मूला नहीं है, यह सभी जीतने वालों का फ़ॉर्मूला है।"

जैसा मैंने कहा मोटरसाइकल से बार-बार गिरना गाड़ी चलाना सीखने की प्रक्रिया का हिस्सा था। मुझे याद है कि गिरने के बाद मुझमें गाड़ी चलाना सीखने के लिए ज़्यादा दृढ़ निश्चय आ गया था। मेरा दृढ़ निश्चय गिरने से कम नहीं हुआ था। मैंने यह भी कहा है कि मैं कभी किसी ऐसे गोल्फ़र से नहीं मिला जिसकी बॉल कभी ग़लत नहीं गई हो। किसी चोटी के प्रोफ़ेशनल गोल्फ़र के लिए बॉल खोना या टूर्नामेंट हारना उसे ज़्यादा बेहतर बनने, कड़ी मेहनत करने और ज़्यादा अध्ययन करने के लिए प्रेरित करता है। इससे वे ज़्यादा बेहतर बनते हैं। जीतने वालों के लिए, हार प्रेरणादायक बन जाती है। हारने वालों को हार बर्बाद कर देती है।

जॉन डी. रॉकफ़ेलर के शब्दों में, "मैं हमेशा हर संकट को अवसर में बदलने की कोशिश करता था।"

और जापानी-अमेरिकी होने के नाते मैं भी यही कह सकता हूँ। कई लोग कहते हैं कि पर्ल हार्बर अमेरिकी ग़लती थी। मैं कहता हूँ कि यह जापानी ग़लती थी। *टोरा, टोरा, टोरा* फ़िल्म में एक संयमित जापानी एडमिरल ख़ुशियाँ मना रहे अपने अधीनस्थों से यह कहता है, "मुझे डर है कि हमने एक सोते हुए राक्षस को जगा दिया है।" "पर्ल हार्बर को याद करो।" एक नारा बन गया। यह अमेरिका की सबसे बड़ी हारों में से एक थी फिर भी इसके कारण उसे जीतने की प्रेरणा मिली। इस बड़ी हार से अमेरिका को ताक़त मिली और अमेरिका जल्दी ही दुनिया में एक बहुत बड़ी ताक़त के रूप में उभरकर सामने आया।

असफलता जीतने वालों को प्रेरणा देती है और हारने वालों को बर्बाद कर देती है। यह जीतने वालों का सबसे बड़ा रहस्य और सूत्र है। यह वह रहस्य है जिसे हारने वाले नहीं जानते। जीतने वालों का महानतम रहस्य यह है कि असफलता जीतने की प्रेरणा देती है, इसलिए उन्हें हार से डर नहीं लगता। मैं फ्रैन टार्कन्टन के शब्दों को एक बार फिर से दोहराना चाहता हूँ, "जीतने का मतलब है हार से न डरना।" फ्रैन टार्कन्टन जैसे लोग हारने से इसलिए नहीं डरते क्योंकि वे जानते हैं कि वे कौन हैं। वे हारने से नफ़रत करते हैं इसलिए वे जानते हैं कि हार केवल उन्हें ज़्यादा बेहतर बनने के लिए प्रेरित कर सकती है। हारने से डरने और हारने से नफ़रत करने में बहुत बड़ा अंतर होता है। ज़्यादातर लोग पैसा गँवाने से इतना डरते हैं कि वे हार जाते हैं। वे डुप्लेक्स के कारण ही दीवालिया हो जाते हैं। आर्थिक रूप से वे जीवन में

बहुत ज़्यादा सुरक्षात्मक खेल खेलते हैं और बहुत छोटे पैमाने पर खेलते हैं। वे बड़े घर और बड़ी कारें तो ख़रीद लेते हैं, परंतु वे बड़े निवेश नहीं करते। वह प्रमुख कारण जिसके कारण ९० फ़ीसदी अमेरिकी जनता पैसे के लिए संघर्ष करती है यह है कि वे हार से बचने के लिए खेलते हैं। वे जीतने के लिए नहीं खेलते।

वे अपने फ़ायनेंशियल प्लानर्स या अकाउंटेंट्स या स्टॉकब्रोकर्स के पास जाते हैं और एक संतुलित पोर्टफ़ोलियो ख़रीद लेते हैं। ज़्यादातर के पास सी.डी., कम आमदनी वाले बॉन्ड, म्यूचुअल फ़ंड और बहुत कम स्टॉक्स में बहुत सा नक़द जमा होता है। यह एक सुरक्षित और समझदारीपूर्ण पोर्टफ़ोलियो होता है। परंतु यह जीतने वाला पोर्टफ़ोलियो नहीं होता। यह उस आदमी का पोर्टफ़ोलियो होता है जो हार से बचने के लिए खेल रहा है।

मुझे ग़लत मत समझिए। शायद यह 70 फ़ीसदी जनसंख्या से बेहतर पोर्टफ़ोलियो होता है और यह भयावह है। क्योंकि पोर्टफ़ोलियो न होने से बेहतर है सुरक्षित पोर्टफ़ोलियो होना। यह किसी ऐसे व्यक्ति के लिए बहुत बढ़िया पोर्टफ़ोलियो होता है जो सुरक्षा को पसंद करता है। परंतु सुरक्षित खेल खेलने और 'संतुलित' निवेश पोर्टफ़ोलियो वह तरीक़ा नहीं है जिससे सफल निवेशक अपना खेल खेलते हैं। अगर आपके पास कम पूँजी है और आप अमीर होना चाहते हैं, तो पहले तो 'केंद्रित' हो जाएँ, 'संतुलित' नहीं। अगर आप किसी सफल व्यक्ति को देखेंगे तो शुरुआत में वे संतुलित नहीं होते। संतुलित लोग कहीं नहीं जा पाते। वे एक ही जगह पर बने रहते हैं। प्रगति करने के लिए, आपको पहले असंतुलित होना पड़ता है। इसे देखने के लिए आप अपने चलने की प्रगति को देखें।

थॉमस एडीसन संतुलित नहीं थे। वे केंद्रित थे। बिल गेट्स संतुलित नहीं थे। वे केंद्रित थे। डोनाल्ड ट्रम्प केंद्रित थे। जॉर्ज सोरोस केंद्रित थे। जॉर्ज पैटन ने अपने टैंकों को फैलाया नहीं। उन्होंने उन्हें केंद्रित किया और जर्मन पंक्ति के कमज़ोर ठिकानों को उड़ा डाला। फ़्रांसीसियों ने मैजिनॉट लाइन में अपने सैन्य बल को फैलाया था और आप जानते ही हैं कि उनके साथ क्या हादसा हुआ था।

अगर आपमें अमीर होने की इच्छा है तो स्वयं को केंद्रित कर लें। अपने बहुत से अंडों को केवल कुछ बास्केट्स में रख लें। वह न करें जो ग़रीब और मध्य वर्ग के लोग करते हैं : वे बहुत कम अंडों को बहुत सी बास्केट्स में रखते हैं।

अगर आप हार से नफ़रत करते हैं, तो सुरक्षित खेलें। अगर हारने से आप कमज़ोर हो जाते हैं तो सुरक्षित खेलें। संतुलित निवेश का रास्ता चुनें। अगर आपकी उम्र 25 साल से ज़्यादा है और आप जोखिम उठाने से डरते हैं

तो बदलें नहीं। सुरक्षित खेलें परंतु इसकी शुरुआत जल्दी करें। अपने अगले अंडे को जल्दी ही इकट्ठा करना शुरू कर दें क्योंकि इसमें समय लगेगा।

परंतु अगर आपके पास आज़ादी के सपने हैं - चूहा दौड़ से बाहर निकलने का इरादा है - तो आपको ख़ुद से यह सवाल पूछना चाहिए, "मैं किस तरह असफलता का सामना करूँगा?" अगर असफलता से आपको जीतने की प्रेरणा मिलती है तो शायद आपको कोशिश करनी चाहिए- परंतु केवल शायद। अगर असफलता आपको कमज़ोर बना देती है या आप पर मानसिक तनाव डालती है - उस बिगड़े नवाब की तरह जो हर बार कोई चीज़ ग़लत होने पर मुक़दमा दायर करने के लिए वकील को ढूँढ़ता है - तो सुरक्षित खेल ही खेलें। अपनी दिन की नौकरी को बनाए रखें। बॉन्ड या म्यूचुअल फ़ंड ख़रीदें। परंतु याद रखें कि इनमें भी ख़तरा होता है, हालाँकि तुलनात्मक रूप से वे ज़्यादा सुरक्षित होते हैं।

मैं यह सब इसलिए कह रहा हूँ और टैक्सास व फ्रैन टार्केन्टन का ज़िक्र कर रहा हूँ क्योंकि संपत्ति वाले कॉलम को बढ़ाना आसान है। यह एक कम बुद्धि का खेल है। इसमें बहुत ज़्यादा शिक्षा की ज़रूरत नहीं है। पाँचवी कक्षा का गणित का विद्यार्थी भी यह कर सकता है। परंतु संपत्ति वाले कॉलम को तेज़ी से बढ़ाना बहुत ज़्यादा बुद्धि का खेल है। इसमें हिम्मत, धीरज और असफलता झेलने की ताक़त की ज़रूरत है। हारने वाले असफलता से बचते हैं। जबकि असफलता हार को जीत में भी बदल सकती है। अलेमो को याद रखें।

कारण नंबर दो। सनकीपन का सामना करना। "आसमान गिर रहा है। आसमान गिर रहा है।" हममें से ज़्यादातर लोग उस छोटे मुर्गे की कहानी जानते हैं जो आसमान गिरने की चेतावनी देता हुआ अपने दड़बे में दौड़ रहा था। हम इस तरह के बहुत से लोगों को जानते हैं। परंतु हम सबके भीतर एक ऐसा ही छोटा मुर्गा होता है।

और जैसा मैंने पहले ही कहा है, सनकी व्यक्ति दरअसल छोटे मुर्गे की तरह नहीं है। हम सभी में एक छोटा मुर्गा होता है जो तब उभरकर सामने आता है जब हमारे विचारों पर डर और शंका हावी हो जाते हैं।

हम सभी के मन में शंकाएँ होती हैं। "मैं स्मार्ट नहीं हूँ।" "मैं पर्याप्त अच्छा नहीं हूँ।" "अमुक व्यक्ति मुझसे बेहतर है।" या हमारी शंकाएँ अक्सर हमें निष्क्रिय कर देती हैं। हम "क्या होगा?" वाला खेल खेलते हैं। "क्या होगा अगर मेरे निवेश करने के बाद अर्थव्यवस्था धराशायी हो जाए?" या "क्या होगा अगर मेरा नियंत्रण ख़त्म हो जाए और मैं पैसा वापस न चुका सकूँ?" "क्या होगा अगर घटनाएँ मेरी योजना के हिसाब से न हों?" या हमारे कई ऐसे दोस्त या प्रियजन भी हो सकते हैं जो हमें अपनी कमज़ोरियों की याद दिला सकते हैं चाहे हमने उनकी सलाह माँगी हो या नहीं। वे अक्सर कहते हैं, "तुम्हें

ऐसा क्यों लगता है कि तुम यह कर सकते हो?" या "अगर यह इतना ही बढ़िया होता तो हर कोई ऐसा ही क्यों नहीं कर रहा है?" या "यह कभी सफल हो ही नहीं सकता। तुम्हें पता ही नहीं है कि तुम किस बारे में बात कर रहे हो?" शंका के यह तीर कई बार इतने तीखे होते हैं कि हम काम करना शुरू ही नहीं कर पाते। हमारे दिल में डर बैठ जाता है। कई बार हम सो भी नहीं पाते। हम आगे बढ़ने में असफल होते हैं। तो हम सुरक्षित चीज़ों के साथ ही बने रहते हैं और अवसर हमारे पास से होकर गुज़र जाते हैं। हम ज़िंदगी को अपने पास से गुज़रते हुए देखते रहते हैं और हम अपने शरीर में जकड़न के कारण बिना हिले-डुले बैठे रहते हैं। हमने इसे अपनी ज़िंदगी में कभी न कभी इस तरह से महसूस किया होगा और कई लोगों के साथ यह बहुत बार हुआ होगा।

फ़ायडेलिटी मैग्लेन म्यूचुअल फ़ंड के पीटर लिंच आसमान गिरने की चेतावनियों को 'शोर' कहकर पुकारते हैं, और हम सभी इसे सुनते हैं।

'शोर' या तो हमारे दिमाग़ में सुनाई देता है या फिर यह बाहर से आता है। प्रायः दोस्तों से, परिवार से, सहकर्मियों से और मीडिया से। लिंच 1950 के दशक के दौरान का अनुभव बताते हैं जब परमाणु युद्ध का ख़तरा समाचारपत्रों में इतना ज़्यादा प्रचारित किया गया था कि लोगों ने फ़ालआउट शेल्टर्स बना लिए थे और अनाज-पानी इकट्ठा करना शुरू कर दिया था। अगर उन्होंने फ़ालआउट शेल्टर बनाने के बजाय इस पैसे को समझदारीपूर्वक बाज़ार में निवेश कर दिया होता तो शायद आज वे आर्थिक रूप से स्वतंत्र होते।

जब कुछ साल पहले लॉस एंजिलस में दंगे भड़के, तो सारे देश में बंदूक की बिक्री बढ़ गई। वॉशिंगटन राज्य में एक आदमी हैमबर्गर के मांस के कारण मर जाता है और एरिज़ोना हैल्थ डिपार्टमेंट सभी रेस्तराँओं को आदेश देता है कि बीफ़ को अच्छी तरह से पकाया जाए। एक दवाई की कंपनी राष्ट्रीय टीवी विज्ञापन में लोगों को सर्दी होते हुए दिखाती है। विज्ञापन फ़रवरी में दिखाया जाता है। सर्दी से ग्रस्त होने वालों की संख्या बढ़ जाती है और उस दवा की बिक्री भी।

ज़्यादातर लोग ग़रीब होते हैं, क्योंकि जब निवेश की बात आती है तो संसार में ऐसे छोटे मुर्गों की संख्या बहुत है जो यह चिल्लाते हुए घूम रहे हैं, "आसमान गिर रहा है। आसमान गिर रहा है।" और छोटे मुर्गे इसलिए प्रभावित होते हैं क्योंकि हम सभी के अंदर एक छोटा मुर्गा होता है। विनाश की अफ़वाहों और बुरे समय की कल्पना से आपके मन में शंका और डर पैदा न हों, इसमें बहुत ज़्यादा बहादुरी की ज़रूरत होती है।

1992 में, मेरा रिचर्ड नाम का दोस्त मुझसे मिलने फ़ीनिक्स आया। वह स्टॉक्स और रियल एस्टेट में हमारे द्वारा किए गए काम से बहुत प्रभावित था।

फ़ीनिक्स में रियल एस्टेट की क़ीमतों में मंदी चल रही थी। हमने उसके साथ दो दिन गुज़ारे और उसे बताया कि कैशफ़्लो और पूँजी बढ़ाने के कुछ बढ़िया मौक़े मौजूद हैं।

मेरी पत्नी और मैं रियल एस्टेट के एजेंट नहीं हैं। हम विशुद्ध निवेशक हैं। एक रिज़ॉर्ट कम्युनिटी में एक यूनिट तय करने के बाद हमने एक एजेंट से बात की जिसने उस दोपहर को उस यूनिट को बेच दिया। दो बेडरूम के उस घर की क़ीमत केवल 42,000 डॉलर थी। इसी तरह के यूनिट उस समय 65,000 में बिक रहे थे। उसे यह बहुत फ़ायदे का सौदा लगा। रोमांचित होकर उसने इसे ख़रीद लिया और बोस्टन लौट गया।

दो सप्ताह बाद, एजेंट ने हमें फ़ोन किया कि हमारा दोस्त पीछे हट गया था। मैंने तत्काल उसे फ़ोन करके इसका कारण पता किया। उसने इतना ही कहा कि उसने इस विषय पर अपने पड़ोसी से चर्चा की थी और उसके पड़ोसी ने उससे कहा था कि यह एक बुरा सौदा था क्योंकि वह ज़्यादा महँगे में ख़रीद रहा था।

मैंने रिचर्ड से पूछा कि क्या उसका पड़ोसी निवेशक है। रिचर्ड ने कहा 'नहीं'। फिर मैंने उससे पूछा कि उसने उसकी सलाह क्यों मानी तो रिचर्ड सुरक्षात्मक हो गया और उसने बस यही कहा कि वह ज़्यादा जाँच-पड़ताल करना चाहता था।

फ़ीनिक्स में रियल एस्टेट बाज़ार के दिन पलटे और 1994 में उस छोटे से यूनिट से 1,000 डॉलर प्रतिमाह किराया मिल रहा था- जाड़े के पीक सीज़न में 2,500 डॉलर प्रति माह। 1995 में यूनिट की क़ीमत बढ़कर 95,000 डॉलर हो गई थी। रिचर्ड को इतना ही करना था कि वह शुरुआत में 5,000 डॉलर चुका दे और चूहा दौड़ से बाहर निकलने की प्रक्रिया शुरू हो जाती। आज भी वह कुछ नहीं कर पाया है। और फ़ीनिक्स के सौदे जैसे मौक़े अब भी मौजूद हैं; बस आपको उन्हें कुछ ज़्यादा ग़ौर से देखना पड़ेगा।

रिचर्ड के पीछे हटने से मुझे ताज्जुब नहीं हुआ था। इसे 'ख़रीदार का पछतावा' कहा जाता है और यह हम सबको प्रभावित करता है। यही शंकाएँ हमें ले डूबती हैं। छोटा मुर्गा जीत जाता है और हम आज़ादी का मौक़ा गँवा देते हैं।

दूसरे उदाहरण में, मैं सी.डी. के बजाय टैक्स लिएन सर्टिफ़िकेट्स में अपनी संपत्ति का कुछ हिस्सा रखता हूँ। मैं अपने पैसे पर 16 फ़ीसदी प्रति वर्ष कमाता हूँ जो बैंकों द्वारा दिए जाने वाले 5 फ़ीसदी से निश्चित रूप से काफ़ी ज़्यादा है। यह प्रमाणपत्र रियल एस्टेट द्वारा सुरक्षित होते हैं और राज्य के क़ानून द्वारा संरक्षित होते हैं जो निश्चित रूप से ज़्यादातर बैंकों से ज़्यादा बेहतर होते हैं। जिस आधार पर उन्हें ख़रीदा जाता है, वह भी काफ़ी सुरक्षित

फ़ॉर्मूला है। उनमें सिर्फ़ एक दिक़्क़त यह होती है कि उन्हें भुनाया नहीं जा सकता। तो मैं उन्हें 2 से 7 साल की सी.डी. मान लेता हूँ। हर बार जब भी मैं किसी को बताता हूँ, ख़ासकर उसे जिसने अपना पैसा सी.डी. में रखा हुआ है, कि मैं अपने पैसे को इस तरह रखता हूँ तो वे मुझे बताते हैं कि यह ख़तरनाक है। वे मुझे बताते हैं कि मुझे ऐसा नहीं करना चाहिए। मैं उनसे पूछता हूँ कि उन्हें यह ज्ञान कहाँ से मिला, तो वे कहते हैं कि उनके दोस्त या निवेश की पत्रिका से। उन्होंने ऐसा कभी नहीं किया और वे दूसरे व्यक्ति को जो ऐसा कर रहा है यह बता रहे हैं कि उसे ऐसा क्यों नहीं करना चाहिए। मैं जिस सबसे कम आमदनी की उम्मीद करता हूँ वह 16 फ़ीसदी होती है, परंतु जिन लोगों के मन में शंका होती है वे केवल 5 फ़ीसदी से ही संतुष्ट हो जाते हैं। शंका बहुत महँगी साबित होती है।

मेरा मानना है कि यही संदेह और सनकीपन ज़्यादातर लोगों को ग़रीब बनाए रखता है और उनसे सुरक्षित खेल खिलवाता है। असली दुनिया इंतज़ार कर रही है कि आप अमीर बनें। केवल आपके संदेह ही आपको ग़रीब बनाए हुए हैं। जैसा मैंने कहा, चूहा दौड़ से बाहर निकलना तकनीकी रूप से आसान है। इसमें ज़्यादा शिक्षा की ज़रूरत नहीं होती, परंतु इन संदेहों के कारण ज़्यादातर लोग इससे बाहर नहीं निकल पाते।

"शंकालु लोग कभी नहीं जीत पाते," अमीर डैडी का कहना था। "शंका और डर के कारण व्यक्ति संदेहवादी बन जाता है। शंकालु व्यक्ति आलोचना करते हैं जबकि जीतने वाले लोग विश्लेषण करते हैं," यह उनकी एक और पसंदीदा कहावत थी। अमीर डैडी ने यह स्पष्ट किया कि आलोचना से दिमाग़ बँध जाता है जबकि विश्लेषण से आँखें खुल जाती हैं। विश्लेषण से जीतने वाले यह देख सकते हैं कि आलोचक अंधे हैं और वे उन मौक़ों को भी देख सकते हैं जो और किसी को नहीं दिख पाते हैं। और दूसरे लोग जिन मौक़ों को नहीं देख पाते, उन्हें देखने की क्षमता किसी भी तरह की सफलता की कुंजी है।

जो लोग पैसे की आज़ादी ढूँढ़ रहे हैं, उनके लिए रियल एस्टेट निवेश का एक दमदार तरीक़ा है। यह निवेश का एक अद्‌भुत तरीक़ा है। परंतु जब भी मैं रियल एस्टेट का ज़िक्र करता हूँ तो मुझे यह सुनने को मिलता है, "मैं टॉयलेट नहीं सुधारना चाहता।" इसी को पीटर लिंच 'शोर' कहते हैं। इसी को मेरे अमीर डैडी शंकालु लोगों के बहाने कहते थे। ऐसे लोग जो केवल आलोचना करते हैं, विश्लेषण नहीं करते। ऐसे लोग जिनके दिमाग़ पर उनकी शंकाओं और डरों का पर्दा पड़ जाता है, वे अपनी आँखें नहीं खोलते।

तो जब कोई कहता है, "मैं टॉयलेट नहीं सुधारना चाहता," तो मैं जवाब देता हूँ, "आपको ऐसा क्यों लगता है कि मैं यह करना चाहता हूँ?" वे यह कह रहे हैं कि जो उन्हें चाहिए, टॉयलेट उससे ज़्यादा महत्वपूर्ण है। मैं चूहा दौड़

से बाहर निकलने की आज़ादी के बारे में बात करता हूँ और उनका पूरा ध्यान टॉयलेट पर लगा रहता है। इसी तरह के विचार ज़्यादातर लोगों को ग़रीब बनाए रखते हैं। वे विश्लेषण करने के बजाय आलोचना करते रहते हैं।

"'मैं नहीं करना चाहता' आपकी सफलता की कुंजी को अपने अंदर समाए रहते हैं," अमीर डैडी का कहना था।

चूँकि मैं भी टॉयलेट ठीक करने में ज़्यादा रुचि नहीं रखता इसलिए मैं एक प्रॉपर्टी मैनेजर की तलाश कर लेता हूँ जो टॉयलेट ठीक करने का ध्यान रखता है। घरों या अपार्टमेंट्स को चलाने के लिए एक बढ़िया प्रॉपर्टी मैनेजर को ढूँढ़ने के बाद मेरा कैशफ़्लो बढ़ जाता है। परंतु इससे भी ज़्यादा महत्वपूर्ण यह है कि एक बढ़िया प्रॉपर्टी मैनेजर मुझे और ज़्यादा रियल एस्टेट ख़रीदने का मौक़ा देता है क्योंकि मुझे टॉयलेट का ध्यान नहीं रखना पड़ेगा। एक बढ़िया प्रॉपर्टी मैनेजर रियल एस्टेट में सफलता की कुंजी है। मेरे लिए रियल एस्टेट से भी ज़्यादा महत्वपूर्ण है एक अच्छा मैनेजर खोजना। प्रायः किसी बढ़िया प्रॉपर्टी मैनेजर को अच्छे सौदों के बारे में पहले से पता चल जाता है, जबकि रियल एस्टेट एजेंट्स को बाद में पता चलता है, जिसके कारण वे और भी ज़्यादा मूल्यवान हो जाते हैं।

"मैं नहीं करना चाहता" को सफलता की कुंजी कहने के पीछे अमीर डैडी का यही मतलब था। चूँकि मैं भी टॉयलेट ठीक नहीं करना चाहता इसलिए मैंने यह विचार किया कि किस तरह ज़्यादा रियल एस्टेट ख़रीदी जाए और चूहा दौड़ से बाहर निकलने की प्रक्रिया तेज़ की जाए। जो लोग यह कहना जारी रखते हैं, "मैं टॉयलेट नहीं सुधारना चाहता।" वे अक्सर इस सशक्त निवेश माध्यम से ख़ुद को वंचित रखते हैं। उनके लिए टॉयलेट उनकी आज़ादी से ज़्यादा महत्वपूर्ण होता है।

स्टॉक मार्केट में मैं अक्सर लोगों को यह कहते हुए सुनता हूँ, "मैं अपना पैसा नहीं गँवाना चाहता।" उन्हें ऐसा क्यों लगता है कि मैं या कोई और व्यक्ति पैसा गँवाना पसंद करता है? वे सिर्फ़ इसलिए पैसे नहीं बना पाते क्योंकि वे पैसा गँवाने के लिए तैयार नहीं होते। विश्लेषण करने के बजाय वे एक और सशक्त निवेश के माध्यम यानी स्टॉक मार्केट की तरफ़ से अपने दिमाग़ को बंद कर लेते हैं।

दिसंबर 1996 में मैं अपने मित्र के साथ नज़दीकी गैस स्टेशन के पास से गुज़र रहा था। उसने देखा और अनुमान लगाया कि तेल की क़ीमतें बढ़ जाएँगी। मेरा दोस्त बहुत चिंता करता रहता है या 'छोटा मुर्गा' है। उसके हिसाब से आसमान हमेशा गिरने वाला होता है और अक्सर आसमान उसी के सिर पर गिरता है।

जब हम घर पहुँचे तो उसने मुझे वह तमाम आँकड़े बताए कि अगले कुछ

सालों में तेल की क़ीमतें क्यों बढ़ेंगी। यह आँकड़े मुझे पहले पता नहीं थे, हालाँकि मैंने वर्तमान ऑयल कंपनी में बहुत से शेयर ख़रीदे हुए थे। उस सूचना के आधार पर मैंने तत्काल एक नई ऑयल कंपनी की खोज शुरू कर दी जिसे उसके वास्तविक मूल्य से कम आँका गया हो। मुझे ऐसी ऑयल कंपनी मिल गई जो तेल के कुछ भंडारों को खोजने वाली थी। मेरा ब्रोकर इस नई कंपनी को लेकर ख़ासा रोमांचित हो गया और मैंने 65 सेंट प्रति शेयर की दर पर 15,000 शेयर ख़रीद लिए।

फ़रवरी 1997 में मैं उसी दोस्त के साथ उसी गैस स्टेशन के पास से गुज़र रहा था और क़ीमत प्रति गैलन 15 फ़ीसदी बढ़ चुकी थी। एक बार फिर 'छोटा मुर्गा' चिंता करने लगा और शिकायत करने लगा। मैं मुस्कराया क्योंकि जनवरी 1997 में उस छोटी ऑयल कंपनी ने तेल खोज लिया था और वह 15,000 शेयर अब बढ़कर 3 डॉलर प्रति शेयर हो गए थे। और मेरे दोस्त के अनुसार गैस की क़ीमतें लगातार बढ़ती रहेंगी।

विश्लेषण करने के बजाय, यह छोटे मुर्गे अपने दिमाग़ को बंद कर लेते हैं। अगर ज़्यादातर लोग यह समझ लें कि स्टॉक मार्केट निवेश में 'स्टॉप' किस तरह काम करते हैं, तो ज़्यादातर लोग हार से बचने के बारे में अपना ध्यान नहीं लगाएँगे और जीतने के लिए निवेश करेंगे। 'स्टॉप' एक कंप्यूटर निर्देश है जो भाव गिरने पर आपके शेयर को अपने आप बेच देता है ताकि आपका कम से कम नुक़सान हो और आपको ज़्यादा से ज़्यादा फ़ायदा मिल सके। जो लोग हारने से घबराते हैं उनके लिए यह एक बहुत अच्छा तरीक़ा है।

तो जब भी मैं लोगों को "मैं नहीं चाहता" पर ध्यान केंद्रित करते हुए देखता हूँ और "वे क्या चाहते हैं" इस पर ध्यान केंद्रित करते हुए नहीं देखता हूँ तो मैं समझ लेता हूँ कि उनके दिमाग़ में शोर की आवाज़ बहुत तेज़ होगी। छोटा मुर्गा उनके दिमाग़ पर हावी होगा तभी वे चीख़ रहे हैं, "आसमान गिर रहा है और टॉयलेट टूट रहे हैं।" इसलिए वे अपनी अनचाही चीज़ों से बचते हैं परंतु वे इसकी भारी क़ीमत चुकाते हैं। वे ज़िंदगी से जो चाहते हैं वह शायद उन्हें कभी न मिल पाए।

अमीर डैडी ने मुझे छोटे मुर्गे को देखने का एक तरीक़ा सुझाया। "वही करो जो कर्नल सैंडर्स ने किया था।" 66 साल की उम्र में उनका व्यवसाय चौपट हो गया था और वे अपनी सोशल सिक्युरिटी के चेक पर गुज़र-बसर कर रहे थे। इतना ही नहीं, वे फ़्रायड चिकन की अपनी रेसिपी के साथ पूरे देश में इसे बेचने की कोशिश कर रहे थे। किसी के "हाँ" कहने के पहले इस रेसिपी के लिए 1,009 बार 'ना' कहा गया। और वे उस उम्र में करोड़पति बने जिस उम्र में लोग काम छोड़कर आराम करना चाहते हैं। "वे एक बहादुर और ज़िद्दी व्यक्ति थे," अमीर डैडी हार्लेन सैंडर्स के बारे में कहा करते थे।

जब भी आप शंका में हों और थोड़े डरे हुए हों, तो वही करें जो कर्नल सैंडर्स ने अपने छोटे मुर्गे के साथ किया था। उसे फ़्राई कर लें।

कारण नंबर तीन। आलस्य। व्यस्त लोग अक्सर बहुत आलसी होते हैं। हम सभी ने उस व्यवसायी की कहानियाँ पढ़ी हैं जो पैसे कमाने के लिए कड़ी मेहनत करता है। वह अपनी पत्नी और बच्चों की सुख-सुविधा के लिए काफ़ी मेहनत करता है। वह ऑफ़िस में बहुत देर तक काम करता है और सप्ताहांत में भी ऑफ़िस के काम को घर पर ले आता है। एक दिन वह जब घर लौटता है तो उसे घर सूना मिलता है। उसकी पत्नी अपने बच्चों के साथ घर छोड़कर चली जाती है। उसे पता था कि उसके और उसकी पत्नी के बीच में मतभेद हैं, परंतु उस रिश्ते को ज़्यादा मज़बूत बनाने के बजाय वह काम में ही व्यस्त बना रहा। निराश होकर वह अपने काम के प्रति लापरवाह हो जाता है और उसके काम पर इतना ज़्यादा असर पड़ता है कि उसकी नौकरी चली जाती है।

आज, मैं बहुधा ऐसे लोगों से मिलता हूँ जो इतने व्यस्त हैं कि उन्हें अपनी संपत्ति की परवाह करने की भी फ़िक्र नहीं है। और ऐसे भी लोग हैं जो इतने ज़्यादा व्यस्त हैं कि उन्हें अपने स्वास्थ्य की परवाह ही नहीं है। दोनों का कारण एक ही है। वे व्यस्त हैं और वे व्यस्त बने रहना चाहते हैं क्योंकि वे किसी चीज़ का सामना नहीं करना चाहते। उन्हें यह बताने की ज़रूरत नहीं है। अंदर से वे ख़ुद जानते हैं। वास्तव में, अगर आप उन्हें याद दिलाएँ तो वे ग़ुस्सा हो जाते हैं या चिढ़ जाते हैं।

अगर वे नौकरी में या बच्चों के साथ व्यस्त नहीं हैं, तो वे टीवी देखने, मछली पकड़ने, गोल्फ़ खेलने या शॉपिंग करने में व्यस्त होते हैं। परंतु, अंदर से वे जानते हैं कि वे किसी महत्वपूर्ण चीज़ का सामना करने से कतरा रहे हैं। यह आलस का सबसे आम रूप है। यहाँ आलस का मतलब है व्यस्त बने रहना।

तो आलस का इलाज क्या है? जवाब है थोड़ा सा लालच।

हममें से ज़्यादातर लोगों का लालन-पालन इस तरह से किया गया है कि हम लालच या इच्छा को बुरा समझते हैं। मेरी माँ कहा करती थीं, "लालची लोग बुरे लोग होते हैं।" परंतु हममें से हर एक अच्छी चीज़ें, नई चीज़ें, रोमांचक चीज़ें हासिल करना चाहता है। तो उस इच्छा की भावना को क़ाबू में रखने के लिए, प्रायः माँ-बाप इच्छा को अपराधबोध से जोड़ देते हैं।

"तुम हमेशा अपने बारे में ही सोचते हो। क्या तुम्हें नहीं मालूम कि तुम्हारे भाई-बहन भी हैं?" यह मेरी माँ की फ़ेवरिट कहावत थी। या "तुम क्या ख़रीदना चाहते हो?" मेरे डैडी की फ़ेवरिट कहावत थी। "तुम ऐसा सोचते हो जैसे हमारे पास बहुत पैसा है? क्या तुम सोचते हो कि पैसा पेड़ पर लगता है? हम अमीर नहीं हैं, तुम तो जानते ही हो।"

मुझ पर शब्दों का तो उतना असर नहीं पड़ा, परंतु उन शब्दों में जो ग़ुस्सा और अपराधबोध का सम्मिश्रण था, उसका मुझ पर बहुत ज़्यादा असर हुआ।

या इसके विपरीत अपराधबोध का जाल यह था, "मैं तुम्हारे लिए यह ख़रीदकर अपने जीवन का बलिदान दे रहा हूँ। मैं तुम्हारे लिए यह इसलिए ख़रीद रहा हूँ क्योंकि जब मैं छोटा था तो मेरे माँ-बाप मुझे यह ख़रीदकर नहीं दे पाए थे।" मेरा एक पड़ोसी है जो पूरी तरह दीवालिया है, परंतु वह अपनी कार को अपने गैरेज में पार्क नहीं कर सकता। गैरेज में उसके बच्चों के खिलौने भरे पड़े हैं। उन बिगड़े हुए बच्चों को मुँहमाँगी चीज़ मिल जाती है। उस पड़ोसी के शब्द हैं, "मैं नहीं चाहता कि उन्हें किसी चीज़ की कमी हो।" उसने उनके कॉलेज के लिए या अपने रिटायरमेंट के लिए कुछ भी अलग से बचाकर नहीं रखा है परंतु उसके बच्चों को हर खिलौना मिल जाता है। उसे डाक में एक नया क्रेडिट कार्ड मिला और वह अपने बच्चों को घुमाने के लिए लास वेगास ले गया। "मैं यह अपने बच्चों के लिए कर रहा हूँ," यह उसके महान बलिदान के शब्द थे।

अमीर डैडी इस वाक्य से चिढ़ते थे, "मैं इसे नहीं ख़रीद सकता।"

मेरे असली घर में मुझे यही वाक्य अक्सर सुनने को मिल जाता था। इसके बजाय, अमीर डैडी चाहते थे कि उनके बच्चे यह कहें, "मैं इसे किस तरह ख़रीद सकता हूँ?" उनका तर्क था कि "मैं इसे नहीं ख़रीद सकता," इस वाक्य से आप अपने दिमाग़ का दरवाज़ा बंद कर लेते हैं। इसे अब और ज़्यादा सोचने की ज़रूरत नहीं होती। "मैं इसे किस तरह ख़रीद सकता हूँ?" वाक्य से आपके दिमाग़ के दरवाज़े खुल जाते हैं। इससे यह सोचने पर मजबूर होता है और जवाब ढूँढ़ता है।

परंतु सबसे महत्वपूर्ण बात तो यह है कि "मैं इसे नहीं ख़रीद सकता," यह वाक्य झूठा होता है। और इंसान की आत्मा यह बात जानती है। "इंसान की आत्मा बहुत ताक़तवर होती है," उनका कहना था। "यह जानती है कि यह कुछ भी कर सकती है। जब एक आलसी दिमाग़ कहता है कि 'मैं इसे नहीं ख़रीद सकता,' तो आपके भीतर एक युद्ध छिड़ जाता है। आपकी आत्मा ग़ुस्सा हो जाती है, और आपके आलसी दिमाग़ को अपने झूठ पर अड़े रहना पड़ता है। आत्मा चीख़ती है, 'चलो भी। हम जिम चलकर कसरत करते हैं।' और आलसी दिमाग़ कहता है, 'परंतु मैं थका हुआ हूँ। आज मैंने सचमुच बहुत काम किया है।' या इंसान की आत्मा कहती है, 'मैं ग़रीबी से थक गई हूँ। चलो इस दलदल से निकलते हैं और अमीर बनते हैं।' इस पर आलसी दिमाग़ कहता है, 'अमीर लोग लालची होते हैं। इसके अलावा इसमें झंझट और तकलीफ़ बहुत हैं। यह सुरक्षित नहीं है। मेरा पैसा डूब सकता है। वैसे भी मैं बहुत मेहनत कर रहा हूँ। मेरे पास पहले से ही बहुत काम है। देखो आज रात

को ही मुझे कितना काम करना पड़ेगा। मेरा बॉस कह रहा था कि यह काम सुबह तक पूरा हो जाना चाहिए।' "

"मैं इसे नहीं ख़रीद सकता," यह वाक्य दुख से भरा है। इससे लाचारी की भावना आती है जिससे निराशा और इसके बाद अवसाद पैदा हो जाता है। इसके लिए एक और शब्द है, "उदासीनता।" "मैं इसे किस तरह ख़रीद सकता हूँ?" वाक्य से संभावनाओं, रोमांच और सपनों की दुनिया खुल जाती है। इसलिए मेरे अमीर डैडी इस बात से ज़्यादा चिंतित नहीं होते थे कि आप क्या ख़रीदना चाहते हैं, परंतु वे यह जानते थे कि "मैं इसे किस तरह ख़रीद सकता हूँ?" वाक्य से एक ज़्यादा मज़बूत दिमाग़ और एक ज़्यादा प्रगतिशील आत्मा का निर्माण होता है।

इसलिए, उन्होंने माइक या मुझे शायद ही कभी कुछ दिया हो। इसके बजाय वे हमसे कहते थे, "तुम इसे किस तरह ख़रीद सकते हो?" और यह हमारे कॉलेज के बारे में भी सही था, जिसे हमने अपने ख़र्चे से पूरा किया है। वे हमें लक्ष्य को हासिल करना नहीं सिखा रहे थे, वे तो हमें लक्ष्य को हासिल करने की प्रक्रिया का ज्ञान दे रहे थे।

मेरी समझ से आज समस्या यह है कि करोड़ों लोग अपने लालच को लेकर अपराधबोध से ग्रस्त हैं। यह उनके बचपन से बुढ़ापे तक चलता है। वे ज़िंदगी में मिलने वाली अच्छी-अच्छी चीज़ें चाहते हैं। ज़्यादातर लोगों के अवचेतन में यह विचार मौजूद रहता है, "आपको यह नहीं मिल सकतीं," या "आप इसे कभी नहीं ख़रीद पाएँगे।"

जब मैंने चूहा दौड़ से बाहर निकलने का फ़ैसला किया, तो मेरे दिमाग़ में एक सवाल आया। "मैं किस तरह इस चूहा दौड़ से बाहर निकल सकता हूँ, ताकि मुझे दुबारा काम न करना पड़े?" और मेरे दिमाग़ में जवाब और सुझाव अपने आप आ गए। सबसे मुश्किल चीज़ थी मेरे असली माता-पिता की सीख कि "हम इसे नहीं ख़रीद सकते।" या "केवल अपने बारे में ही मत सोचो।" या "तुम दूसरों के बारे में क्यों नहीं सोचते?" और इसी तरह के शब्द जो मेरे लालच को दबाने के लिए मुझमें अपराधबोध भरते थे।

तो आप किस तरह अपने आलस से जीत सकते हैं? इसका जवाब है थोड़े से लालच से। यह WII-FM रेडियो स्टेशन है जिसका पूरा अर्थ है "What's In It-For Me?" (इसमें मेरे लिए क्या है?) व्यक्ति को बैठकर पूछना चाहिए, "अगर मैं स्वस्थ, सेक्सी, और आकर्षक हूँ तो इसमें मेरे लिए क्या है?" या "मेरी ज़िंदगी कैसी होगी अगर मुझे फिर कभी काम न करना पड़े?" या "मैं क्या करूँगा अगर मुझे मनचाहा पैसा मिल जाए?" इस थोड़े से लालच के बिना, कुछ बेहतर हासिल करने की इच्छा के बिना प्रगति नहीं हो सकती। हमारी दुनिया इसलिए तरक़्क़ी करती जा रही है क्योंकि हम सभी

एक बेहतर ज़िंदगी जीना चाहते हैं। हम कुछ बेहतर चाहते हैं इसीलिए नए आविष्कार होते हैं। हम स्कूल जाते हैं और मेहनत से पढ़ते हैं क्योंकि हम कुछ बेहतर चाहते हैं। इसलिए जब भी आप किसी ऐसी चीज़ से कतरा रहे हों, जो आपके हिसाब से आपको करनी चाहिए तो आपको ख़ुद से केवल यही पूछना चाहिए कि "इसमें मेरे लिए क्या है?" थोड़े लालची बनें। यह आलस का सबसे बढ़िया इलाज है।

परंतु बहुत ज़्यादा लालच भी अच्छा नहीं होता, क्योंकि हर चीज़ की अति बुरी होती है। परंतु वह याद रखो जो वॉल स्ट्रीट फ़िल्म में माइकल डगलस ने कहा था। "लालच अच्छा होता है।" अमीर डैडी इसे अलग तरह से कहते थे, "अपराधबोध लालच से ज़्यादा बुरा होता है। क्योंकि अपराधबोध के कारण शरीर में से आत्मा निकल जाती है।" और मेरे लिए, एलीनोर रूज़वेल्ट की कहावत सबसे अच्छी है, "वही करो जो तुम्हें दिल से अच्छा लगता है– क्योंकि तुम्हारी हर बात में आलोचना होगी। अगर तुम कोई काम करोगे तो भी तुम्हारी आलोचना होगी, और तुम कोई काम नहीं करोगे तो भी तुम्हारी आलोचना होगी।"

कारण नंबर चार। आदतें। हमारी ज़िंदगी पर हमारी शिक्षा से ज़्यादा असर हमारी आदतों का पड़ता है। अरनॉल्ड श्वार्ज़नेगर की फ़िल्म 'कॉनन' देखने के बाद मेरे एक दोस्त ने कहा, "मैं चाहता हूँ कि मेरी बॉडी श्वार्ज़नेगर जैसी हो।" ज़्यादातर साथियों ने सहमति में सिर हिला दिया।

"मैंने तो यह सुना है कि एक समय वह वास्तव में दुबला और कमज़ोर सा था," दूसरे मित्र ने जोड़ा।

"हाँ, मैंने भी यह सुना है," एक और दोस्त ने कहा। "मैंने सुना है कि वह हर रोज़ जिम जाता है और उसने वहाँ कसरत करने की आदत डाल ली है।"

"हाँ, मुझे भी लगता है कि वह ऐसा करता होगा।"

समूह के शंकालु आदमी ने कहा, "मुझे तो लगता है कि वह इसी तरह पैदा हुआ होगा। इसके अलावा, हम अरनॉल्ड की बातें कर ही क्यों रहे हैं। चलो, बीयर पिएँ।"

यह एक उदाहरण है कि किस तरह से आदतें व्यवहार को नियंत्रित करती हैं। मुझे याद है कि मैंने एक बार अपने अमीर डैडी से अमीर लोगों की आदतों के बारे में पूछा था। सीधे जवाब देने के बजाय, वे चाहते थे कि मैं इसे उदाहरण से सीखूँ।

अमीर डैडी ने पूछा, "तुम्हारे डैडी अपने बिल कब चुकाते हैं?"

मैंने कहा, "हर महीने की पहली तारीख़ को।"

"क्या उनके पास कुछ बाक़ी बचता है?" उन्होंने पूछा।

"बहुत थोड़ा," मैंने कहा।

"यही वह ख़ास कारण है जिसके कारण उन्हें संघर्ष करना पड़ता है," अमीर डैडी ने कहा। "उनकी आदतें बुरी हैं।"

"तुम्हारे डैडी सबको पहले पैसे देते हैं। वे ख़ुद को सबसे आख़िर में पैसे देते हैं और ऐसा भी तभी करते हैं जब उनके पास कुछ बचा होता है।"

"सामान्य तौर पर उनके पास कुछ नहीं बचता," मैंने कहा। "परंतु उन्हें अपने बिल का भुगतान तो करना ही होता है, नहीं क्या? आप यह तो नहीं कहना चाहते कि उन्हें अपने बिल्स का भुगतान नहीं करना चाहिए?"

"बिलकुल नहीं," अमीर डैडी ने कहा। "मैं समय पर अपने बिल चुकाने में पूरी तरह विश्वास करता हूँ। मैं केवल ख़ुद को सबसे पहले पैसे देता हूँ। सरकार को पैसे देने से पहले।"

"परंतु तब क्या होगा जब आपके पास पर्याप्त पैसा नहीं हो?" मैंने पूछा। "ऐसी स्थिति में आप क्या करते हैं?"

"मैं वही करता हूँ," अमीर डैडी ने कहा। "मैं ख़ुद को सबसे पहले पैसे देता हूँ। चाहे मेरे पास कम पैसा हो। मेरे लिए सरकार से ज़्यादा महत्वपूर्ण है मेरा संपत्ति वाला कॉलम।"

"परंतु, क्या सरकार के लोग आपके पीछे नहीं पड़ते?" मैंने कहा।

"हाँ, अगर मैं उन्हें भुगतान न करूँ," अमीर डैडी ने कहा। "देखो, मैं यह नहीं कह रहा हूँ कि सरकार को पैसा न दिया जाए। मैं केवल यह कह रहा हूँ कि ख़ुद को सबसे पहले भुगतान दिया जाए, चाहे मेरे पास पैसा कम ही हो।"

"परंतु, आप ऐसा कैसे कर सकते हैं?" मैंने जवाब दिया।

"सवाल कैसे का नहीं है। सवाल 'क्यों' का है," अमीर डैडी ने कहा।

"अच्छा, आप ऐसा क्यों करते हैं?"

"प्रेरणा," अमीर डैडी ने कहा। "अगर मैं उनका भुगतान नहीं करूँ तो कौन ज़्यादा ज़ोर से शिकायत करेगा- मैं या मेरे लेनदार।"

"आपके बजाय आपके लेनदार ज़्यादा ज़ोर से चिल्लाएँगे," मैंने स्पष्ट विकल्प को चुनते हुए कहा। "अगर आप ख़ुद को पैसा नहीं देंगे तो आप कुछ भी नहीं कहेंगे।"

"तो अब तुम देख सकते हो कि ख़ुद को पैसे देने के बाद मेरे पास टैक्स चुकाने और दूसरे लेनदारों को पैसे देने का इतना ज़्यादा दबाव होता है कि मुझे

आमदनी के दूसरे रास्ते खोजने ही पड़ते हैं। पैसे चुकाने का दबाव मेरी प्रेरणा बन जाता है। मैंने अतिरिक्त काम किया है, दूसरी कंपनियाँ शुरू की हैं, स्टॉक मार्केट में शेयर ख़रीदे और बेचे हैं, हर तरह के काम सिर्फ़ इसलिए किए हैं ताकि यह लोग मुझ पर न चिल्लाएँ। इस दबाव के कारण मैंने ज़्यादा कड़ी मेहनत की है और मैं ज़्यादा सोचने पर मजबूर हुआ हूँ। कुल मिलाकर इसने मुझे पैसे के मामले में ज़्यादा स्मार्ट और फुर्तीला बना दिया है। अगर मैं ख़ुद को सबसे आख़िर में पैसे देता, तो मुझ पर कोई दबाव नहीं पड़ता, परंतु मेरे पास कभी पैसा भी नहीं होता।"

"तो सरकार या दूसरे लोगों को पैसे चुकाने का दबाव आपकी प्रेरणा बन जाता है?"

"बिलकुल ठीक," अमीर डैडी ने कहा। "देखो, सरकारी पैसा वसूलने वाले लोग बहुत डरावने होते हैं। वैसे सामान्य तौर पर पैसा वसूलने वाले सभी लोग डरावने होते हैं। ज़्यादातर लोग इनसे डर जाते हैं। वे इन लोगों को पैसा दे देते हैं और ख़ुद को कभी पैसा नहीं देते। तुमने उस 96 पाउंड के कमज़ोर आदमी की कहानी तो सुनी होगी जिसके चेहरे पर लोग बालू उछालते हैं?"

मैंने सिर हिलाया। "मैंने कॉमिक्स में वेटलिफ़्टिंग और बॉडीबिल्डिंग के बारे में दिया गया यह विज्ञापन देखा है।"

"तो, ज़्यादातर लोग इन डरावने पैसे वसूलने वालों को अपने चेहरे पर बालू उछालने देते हैं। मैंने डरावने लेनदारों के डर का इस्तेमाल ख़ुद को ज़्यादा मज़बूत बनाने के लिए किया है। बाक़ी लोग ज़्यादा कमज़ोर हो जाते हैं। ख़ुद को यह सोचने के लिए मजबूर करना कि अतिरिक्त धन कहाँ से आएगा जिम जाने की तरह है और वहाँ वज़न उठाने की तरह है। मैं अपने दिमाग़ की मांसपेशियों से जितना काम करता हूँ, मैं उतना ही ज़्यादा मज़बूत होता जाता हूँ। अब मैं इन डरावने लेनदारों से ज़रा भी नहीं डरता हूँ।"

मुझे अमीर डैडी की बातें पसंद आ रही थीं, "तो अगर मैं पहले ख़ुद को पैसे देता हूँ, तो मैं आर्थिक और मानसिक दृष्टि से ज़्यादा मज़बूत हो सकता हूँ।"

अमीर डैडी ने सहमति में सिर हिलाया।

"और अगर मैं ख़ुद को सबसे आख़िर में पैसे देता हूँ या बिलकुल भी पैसे नहीं देता हूँ, तो मैं कमज़ोर हो जाता हूँ। इसलिए बॉस, मैनेजर, टैक्स वसूलने वाले, बिल वसूलने वाले और मकान मालिक जैसे लोग मुझे ज़िंदगी भर इधर-उधर ठोकर मारते रहेंगे। सिर्फ़ इसलिए क्योंकि पैसे के बारे में मेरी आदतें अच्छी नहीं हैं।"

अमीर डैडी ने सिर हिलाया। "96 पाउंड के कमज़ोर आदमी की तरह।"

कारण नंबर पाँच। ज़िद। ज़िद अहंकार और अज्ञान का मिला-जुला रूप है।

"जो मैं जानता हूँ उससे पैसा आता है। जो मैं नहीं जानता उसके कारण मैं पैसा खोता हूँ। हर बार जब मैंने ज़िद की है, मैंने पैसा गँवाया है। वह इसलिए क्योंकि जब मैं ज़िद करता हूँ तो मैं दरअसल यह भरोसा करता हूँ कि जो मैं नहीं जानता वह महत्वपूर्ण नहीं है," अमीर डैडी मुझे अक्सर बताया करते थे।

मैंने पाया है कि कई लोग ज़िद का प्रयोग अपना अज्ञान छुपाने के लिए भी करते हैं। जब मैं फ़ायनेंशियल स्टेटमेंट्स पर अकाउंटेंट्स या निवेशकों से चर्चा करता हूँ तो ऐसा अक्सर होता है।

वे चर्चा में अपनी ज़िद के आधार पर जीतना चाहते हैं। मैं समझ जाता हूँ कि जिस मुद्दे पर बात हो रही है उसके बारे में उन्हें पर्याप्त ज्ञान नहीं है। वे झूठ नहीं बोल रहे होते हैं, परंतु वे सच भी नहीं बोल रहे होते हैं।

धन, फ़ायनैंस और निवेश की दुनिया में ऐसे कई लोग हैं जिन्हें यह पता ही नहीं होता कि वे किस बारे में बात कर रहे हैं। पैसे के उद्योग में ज़्यादातर लोग सेकंड हैंड कार के सेल्समेन की तरह व्यवहार करते हैं।

जब आप जानते हों कि आप किसी विषय में अज्ञानी हैं तो उस क्षेत्र में किसी विशेषज्ञ को ढूँढ़कर या उस विषय पर कोई अच्छी पुस्तक पढ़कर अपना ज्ञान बढ़ाना शुरू कर दें।

शुरू करना

अध्याय नौ

शुरू करना

काश ऐसा होता कि मैं कह सकता कि दौलत इकट्ठी करना मेरे लिए आसान रहा है, परंतु ऐसा नहीं था।

तो इस सवाल के जवाब में, "मैंने किस तरह शुरू किया?" मैं दिन-प्रति-दिन के हिसाब से अपनी विचार प्रक्रिया को बताना चाहता हूँ। बड़े सौदों को खोजना सचमुच आसान है। मैं आपसे यह वादा कर सकता हूँ। यह मोटरसाइकल चलाने की तरह है। थोड़े से अभ्यास के बाद आपको इसका पता ही नहीं चलता। जब पैसे की बात आती है, तो आप अगर संकल्प कर लें तो थोड़ी देर डगमगाने के बाद आप सँभल जाते हैं।

"ज़िंदगी में एक बार आने वाले" करोड़ों डॉलर के सौदों को खोजने के लिए हममें फ़ायनेंशियल प्रतिभा होना ज़रूरी है। मुझे भरोसा है कि हम सभी के भीतर एक फ़ायनेंशियल जीनियस होता है। समस्या यह है कि हमारा फ़ायनेंशियल जीनियस सोया होता है और उसे बुलाकर जगाने की ज़रूरत होती है। यह इसलिए सोया रहता है क्योंकि हमारी संस्कृति ने हमारे भीतर यह संस्कार डाल रखे हैं कि पैसे का मोह सभी बुराइयों की जड़ है। इस संस्कृति ने हमें प्रोफ़ेशन सीखने के लिए तो प्रोत्साहित किया है ताकि हम पैसे के लिए काम कर सकें, परंतु हमें यह नहीं सिखाया है कि पैसे से किस तरह अपने लिए काम करवाया जाए। इसने हमें अपनी फ़ायनेंशियल असफलता के बारे में चिंता न करना सिखाया है। जब हमारे काम के दिन ख़त्म होंगे तो सरकार या हमारी कंपनी हमारी ज़िम्मेदारी सँभाल लेगी। परंतु इसके लिए हमारे बच्चों को पैसा चुकाना होगा, जो उसी स्कूल सिस्टम में शिक्षित होते हैं। संदेश यह है कि कड़ी मेहनत करो, पैसे कमाओ और इसे ख़र्च कर दो और अगर हमारे पास पैसा कम हो, तो हम हमेशा क़र्ज़ तो ले ही सकते हैं।

दुर्भाग्य से, पाश्चात्य समाज के ९० फ़ीसदी से ज़्यादा लोग इस सिद्धांत का पालन करते हैं और ऐसा केवल इसलिए होता है क्योंकि नौकरी ढूँढ़ना और पैसे के लिए काम करना ज़्यादा आसान होता है। अगर आप इस भीड़ में से एक नहीं हैं, तो मैं आपके फ़ायनेंशियल जीनियस को जगाने के लिए नीचे लिखे दस क़दम दे सकता हूँ। मैं आपको केवल वही क़दम बता रहा हूँ जिन

पर मैं चला हूँ। अगर आप इनमें से कुछ पर चलना चाहते हैं तो बहुत अच्छा। अगर आप इन पर नहीं चलना चाहते, तो आप ख़ुद के क़दम बना लें। आपका फ़ायनेंशियल जीनियस इतना स्मार्ट होता है कि आप अपनी ख़ुद की सूची बना सकते हैं।

जब मैं पेरू में था तो 45 वर्ष के सोने की खुदाई करने वाले से मैंने पूछा कि उसे इतना भरोसा क्यों है कि उसे सोने की खदान मिल जाएगी। उसने जवाब दिया, "सोना तो हर जगह है। ज़्यादातर लोगों की आँखें इसे नहीं देख पातीं।"

और मैं कहूँगा कि यह सच है। रियल एस्टेट में, मैं बाहर जा सकता हूँ और चार या पाँच संभावना भरे सौदे कर सकता हूँ, जबकि औसत व्यक्ति बाहर जाकर ख़ाली हाथ लौट सकता है। जबकि हम दोनों एक ही इलाक़े में जाते हैं। इसका कारण यह है कि उन्होंने अपने फ़ायनेंशियल जीनियस को विकसित करने के लिए समय नहीं दिया है।

मैं आपको नीचे दस क़दम बता रहा हूँ जो ईश्वर द्वारा दी गई ताक़तों को विकसित करने की प्रक्रिया है। ये ऐसी ताक़तें हैं जिनका नियंत्रण केवल आप कर सकते हैं।

1. **मुझे हक़ीक़त से ज़्यादा बड़ा कारण चाहिए** : आत्मा की शक्ति। अगर आप ज़्यादातर लोगों से पूछेंगे कि क्या वे अमीर या आर्थिक रूप से स्वतंत्र होना चाहेंगे तो वे 'हाँ' कहेंगे। परंतु फिर हक़ीक़त हावी हो जाती है। यह सड़क बहुत लंबी नज़र आती है और इस पर बहुत सी टेकरियाँ भी दिखती हैं जिन्हें पार करना होगा। इसकी तुलना में यह ज़्यादा आसान लगता है कि आप पैसे के लिए काम करें और बचे हुए पैसे अपने ब्रोकर को दे दें।

मैं एक बार एक युवा महिला से मिला जिसने अमेरिका की ओलंपिक टीम में तैरने के सपने देखे थे। हक़ीक़त यह थी कि उसे हर रोज़ सुबह 4 बजे उठना पड़ता था ताकि स्कूल जाने के पहले वह तीन घंटे तक तैर सके। शनिवार की रात को वह अपने दोस्तों के साथ पार्टी में भी नहीं जाती थी। उसे हर एक की तरह पढ़ाई करके अपने परीक्षा परिणाम पर भी ध्यान देना होता था।

जब मैंने उससे पूछा कि उसकी अति-मानवीय महत्वाकांक्षा और बलिदान के पीछे क्या कारण हैं तो उसने यही कहा, "मैं इसे अपने लिए करती हूँ और उन लोगों के लिए जिनसे मैं प्रेम करती हूँ। प्रेम ही मुझे सभी बाधाओं और बलिदानों के लिए तैयार करता है।"

"हम क्या चाहते हैं" और "हम क्या नहीं चाहते" इनका तालमेल भी एक

कारण या लक्ष्य हो सकता है। जब लोग मुझसे पूछते हैं कि अमीर होने की इच्छा के पीछे मेरा कारण क्या था तो यह गहरी भावनात्मक इच्छाओं और अनिच्छाओं का संयोग है।

मैं कुछ की सूची बताऊँगा। पहले तो अपनी 'अनिच्छाओं' की क्योंकि उन्हीं के कारण 'इच्छाएँ' पैदा होती हैं। मैं सारी ज़िंदगी नौकरी नहीं करना चाहता था। मैं वह नहीं चाहता था जो मेरे माता-पिता चाहते थे, यानी नौकरी की सुरक्षा और उपनगर में एक घर। मैं एक कर्मचारी नहीं बने रहना चाहता था। मुझे इस बात से बहुत नफ़रत होती थी कि मेरे डैडी अपने करियर में इतने व्यस्त रहते थे कि वे मेरे फ़ुटबॉल मैच देखने भी नहीं आ पाते थे। मेरे डैडी सारी ज़िंदगी कड़ी मेहनत करते रहे और सरकार ने उनकी मौत पर उनकी कमाई का ज़्यादातर हिस्सा ले लिया, मुझे इस बात से भी नफ़रत होती थी। अपनी मौत के बाद वे अपनी मेहनत की कमाई को अपने वारिसों के लिए नहीं छोड़ पाए। अमीर लोग ऐसा नहीं करते। वे कड़ी मेहनत करते हैं और अपने बच्चों के लिए ढेर सारा पैसा छोड़ जाते हैं।

अब इच्छाओं की बात। मैं दुनिया घूमना चाहता हूँ और ज़िंदगी को मनचाहे तरीक़े से जीना चाहता हूँ। मैं ऐसा अपनी जवानी में ही कर लेना चाहता हूँ। मैं केवल आज़ाद होना चाहता हूँ। मैं अपने समय और अपनी ज़िंदगी पर नियंत्रण चाहता हूँ। मैं चाहता हूँ कि पैसा मेरे लिए काम करे।

यह मेरे गहरे छुपे हुए भावनात्मक कारण हैं। आपके पास क्या कारण हैं? अगर वे पर्याप्त ताक़तवर नहीं हैं तो रास्ते में आगे आने वाली हक़ीक़त आपके कारणों पर हावी हो जाएगी। मैंने कई बार पैसा गँवाया है और कई बार फिर से शुरू किया है परंतु चूँकि मेरे पास गहरे भावनात्मक कारण थे, इसलिए मैं हर बार उठ खड़ा हुआ हूँ और आगे बढ़ चला हूँ। मैं 40 साल की उम्र तक आज़ाद होना चाहता था, परंतु इसमें मुझे सात साल ज़्यादा लग गए और मैं आख़िरकार 47 साल की उम्र में आज़ाद हो सका और बीच में मुझे कई सीखने वाले अनुभव मिले।

जैसा मैंने कहा है, काश मैं कह सकता कि यह आसान था। यह बिलकुल आसान नहीं था, परंतु यह कठिन भी नहीं था। लेकिन बिना दमदार कारण या लक्ष्य के ज़िंदगी में हर चीज़ कठिन होती है।

अगर आपके पास कोई दमदार कारण नहीं है, तो आगे पढ़ने में कोई समझदारी नहीं है। इसमें बहुत ज़्यादा मेहनत लगेगी।

2. **मैं हर दिन विकल्प चुनता हूँ :** विकल्प चुनने की ताक़त। यह मुख्य कारण होता है कि लोग एक आज़ाद देश में रहना चाहते हैं। हमें चुनने का अधिकार चाहिए।

आर्थिक रूप से, जब हमारे हाथ में एक भी डॉलर आता है तो यह हमारे हाथ में होता है कि हम भविष्य में अमीर, ग़रीब या मध्य वर्गीय बनने का विकल्प चुनें। हमारे ख़र्च करने की आदतें बताती हैं कि हम कौन हैं। ग़रीब लोगों की ख़र्च करने की आदतें ग़रीबी की होती हैं।

बचपन में मुझे यह फ़ायदा मिला कि मुझे लगातार मोनोपॉली खेलना बहुत पसंद था। किसी ने मुझे यह नहीं बताया था कि मोनोपॉली केवल बच्चों के लिए है, इसलिए बड़े होने के बाद भी मैं इसे खेलता रहा। मेरे पास एक अमीर डैडी भी थे जो मुझे संपत्ति और दायित्व के फ़र्क़ को समझाते रहे। तो बहुत समय पहले, अपने बचपन में ही मैंने अमीर बनने का विकल्प चुना और मैं जानता था कि मुझे केवल इतना ही करना था कि संपत्तियों, असली संपत्तियों को इकट्ठा करना था। मेरे सबसे अच्छे दोस्त माइक को संपत्ति वाला कॉलम विरासत में मिला था परंतु उसे इसे बनाए रखना सीखना था। कई अमीर परिवार अपनी संपत्तियों को अगली पीढ़ी में सिर्फ़ इसलिए खो देते हैं क्योंकि उन संपत्तियों की देखरेख करने के लिए किसी को प्रशिक्षण नहीं दिया जाता।

ज़्यादातर लोग अमीर न बनने का विकल्प चुनते हैं। ९० फ़ीसदी लोगों के लिए अमीर बनना "बहुत झंझट का काम" है। तो वे इस तरह की कहावतें ईजाद कर लेते हैं, "पैसे में मेरी कोई रुचि नहीं है।" या "मैं कभी अमीर नहीं बनूँगा।" या "मुझे चिंता करने की कोई ज़रूरत नहीं है, अभी तो मैं जवान हूँ।" या "मेरे पति या मेरी पत्नी फ़ायनेंशियल पहलू को सँभालते हैं या सँभालती हैं।" इन वक्तव्यों के साथ समस्या यह है कि यह बोलने वाले से दो चीज़ें लूट लेते हैं : एक तो है समय, जो आपकी सर्वाधिक क़ीमती संपत्ति है और दूसरी शिक्षा। सिर्फ़ इसलिए क्योंकि आपके पास पैसा नहीं है, आप यह बहाना नहीं बना सकते कि आप इस कारण नहीं सीख पाए। परंतु यह विकल्प हम हर रोज़ चुनते हैं, यह विकल्प कि हम अपने समय, अपने पैसे और अपनी शिक्षा के साथ हर दिन क्या करते हैं। यही विकल्प चुनने की ताक़त है। हम सभी के पास विकल्प होते हैं। मैं अमीर बनने का विकल्प चुनता हूँ और मैं यह विकल्प हर रोज़ चुनता हूँ।

पहले शिक्षा में निवेश करें : वास्तव में, आपके पास जो इकलौती असली संपत्ति है वह है आपका दिमाग़, जो आपका सबसे शक्तिशाली यंत्र है। जैसा मैंने विकल्प की ताक़त के बारे में कहा है, पर्याप्त बड़े हो जाने के बाद हममें से हर एक के पास यह विकल्प मौजूद होता है कि हम अपने दिमाग़ में क्या रखते हैं। आप सारा दिन एम.टीवी देख सकते हैं या गोल्फ़ मैग्ज़ीन्स पढ़ सकते हैं या सिरेमिक्स की क्लास में जा सकते हैं या फ़ायनेंशियल प्लानिंग की क्लास में जा सकते हैं। विकल्प आप चुनते हैं। ज़्यादातर लोग बस निवेश ख़रीदते हैं, परंतु इसके पहले निवेश के बारे में ज्ञान हासिल करने के लिए ज़रा भी पैसा ख़र्च नहीं करते।

मेरी एक मित्र हैं जो एक अमीर महिला हैं। अभी हाल में उनके घर पर चोरी हो गई। चोर उनके घर से टीवी और वी.सी.आर. ले गए और किताबें जैसी की तैसी छोड़ गए। और हम सभी के पास इसी तरह के विकल्प मौजूद होते हैं। एक बार फिर दोहरा दूँ, 90 फ़ीसदी लोग टीवी सेट ख़रीदते हैं और केवल 10 फ़ीसदी लोग बिज़नेस पर पुस्तकें या निवेश पर टेप ख़रीदते हैं।

और मैं क्या करता हूँ? मैं सेमिनार में जाता हूँ। मैं ऐसे सेमिनारों को पसंद करता हूँ जो कम से कम दो दिन लंबे हों क्योंकि मैं विषय में पूरी तरह डूब जाना चाहता हूँ। 1973 में, मैं टीवी देख रहा था और एक व्यक्ति मेरे घर आया। वह तीन दिन के सेमिनार का विज्ञापन कर रहा था कि किस तरह पैसा न होते हुए भी रियल एस्टेट ख़रीदी जा सकती है। मैंने 385 डॉलर ख़र्च किए और उस सेमिनार की शिक्षा मेरे इतने काम आई कि मैंने उससे कम से कम 20 लाख डॉलर कमाए होंगे। परंतु इससे भी ज़्यादा महत्वपूर्ण यह है कि इससे मुझे नया जीवन मिला। मुझे ज़िंदगी भर काम नहीं करना पड़ेगा और इसका कारण होगा वह एक सेमिनार। मैं हर साल कम से कम दो ऐसे सेमिनारों में जाता हूँ।

मैं ऑडियो टेप का भी प्रेमी हूँ। कारण : मैं उन्हें तत्काल पीछे कर सकता हूँ। मैं पीटर लिंच के टेप को सुन रहा था और उन्होंने ऐसा कुछ कहा जिससे मैं पूरी तरह असहमत था। हठी और आलोचनात्मक होने के बजाय मैंने 'रिवाइंड' बटन दबा दिया और उस पाँच मिनट के टुकड़े को कम से कम बीस बार सुना। शायद इससे भी ज़्यादा बार। परंतु अचानक, मेरे दिमाग़ को खुला रखने से मैं समझ गया कि उन्होंने वह बात क्यों कही थी। यह जादू की तरह था। मुझे ऐसा लगा कि मैंने हमारे समय के सबसे बड़े निवेशक के दिमाग़ की एक खिड़की खोल ली थी। उनके ज्ञान और अनुभव के विराट संसाधनों में मुझे बहुत ज़्यादा गहराई और अंतर्दृष्टि मिली।

इसका परिणाम यह हुआ कि मैं अब भी अपने पुराने तरीक़े से सोच सकता हूँ और मेरे पास उसी समस्या या स्थिति को देखने का पीटर का तरीक़ा भी मौजूद होता है। मेरे पास एक विचार होने के बजाय दो विचार होते हैं। किसी भी समस्या या प्रवृत्ति के विश्लेषण का एक और तरीक़ा, जिसे जानना बहुमूल्य है। आज, मैं अक्सर कहता हूँ, "पीटर लिंच इसे किस तरह करेंगे, या डोनाल्ड ट्रंप या वॉरेन बुफ़े या जॉर्ज सोरोस?" मेरे पास उनकी वृहद मानसिक ताक़त तक पहुँचने का रास्ता यही है कि मैं उनकी कही हुई बातों को सुनूँ या उनकी लिखी हुई बातों को पढ़ूँ। ज़िद्दी या आलोचनात्मक लोग प्रायः कम आत्म-सम्मान वाले होते हैं जो ख़तरे उठाने से डरते हैं। अगर आप कुछ नया सीखते हैं, तो अपने सीखे हुए ज्ञान को पूरी तरह से समझने के लिए आपको कुछ ग़लतियाँ भी करनी पड़ती हैं।

अगर आपने यहाँ तक पढ़ लिया है, तो एक बात तो तय है कि आप ज़िद्दी नहीं हैं। ज़िद्दी लोग पुस्तकें कम ही पढ़ते हैं या टेप कम ही ख़रीदते हैं। उन्हें इनकी क्या ज़रूरत है? वे ब्रह्मांड के केंद्रबिंदु हैं।

ऐसे बहुत से 'बुद्धिमान' व्यक्ति होते हैं जिनके सामने कोई नया विचार आने पर वे वाद-विवाद करने लगते हैं अगर वह नया विचार उनके सोचने के तरीक़े से अलग होता है। इस प्रकरण में, उनकी तथाकथित 'बुद्धि' उनकी 'हठधर्मिता' के साथ मिलकर 'अज्ञान' बन जाती है। हम सभी ऐसे लोगों को जानते हैं जो उच्च शिक्षित हैं या जो मानते हैं कि वे बहुत स्मार्ट हैं परंतु उनकी बैलेंस शीट एक अलग ही तस्वीर दिखाती है। जो व्यक्ति वास्तव में बुद्धिमान होता है वह नए विचारों का स्वागत करता है, क्योंकि नए विचार पहले के विचारों के साथ मिलकर अद्भुत संयोग कर सकते हैं। बोलने से ज़्यादा महत्वपूर्ण है सुनना। अगर यह सही नहीं होता, तो भगवान ने हमें दो कान और एक मुँह नहीं दिए होते। बहुत से लोग अपने मुँह से सोचते हैं और सुनते समय नए विचारों तथा संभावनाओं को समझने की कोशिश ही नहीं करते। सवाल पूछने के बजाय वे बहस करने लगते हैं।

मैं अपनी दौलत के बारे में दीर्घकालीन दृष्टि रखता हूँ। मैं 'फटाफट अमीर बनने' की मानसिकता में भरोसा नहीं करता जो ज़्यादातर लॉटरी खेलने वालों या कैसिनो के जुआरियों में पाई जाती है। मैं शेयर ख़रीद सकता हूँ, शेयर बेच सकता हूँ परंतु मैं शिक्षा के मामले में दूरगामी विचार रखता हूँ। अगर आप एक हवाईजहाज़ उड़ाना चाहते हैं तो मैं आपको पहले इसे सीखने की सलाह देना चाहूँगा। मैं ऐसे लोगों को देखकर हमेशा स्तब्ध रह जाता हूँ जो स्टॉक या रियल एस्टेट ख़रीदते हैं परंतु अपनी सबसे बड़ी दौलत में बिलकुल निवेश नहीं करते जो उनका दिमाग़ है। केवल एक या दो घर ख़रीद लेने से आप रियल एस्टेट के क्षेत्र में विशेषज्ञ नहीं बन जाते।

3. **अपने दोस्तों को सावधानी से चुनें** : साथ रहने की ताक़त। सबसे पहले तो मैं यह बता दूँ कि मैं अपने दोस्तों को उनकी अमीरी के हिसाब से नहीं चुनता। मेरे ऐसे भी दोस्त हैं जिन्होंने ग़रीबी में जीने की क़सम खाई है और ऐसे दोस्त भी हैं जो हर साल करोड़ों कमाते हैं। मुद्दे की बात यह है कि मैं उन सभी से सीखता हूँ और मैं पूरा मन लगाकर उनसे सीखने की कोशिश करता हूँ।

मैं यह मानता हूँ कि मैंने अमीर लोगों की तलाश की है। परंतु मेरी नज़र उनकी दौलत पर नहीं, बल्कि उनके ज्ञान पर थी। कई मामलों में, ऐसे अमीर लोग मेरे अच्छे दोस्त बन गए जबकि कई बार ऐसा नहीं हुआ।

परंतु मैं आपको एक अंतर बताना चाहूँगा। मैंने यह पाया है कि मेरे पैसे वाले दोस्त पैसे के बारे में बात करते हैं। और मेरा यह मतलब नहीं है कि

उन्हें पैसे का घमंड है। वे इस विषय में रुचि रखते हैं। इसलिए मैं उनसे सीखता हूँ और वे मुझसे। मेरे वे दोस्त जो आर्थिक दलदल में फँसे हुए हैं वे पैसे, व्यवसाय या निवेश के बारे में बात करना पसंद नहीं करते। उनकी नज़र में ऐसा करना मूर्खतापूर्ण या बेमानी होता है। इसलिए मैं अपने ग़रीब दोस्तों से यह सीखता हूँ कि मुझे क्या नहीं करना चाहिए।

मेरे कई दोस्त हैं जिन्होंने अपनी छोटी सी ज़िंदगी में अरबों डॉलर कमाए हैं। उनमें से तीन ने एक ही अनुभव बताया है। उनके ग़रीब दोस्त उनसे यह पूछने कभी नहीं आए कि उन्होंने ऐसा किस तरह किया है। परंतु वे उनसे दो में से एक चीज़ या दोनों ही चीज़ों के बारे में मदद माँगने आए : 1. क़र्ज़, या 2. नौकरी।

चेतावनी : ग़रीब या डरे हुए लोगों की मत सुनिए। मेरे कई ग़रीब दोस्त हैं जिनसे मैं प्रेम भी करता हूँ, परंतु वे ज़िंदगी के 'डरे हुए मुर्गे' हैं। जब पैसे की बात आती है, ख़ासकर निवेश की तो उनकी नज़र में "आसमान हमेशा गिरने वाला होता है"। वे आपको हमेशा यह बता सकते हैं कि कोई चीज़ क्यों कामयाब नहीं होगी। समस्या यह है कि लोग उनकी बात सुनते हैं और जो लोग इन निराशावादी विचारों को आँख मूँदकर मान लेते हैं वे भी 'छोटे मुर्गे' बन जाते हैं। जैसी एक पुरानी कहावत है, "एक जैसे विचार वाले लोगों में सहमति होती है।"

अगर आप सी.एन.बी.सी. देखते हैं जो निवेश की सूचना देने वाली सोने की खदान है तो उनके पास अक्सर तथाकथित 'विशेषज्ञों' का एक पैनल होता है। एक विशेषज्ञ यह कहेगा कि बाज़ार धराशायी होने वाला है और दूसरा यह कहेगा कि बाज़ार में उठाव आने वाला है। अगर आप स्मार्ट हैं तो आप दोनों की बात सुनेंगे। अपने दिमाग़ को खुला रखें क्योंकि दोनों के पास अपने-अपने तर्क हैं। दुर्भाग्य से, ज़्यादातर ग़रीब लोग 'छोटे मुर्गे' की बात सुनते हैं।

मेरे बहुत से क़रीबी मित्र हैं जो मुझे किसी सौदे या निवेश से रोकने के लिए अपने तर्क देते हैं। कुछ सालों पहले, मेरे दोस्त ने मुझे बताया कि वह इसलिए रोमांचित था क्योंकि उसे अपनी जमा पूँजी पर 6 फ़ीसदी ब्याज वाला बॉन्ड मिल गया था। मैंने उसे बताया कि मैं सरकार से 16 फ़ीसदी ब्याज कमा रहा हूँ। अगले ही दिन उसने मुझे एक लेख भेज दिया जिसमें यह लिखा था कि मेरा निवेश क्यों ख़तरनाक था। मैं सालों से 16 फ़ीसदी ब्याज कमा रहा हूँ और वह अब भी 6 फ़ीसदी ब्याज ही ले रहा है।

मैं तो यह कहूँगा कि दौलत बनाने में सबसे कठिन चीज़ यह है कि आप अपने प्रति ईमानदार रहें और भीड़ के साथ चलने की इच्छा न रखें। बाज़ार में, आम तौर पर भीड़ सबसे बाद में आती है और इसलिए हलाल हो जाती है। अगर मुखपृष्ठ पर किसी बड़े सौदे की ख़बर छपी है तो ज़्यादातर मामलों

में बहुत देर हो चुकी है। किसी नए सौदे की तलाश करें। जैसा हम तैरने वालों से कहा करते हैं, “हमेशा एक और लहर आती है।” जो लोग जल्दबाज़ी करते हैं और किसी लहर पर देर से पहुँचते हैं वे अक्सर धराशायी हो जाते हैं।

स्मार्ट निवेशक बाज़ार की टाइमिंग को ध्यान में नहीं रखते हैं। अगर एक लहर चली गई है, तो वे अगली लहर की खोज करते हैं और ख़ुद को पोज़ीशन में कर लेते हैं। ज़्यादातर लोगों के लिए यह मुश्किल इसलिए होता है क्योंकि जो लोकप्रिय नहीं है वह ख़रीदना उनके लिए डरावना होता है। डरपोक निवेशक उस भेड़ के झुंड की तरह होते हैं जो भीड़ के साथ ही चलते हैं। या उनका लालच उन्हें उस समय अंदर लाता है जब समझदार निवेशक मुनाफ़ा कमाकर बाहर जा चुके होते हैं। समझदार निवेशक उस समय शेयर ख़रीदते हैं जब यह लोकप्रिय नहीं होता। वे जानते हैं कि वे ख़रीदते समय मुनाफ़ा कमाते हैं, बेचते समय नहीं। वे धीरज से इंतज़ार करते हैं। जैसा मैंने कहा, वे मार्केट की टाइमिंग को ध्यान में नहीं रखते हैं। किसी तैरने वाले की तरह, वे भी अगली बड़ी लहर के लिए ख़ुद को पोज़ीशन कर लेते हैं।

यह ‘इनसाइडर ट्रेडिंग’ या अंदरूनी सौदेबाज़ी है। इनसाइडर ट्रेडिंग क़ानूनी और ग़ैरक़ानूनी दोनों तरह की होती है। परंतु किसी भी तरह से देखें, यह इनसाइडर ट्रेडिंग ही है। फ़र्क़ सिर्फ़ इतना होता है कि आप अंदर से कितनी दूरी पर हैं। अंदरूनी जानकारी रखने वाले अमीर दोस्तों को बनाए रखने का एक कारण यह भी होता है क्योंकि पैसा यहीं बनाया जाता है। यह सूचना के आधार पर बनाया जाता है। आप अगले उछाल के बारे में जान लेते हैं, प्रवेश कर लेते हैं और अगले गिराव के पहले बाहर निकल आते हैं। मैं यह नहीं कहता कि इसे ग़ैरक़ानूनी तरीक़े से करें, परंतु मैं यह ज़रूरी कहता हूँ कि आपको जानकारी जितनी जल्दी मिलेगी, आप उतने ही कम ख़तरे में उतना ही ज़्यादा लाभ कमा पाएँगे। दोस्त इसीलिए होते हैं। और यही फ़ायनेंशियल बुद्धि भी है।

4. **किसी फ़ॉर्मूले के विशेषज्ञ बन जाएँ और फिर एक और नया फ़ॉर्मूला सीख लें** : जल्दी सीखने की ताक़त। ब्रेड बनाने के लिए हर बेकर का एक फ़ॉर्मूला होता है चाहे वह उसके दिमाग़ में ही क्यों न हो। यही पैसा बनाने के बारे में भी सही है। इसीलिए धन को अक्सर ‘डो’ (dough) भी कहा जाता है।

हममें से ज़्यादातर लोगों ने यह कहावत सुनी है, “आप वह हैं जो आप खाते हैं।” मैं इसी कहावत को दूसरी तरह से कहना चाहूँगा। मैं कहता हूँ, “आप वह बनते हैं जो आप पढ़ते हैं।” दूसरे शब्दों में, आप सावधान रहें कि आप क्या पढ़ रहे हैं या क्या सीख रहे हैं क्योंकि आपका दिमाग़ इतना ज़्यादा ताक़तवर है कि आप जिस चीज़ के बारे में सीखेंगे, आप वही बन जाएँगे।

उदाहरण के तौर पर, अगर आप कुकिंग सीखते हैं तो आप कुक बन जाते हैं। अगर आप कुक नहीं बनना चाहते हैं तो आपको कोई और विषय पढ़ना चाहिए। जैसे, एक स्कूल टीचर। शिक्षण का अध्ययन कर लेने के बाद आप अक्सर शिक्षक बन सकते हैं। और इसी तरह सिलसिला जारी रह सकता है। अपने अध्ययन के विषय को सावधानी से चुनें।

जब पैसे की बात आती है, तो ज़्यादातर लोगों के पास वही एक मूलभूत फ़ॉर्मूला होता है जो उन्होंने स्कूल में सीखा था। और वह फ़ॉर्मूला है, पैसे के लिए काम करो। संसार में सबसे ज़्यादा लोकप्रिय फ़ॉर्मूला यही है जिसके कारण हर दिन करोड़ों लोग सुबह उठते हैं और काम पर जाते हैं, पैसे कमाते हैं, बिल चुकाते हैं, चेकबुक को बैलेंस करते हैं, कुछ म्यूचुअल फ़ंड ख़रीद लेते हैं और फिर से काम पर चले जाते हैं। यही उनका मूलभूत फ़ॉर्मूला या नुस्ख़ा है।

अगर आप जो कर रहे हैं, उससे आप थक गए हैं या आप पर्याप्त नहीं कमा रहे हैं तो आपको अपने पैसे बनाने के फ़ॉर्मूले को बदल लेना चाहिए।

बहुत समय पहले, जब मैं 26 साल का था, मैंने सप्ताहांत की एक कक्षा में भाग लिया जिसका शीर्षक था, "किस तरह रियल एस्टेट फ़ोरक्लोज़र्स को ख़रीदें।" मैंने एक फ़ॉर्मूला सीख लिया। अगला क़दम था अपने सीखे हुए सिद्धांत को असली जीवन में आज़माकर देखना। यहाँ पर ज़्यादातर लोग रुक जाते हैं। तीन सालों तक, जब मैं ज़ेरोक्स के लिए काम कर रहा था, मैं अपने ख़ाली समय में फ़ोरक्लोज़र्स को ख़रीदने की कला में पारंगत होने की कोशिश करता रहा। मैंने उस फ़ॉर्मूले से कई करोड़ डॉलर बनाए हैं परंतु आज यह बहुत धीमा फ़ॉर्मूला है और फिर भी बहुत से लोग इसका प्रयोग कर रहे हैं।

एक बार मैं उस फ़ॉर्मूले का विशेषज्ञ बन गया, तो मैं दूसरे फ़ॉर्मूलों की खोज करने लगा। कई कक्षाओं में मुझे कोई नई जानकारी सीधे रूप में नहीं मिली, परंतु मैंने हमेशा कुछ न कुछ नया ज़रूर सीखा।

मैंने ऐसी बहुत सी कक्षाओं में भाग लिया है, जो केवल डेरिवेटिव्ज़ सौदेबाज़ों के लिए आयोजित की गई थीं और वस्तुओं के ऑप्शन सौदेबाज़ों के लिए तथा अराजकतावादियों के लिए आयोजित कक्षाओं में भी मैं गया हूँ। मैं अपने दायरे से पूरी तरह बाहर पहुँच गया था और एक ऐसे कमरे में था जहाँ परमाणु भौतिकी और स्पेस साइंस के विशेषज्ञों की भीड़ थी। परंतु मैंने वहाँ बहुत कुछ सीखा जिससे मेरा स्टॉक और रियल एस्टेट निवेश ज़्यादा अर्थपूर्ण और फ़ायदेमंद बन गया।

ज़्यादातर जूनियर कॉलेजों और सामुदायिक कॉलेजों में फ़ायनेंशियल प्लानिंग या पारंपरिक निवेश को ख़रीदने के तरीक़ों पर कक्षाएँ आयोजित की जाती हैं। शुरुआत करने के लिए यह बहुत अच्छी जगह हैं।

तो मैं हमेशा एक ज़्यादा तेज़ फ़ॉर्मूले की खोज करता रहता हूँ। इसी

कारण नियमित रूप से मैं एक दिन में जितना कमा लेता हूँ उतना कमाने में कई लोगों को पूरी ज़िंदगी लग जाएगी।

एक और बात। आज की तेज़ी से बदल रही दुनिया में, आप कितना जानते हैं यह ज़्यादा महत्वपूर्ण नहीं रह गया है क्योंकि प्रायः आज आप जितना जानते हैं वह पुराना हो चुका है। महत्वपूर्ण यह है कि आप कितनी तेज़ी से सीखते हैं। यह कला अनमोल है। ज़्यादा तेज़ फ़ॉर्मूले ढूँढ़ने में यह बहुत काम आती है। पैसे के लिए कड़ी मेहनत करना एक पुराना फ़ॉर्मूला है जो गुफ़ामानव के ज़माने में पैदा हुआ था।

5. **खुद को सबसे पहले वेतन दें** : ख़ुद पर अनुशासन की ताक़त। अगर आप ख़ुद पर क़ाबू नहीं रख पाते, तो अमीर बनने की कोशिश भी न करें। आपको इसके पहले मरीन कॉर्प्स या किसी धार्मिक संस्था में जाना चाहिए ताकि आपको ख़ुद पर क़ाबू रखना आ जाए। इस बात का कोई मतलब नहीं है कि निवेश करें, पैसा कमाएँ और उसे फूँक दें। ख़ुद पर अनुशासन की कमी के कारण ही करोड़ों डॉलर की लॉटरी जीतने वाले लोग जल्द ही दीवालिया हो जाते हैं। यह ख़ुद पर अनुशासन की कमी ही है जिससे तनख़्वाह बढ़ने पर लोग तत्काल बाज़ार जाकर नई कार ख़रीद लेते हैं या विदेशयात्रा पर निकल जाते हैं।

यह कहना कठिन है कि दस क़दमों में कौन सा सबसे ज़्यादा महत्वपूर्ण है। परंतु सभी क़दमों में से इस क़दम की विशेषज्ञता सबसे कठिन है, अगर यह आपमें पहले से ही मौजूद न हो। मैं तो यह भी कहना चाहूँगा कि ख़ुद पर अनुशासन की कमी ही वह सबसे बड़ा कारण है जो लोगों को तीन समुदायों में बाँटता है, अमीर, ग़रीब और मध्य वर्ग।

सीधे तरीक़े से कहें तो जिन लोगों में आत्म-सम्मान कम होता है और जो फ़ायनेंशियल दबावों को ज़्यादा सहन नहीं कर पाते, वे कभी अमीर नहीं बन सकते और कभी नहीं का मतलब होता है कभी नहीं। जैसा मैंने पहले बताया था, मैंने अपने अमीर डैडी से यह सबक़ सीखा था कि 'दुनिया आपको इधर-उधर धकेलेगी।' दुनिया लोगों को इधर-उधर धकेलती है तो इसलिए नहीं क्योंकि बाक़ी लोग गुंडे होते हैं बल्कि इसलिए क्योंकि आपमें आंतरिक नियंत्रण और अनुशासन की कमी होती है। जिन लोगों में आंतरिक सहनशक्ति की कमी होती है, वे अक्सर उन लोगों के शिकार हो जाते हैं जिनमें आत्म-अनुशासन होता है।

मैं जिन व्यावसायिक कक्षाओं में पढ़ाता हूँ, वहाँ मैं लोगों को लगातार यह याद दिलाता हूँ कि वे अपने सामान या सेवा पर अपना ध्यान केंद्रित न करें, बल्कि मैनेजमेंट की कला पर अपना ध्यान केंद्रित करें। अपना ख़ुद का व्यवसाय शुरू करने के लिए तीन सर्वाधिक महत्वपूर्ण मैनेजमेंट दक्षताएँ हैं :

1. कैशफ़्लो का मैनेजमेंट।

2. लोगों का मैनेजमेंट।

3. व्यक्तिगत समय का मैनेजमेंट।

मैं यह कहूँगा कि ये तीन दक्षताएँ केवल व्यवसाय शुरू करने वालों के लिए ही नहीं, बल्कि सभी के काम की हैं। ये तीनों आपकी जीवनशैली में महत्वपूर्ण भूमिका निभाती हैं, व्यक्ति के रूप में, परिवार के सदस्य के रूप में, व्यवसाय में, किसी धर्मार्थ संगठन में, शहर या देश में।

ये सभी दक्षताएँ आत्म-अनुशासन को साधने से बढ़ जाती हैं। मैं "ख़ुद को सबसे पहले भुगतान करें" सिद्धांत को हल्केपन से नहीं लेता।

जॉर्ज क्लासन की पुस्तक *द रिचेस्ट मैन इन बैबिलॉन* में "ख़ुद को सबसे पहले भुगतान करें" का वक्तव्य सबसे पहले आया था। इस पुस्तक की करोड़ों प्रतियाँ बिक चुकी हैं। परंतु हालाँकि करोड़ों लोग इस ज़बर्दस्त जुमले को दोहराते हैं, बहुत कम लोग ही इस सलाह का पालन करते हैं। जैसा मैंने कहा है, फ़ायनेंशियल साक्षरता अंक पढ़ने की योग्यता देती है और अंक कहानी बता देते हैं। किसी आदमी के इन्कम स्टेटमेंट और बैलेंस शीट देखकर मैं तत्काल यह देख सकता हूँ कि जो लोग "ख़ुद को सबसे पहले भुगतान करें" के सिद्धांत का राग अलापते रहते हैं, वे दरअसल इसका कितना पालन करते हैं।

एक चित्र हज़ार शब्दों के बराबर होता है। तो एक बार फिर हम ऐसे लोगों के फ़ायनेंशियल स्टेटमेंट्स की तुलना करें जो ख़ुद को सबसे पहले भुगतान करते हैं और जो ऐसा नहीं करते।

वे लोग जो ख़ुद को सबसे पहले भुगतान करते हैं

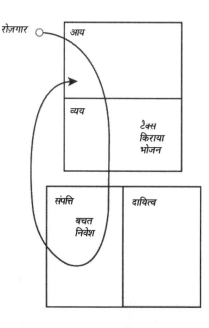

चित्रों का अध्ययन करें और देखें कि क्या आप कुछ अंतर पकड़ सकते हैं। इसके लिए कैशफ़्लो की समझ ज़रूरी है, जिससे कहानी बताई जाती है। ज़्यादातर लोग अंक देखते हैं और कहानी को अनदेखा कर देते हैं। अगर आप सचमुच कैशफ़्लो की ताक़त को समझना शुरू कर देते हैं तो आपको जल्द ही यह पता चल जाएगा कि अगले पृष्ठ पर दिए गए चित्र में कहाँ गड़बड़ी है और ९० फ़ीसदी लोग क्यों ज़िंदगी भर कड़ी मेहनत करते हैं और इसके बाद उन्हें सोशल सिक्युरिटी जैसी सरकारी मदद की ज़रूरत क्यों होती है।

क्या आप इसे देख सकते हैं? पिछले पृष्ठ पर दिया हुआ चित्र उस व्यक्ति के काम दर्शाता है जो ख़ुद का भुगतान सबसे पहले करता है। हर महीने अपने मासिक ख़र्चों का भुगतान करने से पहले वे अपने संपत्ति वाले कॉलम में पैसा डालते हैं। हालाँकि करोड़ों लोगों ने क्लासेन की पुस्तक पढ़ी है और "ख़ुद को सबसे पहले भुगतान करें" का सिद्धांत समझा है परंतु हक़ीक़त में वे ख़ुद को सबसे आख़िर में भुगतान करते हैं।

अब मैं आप में से उन लोगों की चीख़-पुकार सुन सकता हूँ जो अपने बिल्स का भुगतान सबसे पहले करने में गंभीरतापूर्वक विश्वास करते हैं। और मैं यह भी सुन सकता हूँ कि सभी 'ज़िम्मेदार' लोग अपने बिल समय पर चुकाते हैं। मैं यह नहीं कहता कि आप ग़ैर-ज़िम्मेदार हो जाएँ या अपने बिल का भुगतान न करें। मैं सिर्फ़ यह कहता हूँ कि आप वही करें जो यह पुस्तक आपको सिखाती है, यानी "ख़ुद को सबसे पहले पैसा दें"। और पिछले पृष्ठ पर दिया गया चित्र इसी सिद्धांत का सही लेखांकन चित्र है। जबकि बाद में आने वाला चित्र पूरी तरह से ग़लत है।

ऐसा व्यक्ति जो हर एक को पहले चुकाता है – आख़िर में उसके पास अक्सर कुछ नहीं बचता।

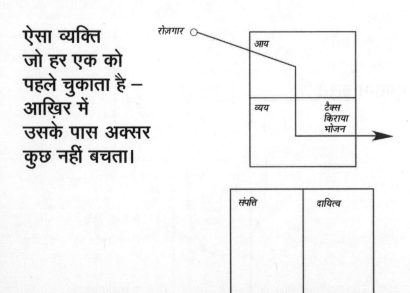

मेरी पत्नी और मेरे पास कई बुककीपर्स, अकाउंटेंट्स और बैंकर हैं, जिन्हें शुरू में हमारे इस "ख़ुद को सबसे पहले पैसा दें" सिद्धांत से बहुत समस्या होती थी। इसका कारण यह है कि यह फ़ायनेंशियल प्रोफ़ेशनल भी दरअसल वही करते हैं जो कि जनता करती है यानी ख़ुद को सबसे आख़िर में पैसा देते हैं। वे बाक़ी लोगों को सबसे पहले पैसा देते हैं।

मेरे जीवन में ऐसे महीने भी आए हैं जब किन्हीं कारणों से मेरा कैशफ़्लो मेरे बिल्स से काफ़ी कम रहा है। फिर भी मैंने ख़ुद को ही सबसे पहले पैसा दिया। मेरे अकाउंटेंट और बुककीपर चीख़ने लगे। "वे आपके पीछे पड़ जाएँगे। आपको जेल भी हो सकती है।" "आप अपनी क्रेडिट रेटिंग बिगाड़ लेंगे।" "वे लोग बिजली काट देंगे।" मैंने फिर भी सबसे पहले ख़ुद को ही पैसा दिया।

आप पूछेंगे, "क्यों?" क्योंकि *द रिचेस्ट मैन इन बैबिलॉन** की कहानी इसी बारे में है। ख़ुद पर अनुशासन की ताक़त और आंतरिक सहनशक्ति के बारे में। इसे बोलचाल की भाषा में 'गुर्दा' भी कह सकते हैं। जैसा मेरे अमीर डैडी ने मेरी नौकरी के पहले माह में मुझे बताया था कि ज़्यादातर लोग दुनिया की ठोकरें सहन करते रहते हैं। पैसे वसूलने वाला आता है और आप "या तो पैसे चुकाओ वरना"। तो आप उसे पैसे दे देते हैं और ख़ुद को पैसे नहीं देते हैं। एक सेल्स क्लर्क कहता है, "आप इसे अपने चार्ज कार्ड में डाल दें।" आपका रियल एस्टेट एजेंट आपसे कहता है, "आगे बढ़े चलो- घर ख़रीदने पर सरकार आपको टैक्स में छूट देती है।" पूरी पुस्तक दरअसल इसी बारे में है। आपमें धारा के विरुद्ध जाने का और अमीर बनने का गुर्दा होना चाहिए। हो सकता है कि आप कमज़ोर न हों, परंतु जब पैसे की बात आती है तो कई लोगों का हौसला पस्त होने लगता है।

मैं यह नहीं कहता कि आप ग़ैरज़िम्मेदार बनें। मुझ पर ज़्यादा क़र्ज़ नहीं है, क्रेडिट कार्ड का क़र्ज़ भी नहीं और ऐसा इसलिए है क्योंकि मैं ख़ुद को सबसे पहले पैसे देता हूँ। मैं अपनी आय को कम से कम इसलिए करता हूँ क्योंकि मैं इसे सरकार को नहीं देना चाहता। इसीलिए आपमें से जिन लोगों ने *द सीक्रेट्स ऑफ़ द रिच* नाम का वीडियो देखा होगा, उन्हें मैं यह बता दूँ कि मेरी आय नेवादा के कॉरपोरेशन के ज़रिए मेरे संपत्ति वाले कॉलम से आती है। अगर मैं पैसे के लिए काम करता, तो सरकार इसे ले लेती।

हालाँकि मैं अपने बिल्स का भुगतान सबसे आख़िर में करता हूँ, परंतु मुझमें इतनी आर्थिक समझ है कि मैं किसी मुश्किल में नहीं फँसता हूँ। मैं कंज़्यूमर क़र्ज़ को पसंद नहीं करता हूँ। मेरे पास इतने दायित्व हैं जो 99 फ़ीसदी लोगों से ज़्यादा हैं परंतु उनका भुगतान मैं नहीं करता हूँ बल्कि दूसरे लोग मेरी

---

* हिन्दी अनुवाद, 'बैबिलॉन का सबसे अमीर आदमी,' मंजुल पब्लिशिंग हाउस।

देनदारियों को चुकाते हैं। वे मेरे किराएदार कहलाते हैं। तो ख़ुद को पैसा देने में पहला नियम यह है कि कभी क़र्ज़ में मत फँसो। हालाँकि मैं अपने बिल्स का भुगतान सबसे आख़िर में करता हूँ, परंतु मैं केवल कुछ महत्वहीन बिल्स ही बचाकर रखता हूँ।

दूसरी बात यह कि जब भी मेरे पास पैसा कम होता है तब भी मैं ख़ुद को ही सबसे पहले पैसे देता हूँ। मैं क़र्ज़ देने वालों और सरकार को चीख़ने देता हूँ। जब वे कठोर होते हैं तो मुझे अच्छा लगता है। क्यों? क्योंकि ये लोग मुझ पर एक एहसान कर रहे हैं। वे मुझे प्रेरित कर रहे हैं कि मैं जाऊँ और ज़्यादा पैसा कमाऊँ। तो मैं ख़ुद को सबसे पहले पैसा देता हूँ, उस पैसे को निवेश करता हूँ और क़र्ज़ देने वालों को चीख़ने देता हूँ। मैं वैसे आम तौर पर उन्हें सही समय पर भुगतान कर देता हूँ। मेरी पत्नी और मेरी साख बहुत अच्छी है। हम केवल दबाव में नहीं आते हैं और क़र्ज़ उतारने के लिए अपनी बचत का इस्तेमाल नहीं करते, न ही उसके लिए अपने स्टॉक को बेचते हैं। इसमें बहुत ज़्यादा समझदारी नहीं है।

तो जवाब यह है :

1. ऐसे बड़े क़र्ज़ में न फँसें जिसका भुगतान आपको करना हो। अपने ख़र्चों को सीमित रखें। अपनी संपत्ति को सबसे पहले बनाएँ। फिर बड़ा घर या शानदार कार ख़रीदें। चूहा दौड़ में फँसे रहना समझदारी नहीं है।
2. जब आपके पास पैसा कम हो, तो दबाव को बढ़ने दें और अपनी बचत या निवेश को ख़र्च न करें। उस दबाव को अपनी फ़ायनेंशियल प्रतिभा को प्रेरित करने के लिए इस्तेमाल करें ताकि आप ज़्यादा पैसा कमाने और अपने बिल्स का भुगतान करने के नए तरीक़ों के बारे में सोच सकें। इससे ज़्यादा पैसा कमाने की आपकी योग्यता भी बढ़ेगी और आपकी फ़ायनेंशियल बुद्धि भी ज़्यादा विकसित होगी।

मैं कई बार फ़ायनेंशियल भट्टी में तपा हूँ और मैंने अपने दिमाग़ का इस्तेमाल करके ज़्यादा आमदनी हासिल की है और यह ध्यान रखा है कि मेरे संपत्ति वाले कॉलम को कोई नुक़सान न पहुँचे। मेरा बुककीपर चीख़ने लगा और बचाव के लिए छुप गया, परंतु मैं उस तरह का सिपाही था जो क़िले की रक्षा के लिए लड़ रहा था।

ग़रीब लोगों की आदतें भी ग़रीब होती हैं। एक आम बुरी आदत है "बचत में से पैसे निकाल लेना।" अमीर लोग जानते हैं कि बचत को ज़्यादा धन कमाने के लिए इस्तेमाल किया जाता है, न कि बिलों का भुगतान करने के लिए।

मैं जानता हूँ कि यह कठोर जान पड़ता है, परंतु जैसा मैंने कहा, अगर आप अंदर से कठोर नहीं हैं, तो दुनिया आपको इधर से उधर धकेलेगी।

अगर आप आर्थिक दबाव पसंद न करते हों, तो एक ऐसा फ़ॉर्मूला खोज लें जो आपके लिए कारगर साबित हो। एक अच्छा फ़ॉर्मूला यह होगा कि ख़र्च कम किए जाएँ, पैसे को बैंक में रखा जाए, ज़्यादा इन्कम टैक्स चुकाया जाए, सुरक्षित म्यूचुअल फ़ंड्स ख़रीदे जाएँ और औसत बने रहने की क़सम खाई जाए। परंतु यह "ख़ुद को सबसे पहले भुगतान करें" के सिद्धांत का उल्लंघन करता है।

यह नियम आत्म-बलिदान या आर्थिक सन्यास को प्रोत्साहित नहीं करता है। इसका मतलब यह नहीं है कि ख़ुद को सबसे पहले पैसे देने के बाद भूखे मरो। ज़िंदगी मौज-मस्ती के लिए है। अगर आप अपनी फ़ायनेंशियल प्रतिभा को जाग्रत कर लेंगे तो आपके पास जीवन के सभी सुख हो सकते हैं, आप अमीर बन सकते हैं और आप बिल चुका सकते हैं और इस प्रक्रिया में अच्छी ज़िंदगी भी जी सकते हैं। और यही फ़ायनेंशियल बुद्धि कहलाती है।

6. **अपने ब्रोकर को अच्छा पैसा दें** : अच्छी सलाह की शक्ति। मैं अक्सर देखता हूँ कि लोग अपने घर के सामने एक पट्टी टाँग देते हैं, 'मालिक बेचना चाहता है'। या मैं टीवी पर देखता हूँ कि कई लोग 'डिस्काउंट ब्रोकर्स' होने का दावा करते हैं।

मेरे अमीर डैडी ने मुझे इसका उल्टा सिखाया है। वे इस बात में भरोसा करते थे कि प्रोफ़ेशनल्स को अच्छा भुगतान किया जाए और मैंने भी उसी सिद्धांत को अपनाया है। आज मेरे पास महँगे वकील, अकाउंटेंट्स, रियल एस्टेट ब्रोकर्स और स्टॉक ब्रोकर्स हैं। क्यों? क्योंकि अगर, और मेरा सचमुच मानना है अगर, लोग प्रोफ़ेशनल्स हैं तो उनकी सेवाओं से आपको पैसा मिलना चाहिए। और वे जितना ज़्यादा पैसा कमाएँगे, आप भी उतना ही ज़्यादा पैसा कमाएँगे।

हम सूचना के युग में रह रहे हैं। सूचना बेशक़ीमती है। एक अच्छा ब्रोकर आपको सूचना तो देगा ही, आपको शिक्षित करने के लिए समय भी देगा। मेरे पास कई ब्रोकर हैं जो मेरे लिए यह करने के इच्छुक हैं। कुछ ने मुझे तब सिखाया है जब मेरे पास बहुत कम पैसा था या बिलकुल भी पैसा नहीं था और मैं आज भी उनके साथ हूँ।

मैं ब्रोकर को जितना पैसा देता हूँ वह मेरे द्वारा उसकी सूचना से कमाए गए धन का बहुत छोटा हिस्सा होता है। मैं इसे पसंद करता हूँ जब मेरा रियल एस्टेट ब्रोकर या स्टॉक ब्रोकर बहुत पैसा कमाता है। क्योंकि इसका आम तौर पर यह मतलब होता है कि मैंने भी बहुत सा पैसा कमाया है।

एक अच्छा ब्रोकर मुझे पैसे कमाने की जानकारी देने के अलावा मेरा समय भी बचाता है- जैसे उस समय जब मैंने ख़ाली ज़मीन के टुकड़े को 9,000 डॉलर में ख़रीदा और तत्काल इसे 25,000 डॉलर में बेच दिया ताकि मैं अपने लिए जल्दी से कार ख़रीद सकूँ।

ब्रोकर आपके लिए बाज़ार की आँख और कान है। वे हर रोज़ वहाँ होते हैं और इसलिए मेरी वहाँ कोई ज़रूरत नहीं होती। मैं उसके बजाय गोल्फ़ खेल सकता हूँ।

इसके अलावा, जो लोग ख़ुद ही अपना घर बेचते हैं उनके लिए ख़ुद के समय की कोई ख़ास क़ीमत नहीं होती। मैं कुछ पैसे बचाने के चक्कर में अपना समय क्यों ख़राब करूँ जबकि इस समय को मैं ज़्यादा पैसा कमाने या अपने अंतरंग लोगों के साथ बिताने में इस्तेमाल कर सकता हूँ? मुझे यह बहुत मज़ेदार लगता है कि इतने ज़्यादा ग़रीब और मध्य वर्गीय लोग रेस्तराँ में ख़राब सर्विस के बावजूद 15 से 20 फ़ीसदी टिप देते हैं और ब्रोकर को 3 से 7 फ़ीसदी देने में आनाकानी और शिकायत करते हैं। वे ख़र्च वाले कॉलम के लोगों को टिप देते हैं और संपत्ति वाले कॉलम के लोगों को टिप देने से कतराते हैं। यह आर्थिक समझदारी नहीं है।

सभी ब्रोकर एक जैसे नहीं होते। दुर्भाग्य से, ज़्यादातर ब्रोकर सेल्समेन होते हैं। मैं तो यह कहूँगा कि रियल एस्टेट के सेल्समेन सबसे बुरे होते हैं। वे बेचते हैं, परंतु उनके पास ख़ुद बहुत कम या बिलकुल भी रियल एस्टेट नहीं होता। घर बेचने वाले ब्रोकर और निवेश बेचने वाले ब्रोकर में बहुत बड़ा अंतर होता है। और यह स्टॉक, बॉन्ड, म्यूचुअल फ़ंड और बीमा ब्रोकर के बारे में भी सही है जो ख़ुद को फ़ायनेंशियल प्लानर कहते हैं। परीकथा की ही तरह आप एक राजकुमार खोजने के लिए बहुत से मेंढकों को चूमते हैं। पुरानी कहावत को याद कीजिए, "अगर आपको एन्साइक्लोपीडिया की ज़रूरत हो, तो एन्साइक्लोपीडिया बेचने वाले से न पूछें।"

जब मैं किसी प्रोफ़ेशनल का इंटरव्यू लेता हूँ तो मैं पहले यह पता करता हूँ कि उसके पास ख़ुद कितनी व्यक्तिगत प्रॉपर्टी या स्टॉक हैं और वह कितना फ़ीसदी टैक्स दे रहा है। यही मेरे टैक्स अटॉर्नी और मेरे अकाउंटेंट के बारे में भी करता हूँ। मेरे पास एक अकाउंटेंट है जो अपने काम से काम रखती है। उसका पेशा हालाँकि अकाउंटिंग है, परंतु उसका काम रियल एस्टेट है। मेरे पास एक अकाउंटेंट था जो एक छोटा बिज़नेस अकाउंटेंट था, परंतु उसके पास रियल एस्टेट बिलकुल नहीं था। मैंने अकाउंटेंट बदल लिया क्योंकि हम एक व्यवसाय को प्रेम नहीं करते थे।

ऐसा ब्रोकर खोजें जो आपके सर्वश्रेष्ठ हितों को ध्यान में रखता हो। कई ब्रोकर आपको शिक्षित करने के लिए समय निकाल लेंगे और वे आपके द्वारा

खोजी गई सर्वश्रेष्ठ संपत्ति साबित हो सकते हैं। बस उदार रहें और वे भी आपके प्रति उदार रहेंगे। अगर आप उनके कमीशन में कटौती करने के बारे में ही सोचते रहेंगे तो वे आपके आस-पास क्यों रहना चाहेंगे? यह विशुद्ध और आसान सा तर्क है।

जैसा मैंने पहले कहा था, मैनेजमेंट की दक्षताओं में से एक लोगों का मैनेजमेंट है। कई लोग केवल ऐसे लोगों को मैनेज कर पाते हैं जो उनसे कम स्मार्ट हों और जिन पर उनकी सत्ता हो, जैसे किसी ऑफ़िस में अधीनस्थ। कई दोयम दर्जे के मैनेजर्स दोयम दर्जे के मैनेजर्स ही बने रहेंगे और उन्हें कभी तरक़्क़ी नहीं मिलेगी क्योंकि वे यह तो जानते हैं कि नीचे वालों के साथ कैसे काम किया जाता है, परंतु वे यह नहीं जानते कि ऊपर वालों के साथ कैसे काम किया जाता है। असली दक्षता है किसी तकनीकी क्षेत्र में अपने से श्रेष्ठ और ज़्यादा स्मार्ट व्यक्तियों को मैनेज करना और उन्हें अच्छे पैसे देना। इसीलिए कंपनियों में बोर्ड ऑफ़ डायरेक्टर्स होता है। आपके पास भी होना चाहिए। और यह फ़ायनेंशियल समझदारी है।

7. **'इंडियन दाता' बनें** : यह बिना कुछ दिए पाने की ताक़त है। जब अमेरिका में गोरे लोग गए, तो उन्हें अमेरिकी इंडियन्स की सांस्कृतिक परंपरा से झटका लगा। उदाहरण के तौर पर, अगर किसी गोरे आदमी को ठंड लगती थी, तो इंडियन उसे कंबल दे देते थे। श्वेत प्रवासी इसे उपहार समझ लेते थे और जब इंडियन कंबल वापस माँगता था तो उन्हें बहुत बुरा लगता था।

इंडियन्स को भी बुरा लगता था जब उन्हें यह पता चलता था कि श्वेत प्रवासी कंबल वापस नहीं करना चाहते थे। इस तरह 'इंडियन दाता' वाक्यांश पैदा हुआ। एक छोटी सी सांस्कृतिक नासमझी के कारण।

'संपत्ति के कॉलम' की दुनिया में इंडियन दाता बनना दौलत के लिए बहुत ज़रूरी है। परिष्कृत निवेशक का पहला सवाल यह होता है, "मेरा पैसा मुझे कितनी जल्दी वापस मिल जाएगा?" वे यह भी जानना चाहते हैं कि उन्हें मुफ़्त में क्या मिल रहा है। इसीलिए निवेश पर वापसी इतनी महत्वपूर्ण है।

उदाहरण के तौर पर मुझे एक छोटा रियल एस्टेट मिला जो मेरे घर से थोड़ी ही दूरी पर था। बैंक 60,000 डॉलर चाहती थी और मैंने 50,000 डॉलर की बोली लगाई जो उन्होंने सिर्फ़ इसलिए स्वीकार कर ली क्योंकि बोली के साथ 50,000 डॉलर का चेक भी लगा हुआ था। उन्होंने यह महसूस किया कि मैं गंभीर था। ज़्यादातर निवेशक यह कहेंगे कि क्या आप अपना बहुत सा पैसा फँसा नहीं रहे हैं? क्या इस पर लोन लेना ज़्यादा बेहतर नहीं होता। इसका जवाब है, इस मामले में बिलकुल नहीं। मेरी निवेश कंपनी जाड़े के महीनों में इसे वैकेशन रेंटल के रूप में इस्तेमाल करती है जब प्रवासी पक्षी

एरिज़ोना से आते हैं और इसे चार महीनों के लिए 2,500 डॉलर किराए पर दे देती है। बाक़ी के आठ महीनों में इसका किराया केवल 1,000 डॉलर होता है। मेरा पैसा लगभग तीन सालों में वापस आ गया था। अब मैं इस संपत्ति का मालिक हूँ जो हर महीने मेरी आमदनी बढ़ाती रहती है।

यही स्टॉक के बारे में किया जाता है। प्रायः मेरा ब्रोकर मुझे सलाह देता है कि मैं किस कंपनी के स्टॉक में काफ़ी पैसा लगाऊँ क्योंकि उसके विचार से वह कंपनी कोई ऐसा क़दम उठाने वाली है जिससे उसके शेयर में तेज़ी आ जाएगी जैसे कोई नया सामान बाज़ार में लाने वाली है। मैं अपने पैसे को एक हफ़्ते से लेकर एक महीने तक लगाए रखता हूँ जब शेयर की क़ीमतें बढ़ती हैं। फिर मैं अपनी मूल धनराशि को निकाल लेता हूँ और बाज़ार के उतार-चढ़ाव से बेफ़िक्र हो जाता हूँ क्योंकि मेरी मूल रक़म वापस आ चुकी है और दूसरी संपत्ति पर काम करने के लिए तैयार है। इस तरह मेरा पैसा जाता है, और फिर बाहर आ जाता है और मैं एक ऐसी संपत्ति का मालिक बन जाता हूँ जो एक तरह से मुझे मुफ़्त में मिलती है।

यह सच है कि मैंने कई मौक़ों पर पैसा खोया भी है। परंतु मैं उतने ही पैसों से खेल खेलता हूँ जितने का नुक़सान मैं सहन कर सकता हूँ। मैं यह कहूँगा कि औसत दस निवेशों पर मुझे दो या तीन में बहुत फ़ायदा होता है, जबकि पाँच या छह में कोई लाभ-हानि नहीं होती और मैं दो या तीन में घाटा भी खाता हूँ। परंतु मैं अपने नुक़सान को उसी पैसे तक सीमित कर लेता हूँ जो मेरे पास उस समय होते हैं।

जो लोग जोखिम से नफ़रत करते हैं, वे अपने पैसे को बैंक में रख देते हैं। और दीर्घकाल में उनकी बचत कुछ नहीं से बेहतर ही होती है। परंतु आपको अपना पैसा वापस निकालने में बहुत लंबा समय लग जाता है और ज़्यादातर मामलों में तो आपको इसके साथ कुछ भी मुफ़्त नहीं मिलता है। पहले तो वे टोस्टर दिया करते थे परंतु आजकल ऐसा बिरले ही होता है।

मेरे हर निवेश पर एक न एक चीज़ मुफ़्त होनी चाहिए। एक छोटा रियल एस्टेट, एक मिनी स्टोरेज, ख़ाली ज़मीन का टुकड़ा, घर, स्टॉक शेयर्स या ऑफ़िस बिल्डिंग। और जोखिम सीमित भी होना चाहिए। इस विषय पर इतनी ज़्यादा पुस्तकें लिखी जा चुकी हैं कि मैं इसमें नहीं जाना चाहूँगा। मैक्डॉनल्ड के मशहूर रे क्रॉक हैमबर्गर फ्रैंचाइज़ी इसलिए नहीं बेचते थे क्योंकि उन्हें हैमबर्गर से प्यार था, बल्कि इसलिए क्योंकि उन्हें उस फ्रैंचाइज़ी के साथ आने वाला रियल एस्टेट मुफ़्त मिलता था। तो समझदार निवेशकों को ब्याज की दर से ज़्यादा चीज़ों का ध्यान रखना चाहिए। आपका पैसा वापस मिल जाने पर आपके पास क्या संपत्ति आती है यह भी महत्वपूर्ण है। यही फ़ायनेंशियल समझदारी है।

8. **संपत्ति से विलासिता की चीज़ें ख़रीदी जाती हैं :** केंद्रित करने की शक्ति। मेरे एक दोस्त का बेटा बहुत ख़र्चीला था और उसकी जेब में ऐसा लगता था जैसे छेद हो गया हो। 16 साल की उम्र में स्वाभाविक रूप से उसे अपनी कार चाहिए थी। बहाना यह था, "सभी दोस्तों के मम्मी-डैडी ने अपने बच्चों के लिए कार ख़रीदी है।" यह लड़का अपनी बचत में से पैसे निकालकर नक़द कार ख़रीदना चाहता था। ऐसे समय में उसके डैडी ने मुझसे सलाह माँगी।

"आप क्या सोचते हैं कि मुझे उसे ऐसा करने देना चाहिए या मैं भी दूसरे पिताओं की तरह उसे कार ख़रीदकर दे दूँ?"

इसके जवाब में मैंने कहा, "कुछ समय के लिए तो ठीक है परंतु लंबे समय के लिए आप उसे क्या सिखा पाएँगे? क्या आप अपने बच्चे की कार प्राप्त करने की इच्छा से उसे कुछ सीखने के लिए प्रेरित कर सकते हैं?" अचानक उसके दिमाग़ की बत्तियाँ जल गईं और वह तुरंत घर की तरफ़ चल पड़ा।

दो महीने बाद मुझे वह दोस्त फिर मिला। "क्या तुम्हारे बेटे को अपनी नई कार मिल गई?" मैंने पूछा।

"नहीं, उसे नहीं मिली। परंतु मैं गया और उसे कार के लिए 3,000 डॉलर दे दिए। मैंने उससे कहा कि वह अपने कॉलेज के पैसे के बजाय मेरे पैसे का उपयोग करे।"

मैंने कहा, "यह तो आपकी उदारता है।"

"नहीं। उस पैसे के साथ एक शर्त भी जुड़ी है। मैंने आपकी सलाह मान ली और उसकी कार ख़रीदने की प्रबल इच्छा के साथ सीखने की शर्त भी रखी है।"

"शर्त क्या है?" मैंने पूछा।

"पहले तो हमने आपके कैशफ़्लो गेम का सहारा लिया। हमने इसे खेलते हुए पैसे के समझदारी से इस्तेमाल पर एक लंबा विचार-विमर्श किया। फिर मैंने उसे वॉल स्ट्रीट जरनल की सदस्यता दिलवा दी और स्टॉक मार्केट पर कुछ पुस्तकें भी दिलवाईं।"

"फिर, दिक़्क़त कहाँ थी?"

"मैंने उससे कहा कि 3,000 डॉलर उसके हैं, परंतु वह इनसे सीधे कार नहीं ख़रीद सकता है। वह इनसे स्टॉक ख़रीद और बेच सकता है, ख़ुद का ब्रोकर ढूँढ़ सकता है और एक बार वह इन 3,000 डॉलर के 6,000 डॉलर बना लेता है तो वह अपनी कार ख़रीद सकता है और बाक़ी के 3,000 डॉलर उसके कॉलेज के फ़ंड में जाएँगे।"

मैंने पूछा, "और इसके परिणाम क्या निकले?"

"वह शुरुआत में क़िस्मत वाला रहा, परंतु कुछ दिनों बाद उसने अपने मुनाफ़े की सारी रक़म गँवा दी। तब वह सचमुच रुचि लेने लगा। आज चाहे वह 2,000 डॉलर के घाटे में है, परंतु उसकी रुचि बहुत बढ़ गई है। उसने मेरे द्वारा ख़रीदी सारी पुस्तकें पढ़ डाली हैं और वह और ज़्यादा पुस्तकों की खोज में पुस्तकालय भी गया था। वह मन लगाकर वॉल स्ट्रीट जरनल पढ़ता है, सूचकों पर नज़र रखता है और एम.टीवी के बजाय सी.एन.बी.सी. देखता है। उसके पास केवल 1,000 डॉलर बचे हैं परंतु उसकी रुचि और ज्ञान आसमान को छू रहे हैं। वह जानता है कि अगर वह इस पैसे को खो देगा तो फिर उसे दो सालों तक अपने पैरों पर ही चलना पड़ेगा। परंतु उसे उसकी कोई ख़ास चिंता नहीं है। अब उसे कार हासिल करने में ज़्यादा रुचि नहीं है क्योंकि उसे एक ऐसा खेल मिल गया है जिसमें उसे ज़्यादा आनंद मिलता है।"

"क्या होगा अगर वह सारा पैसा हार जाता है?" मैंने पूछा।

"जब होगा तब देखा जाएगा। मैं तो चाहूँगा कि वह अभी सारा पैसा हार जाए बजाय इसके कि वह हमारी उम्र में आकर सारा पैसा हारे। और इसके अलावा मैं तो यह मानता हूँ कि उसकी शिक्षा पर ख़र्च किए गए यह सर्वश्रेष्ठ 3,000 डॉलर थे। जो वह सीख रहा है वह ज़िंदगी भर उसके काम आएगा और वह पैसे की ताक़त का सम्मान करना भी सीख गया है। मुझे लगता है कि अब उसकी जेब का छेद बंद हो चुका है।"

जैसा मैंने "ख़ुद को सबसे पहले भुगतान करें" वाले खंड में कहा था, अगर कोई व्यक्ति आत्म-अनुशासन की ताक़त हासिल नहीं कर सकता, तो बेहतर यही होगा कि वह कभी अमीर बनने की कोशिश न करे। सैद्धांतिक हिसाब से संपत्ति वाले कॉलम से कैशफ़्लो विकसित करने की प्रक्रिया आसान नज़र आती है, परंतु इसमें पैसे को दिशा देने की मानसिक सहनशक्ति की ज़रूरत होती है जो मुश्किल साबित होता है। बाहरी आकर्षणों और प्रलोभनों के कारण आज की ख़रीदारी की दुनिया में यह ज़्यादा आसान हो चला है कि पैसे को पूरा उड़ा ही दिया जाए। कमज़ोर मानसिक शक्ति के कारण ही वह पैसा सबसे कम प्रतिरोध वाले रास्ते पर बह जाता है। यही ग़रीबी और आर्थिक संघर्ष का कारण है।

मैंने फ़ायनेंशियल समझदारी का यह आँकड़ों का उदाहरण इसलिए दिया ताकि पैसे से ज़्यादा पैसे कमाने की योग्यता को जाना जा सके।

अगर हम 100 लोगों को साल के शुरू में 10,000 डॉलर दे दें तो साल के अंत में क्या होगा :

• 80 के पास कुछ भी नहीं बचेगा। वास्तव में, कई तो ज़्यादा क़र्ज़ में

दबे होंगे क्योंकि उन्होंने नई कार, फ्रिज, टीवी, वी.सी.आर. या छुट्टियों के लिए नक़द पैसा दिया होगा।

- 16 ने उस 10,000 डॉलर को 5 से 10 फ़ीसदी बढ़ाया होगा।
- 4 ने इसे 20,000 डॉलर या लाखों डॉलर तक बढ़ाया होगा।

हम किसी प्रोफ़ेशन को सीखने के लिए स्कूल जाते हैं ताकि हम पैसे के लिए काम कर सकें। मेरे विचार में यह सीखना भी महत्वपूर्ण होता है कि पैसे से अपने लिए कैसे काम करवाया जाता है।

मैं भी हर व्यक्ति की तरह विलासिता की वस्तुओं से प्रेम करता हूँ। अंतर यह है कि कई लोग अपनी विलासिता को क़र्ज़ लेकर ख़रीदते हैं। यह पड़ोसियों से प्रतियोगिता करने का जाल है। जब मैं कार ख़रीदना चाहता था, तब आसान रास्ता यही था कि मैं अपने बैंकर को बुलाकर लोन ले लेता। परंतु मैंने दायित्व वाले कॉलम को बढ़ाने के बजाय संपत्ति वाले कॉलम पर ध्यान केंद्रित रखा।

अब तो मुझे आदत पड़ चुकी है कि मैं अपने ख़र्च की इच्छा से प्रेरित होता हूँ कि किस तरह उसके लिए अतिरिक्त पैसे जुटा सकूँ।

आजकल प्रायः हम अपनी मनचाही चीज़ों को ख़रीदने के लिए क़र्ज़ लेने पर ध्यान केंद्रित करते हैं और पैसा बनाने पर ध्यान केंद्रित नहीं करते हैं। यह रास्ता कुछ समय के लिए तो आसान है, परंतु लंबे समय में यह बहुत मुश्किल साबित होता है। यह एक ऐसी बुरी आदत है जो हममें इंसानों के रूप में और राष्ट्र के रूप में भी है। याद रखें, आसान रास्ते अक्सर मुश्किल बन जाते हैं और मुश्किल रास्ते अक्सर आसान बन जाते हैं।

जितनी जल्दी आप ख़ुद को और अपने प्रियजनों को पैसे के शासक के रूप में प्रशिक्षित कर लेंगे उतना ही आपके लिए बेहतर होगा। पैसा बहुत बड़ी ताक़त है। दुर्भाग्य से, लोग पैसे की ताक़त को अपने ख़िलाफ़ इस्तेमाल करते हैं। अगर आपमें पैसे की समझ कम है, तो पैसा आपके ऊपर राज करेगा। यह आपसे ज़्यादा स्मार्ट होगा। अगर पैसा आपसे ज़्यादा स्मार्ट बन जाएगा तो आप इसके लिए ज़िंदगी भर काम करते रहेंगे।

पैसे के ऊपर शासन करने के लिए आपको इससे ज़्यादा स्मार्ट बनना होगा। फिर पैसा वही करेगा जो आप इससे कहेंगे। यह आपकी आज्ञा का पालन करेगा। इसके ग़ुलाम होने के बजाय आप इसके मालिक होंगे। यही आर्थिक समझदारी है।

9. **नायकों की ज़रूरत :** मिथक की ताक़त। जब मैं छोटा था, तब मैं विली मेज़, हैंक आरन, योगी बेरा का बहुत बड़ा प्रशंसक था। वे मेरे आदर्श थे। लिटिल लीग खेल रहे बच्चे के रूप में मैं उनकी तरह

होना चाहता था। मैंने उनके बेसबॉल कार्ड भी सहेजकर रखे थे। मैं उनके बारे में सब कुछ जान लेना चाहता था। मैं उनके बारे में सभी आँकड़े जानता था, उनके बैटिंग के औसत, उनको मिलने वाली धनराशि और वे किस तरह बड़े हुए; सब कुछ। मैं सब कुछ इसलिए जानना चाहता था क्योंकि मैं उनके जैसा बनना चाहता था।

नौ या दस साल की उम्र में मैं जब बेसबॉल खेलने के लिए मैदान पर जाता था तो मैं नहीं जाता था, बल्कि मेरे रूप में योगी या हैंक मैदान पर उतरते थे। यह सीखने के सबसे सशक्त तरीक़ों में से एक है जो हम बड़े होने के बाद खो देते हैं। हम अपने नायकों को खो देते हैं। हम अपने नौसिखिएपन को खो देते हैं।

आज, मैं अपने घर के पास छोटे बच्चों को बास्केटबॉल खेलते देखता हूँ। कोर्ट पर वे छोटे जॉनी नहीं होते; वे तो माइकल जॉर्डन, सर चार्ल्स या क्लाइड होते हैं। आदर्श नायकों की नक़ल करना ज्ञान प्राप्त करने का सच्चा और सशक्त तरीक़ा है। और इसीलिए जब ओ.जी. सिम्पसन की तरह का नायक बदनाम होता है तो इतनी चीख़-पुकार मचती है।

यह किसी अदालती कार्यवाही से ज़्यादा होता है। यह एक आदर्श नायक को खो देना होता है। एक ऐसा व्यक्ति जिसकी तरह बनने का सपना लोग बचपन से सँजोए थे और वे जिसकी पूजा करते थे। अचानक हमें उस व्यक्ति को अपनी ज़िंदगी से निकालना पड़ता है।

जब मैं बड़ा हो गया तो मेरे आदर्श नायक बदल गए। मेरे गोल्फ़ के हीरो बने पीटर जैकब्सन, फ्रेड कपल्स और टाइगर वुड्स। मैं उनके शॉट की नक़ल करता हूँ और उनके बारे में सब कुछ पढ़ने की कोशिश करता हूँ। मेरे आदर्श नायकों में डोनाल्ड ट्रम्प, वॉरेन बुफ़े, पीटर लिंच, जॉर्ज सोरोस और जिम रॉजर्स भी हैं। बड़ा हो जाने के बाद मैं उनके आँकड़े उसी तरह जानता हूँ जिस तरह कि अपने बचपन में बेसबॉल हीरोज़ के आँकड़े जानता था। मैं अनुसरण करता हूँ जब वॉरेन बुफ़े निवेश करते हैं और बाज़ार के बारे में उनके नज़रिए के बारे में सब कुछ पढ़ने की कोशिश करता हूँ। मैं पीटर लिंच की पुस्तक भी इसलिए पढ़ता हूँ ताकि स्टॉक चुनने की उनकी तकनीक को समझ सकूँ। और मैं डोनाल्ड ट्रम्प के बारे में भी इसलिए पढ़ता हूँ ताकि यह जान सकूँ कि वे किस तरह सौदे करते हैं।

जिस तरह मैदान पर बेसबॉल के लिए बैटिंग करते जाते समय मैं ख़ुद की भूमिका में नहीं था, उसी तरह जब मैं बाज़ार में उतरता हूँ या मैं कोई सौदा करता हूँ तो मैं अवचेतन रूप से ट्रम्प की बहादुरी का अभिनय करता हूँ। या जब मैं किसी प्रवृत्ति का विश्लेषण करता हूँ तो मैं उसे इस तरह देखता हूँ जैसे पीटर लिंच यह काम कर रहे हों। आदर्श नायक होने से हम अपनी कच्ची

प्रतिभा के वृहद स्रोत का दोहन करते हैं।

परंतु आदर्श नायक हमें प्रेरित करने से भी ज़्यादा काम करते हैं। वे चीज़ों को ज़्यादा आसान बना देते हैं। चीज़ें आसान दिखने के कारण हम भी उन्हीं की तरह बनना चाहते हैं। "अगर वे ऐसा कर सकते हैं, तो मैं भी यही कर सकता हूँ।"

जब निवेश की बात आती है तो ज़्यादातर लोग इसे बहुत कठिन समझते हैं। इसके बजाय उन्हें आदर्श नायकों की तलाश करनी चाहिए जो इसे आसान बना देते हैं।

10. **सिखाओ और आपको हासिल होगा :** देने की शक्ति। मेरे दोनों डैडी शिक्षक थे। मेरे अमीर डैडी ने मुझे ऐसा सबक़ सिखाया जो मेरे साथ ज़िंदगी भर चल रहा है और वह सबक़ था परोपकार करना या देना। मेरे पढ़े-लिखे डैडी ने अपने समय और ज्ञान के द्वारा दूसरों को बहुत दिया, परंतु शायद ही कभी अपना पैसा दिया हो। जैसा मैं बता चुका हूँ, वे सामान्यतः कहा करते थे कि वे तभी देंगे जब उनके पास कुछ अतिरिक्त धन होगा। और उनके पास कभी भी अतिरिक्त धन नहीं होता था।

मेरे अमीर डैडी ने पैसा भी दिया और शिक्षा भी। वे देने के सिद्धांत में पक्का यक़ीन रखते थे। "अगर आपको कुछ चाहिए, तो आपको पहले कुछ देने की ज़रूरत है," वे हमेशा कहा करते थे। जब उनका हाथ तंग होता था, तब भी वे अपने चर्च या अपनी पसंदीदा धर्मार्थ संस्था को दान देते थे।

अगर मैं आपके पास कोई विचार छोड़ना चाहता हूँ तो वह विचार यही होगा। जब भी आपको किसी चीज़ की 'कमी' या 'ज़रूरत' महसूस हो तो पहले उस चीज़ को दे दें। बाद में वह बाल्टियों में भरकर आपके पास लौट आएगी। यह पैसा, मुस्कराहट, प्रेम, दोस्ती सभी के बारे में सही है। मैं जानता हूँ कि कोई भी व्यक्ति ऐसा नहीं करना चाहेगा, परंतु मैंने ऐसा किया है और इससे फ़ायदा भी उठाया है। मैं विश्वास करता हूँ कि आदान-प्रदान का सिद्धांत सही है और इसीलिए मैं वही चीज़ देता हूँ जो मैं पाना चाहता हूँ। मुझे पैसा चाहिए, इसलिए मैं पैसा देता हूँ और यह कई गुना होकर मेरे पास वापस आ जाता है। मैं बिक्री बढ़ाना चाहता हूँ इसलिए मैं किसी और व्यक्ति की कुछ बेचने में मदद कर देता हूँ और मेरी बिक्री बढ़ जाती है। मैं संपर्क बढ़ाना चाहता हूँ और मैं किसी और की संपर्क बढ़ाने में मदद कर देता हूँ और जादू की तरह मेरे भी संपर्क बढ़ जाते हैं। मैंने सालों पहले एक कहावत सुनी थी, "ईश्वर को कुछ नहीं चाहिए, पर इंसानों को देना चाहिए।"

मेरे अमीर डैडी अक्सर कहा करते थे, "ग़रीब लोग अमीरों से ज़्यादा लालची होते हैं।" उन्होंने इसे समझाते हुए कहा कि अगर कोई व्यक्ति अमीर

है तो वह व्यक्ति दूसरों द्वारा चाही गई कुछ चीज़ दे रहा है। मेरे जीवन में, मेरे तमाम वर्षों में, जब भी मैंने पैसे की कमी या ज़रूरत महसूस की है तो मैंने पहले तो अपने दिल को टटोला है कि मैं क्या चाहता हूँ और फिर इसे देने का फ़ैसला किया है। और जब मैंने दिया है, तो यह हमेशा मेरे पास वापस लौटा है।

यह मुझे उस व्यक्ति की कहानी याद दिलाता है जो जाड़े की ठंडी रात में लकड़ियाँ लेकर बैठा है और पास में ही धीमे-धीमे जल रहे चूल्हे पर चिल्ला रहा है, "जब तुम मुझे गर्मी दोगे, तब मैं कुछ लकड़ियाँ अंदर डालूँगा।" और जब पैसे, प्रेम, सुख, बिक्री और संपर्क की बात आती है, तो हर व्यक्ति को यही याद रखने की ज़रूरत है कि जो आप चाहते हैं, पहले आप उसे दे दें और यह कई गुना होकर आपके पास लौट आएगा। बहुधा केवल यही सोचने की प्रक्रिया से कि मैं क्या चाहता हूँ और इसे किसी और को किस तरह दे सकता हूँ, मेरे अंदर उदारता का ज्वार आने लगता है। जब भी मैं यह देखता हूँ कि लोग मेरी तरफ़ देखकर नहीं मुस्करा रहे हैं तो मैं आराम से मुस्कराना और हैलो करना शुरू कर देता हूँ और जादू की तरह, मेरे आस-पास अचानक बहुत से मुस्कराने वाले लोग जमा हो जाते हैं। यह सच है कि आपकी दुनिया केवल आपका दर्पण है।

तो इसीलिए मैं कहता हूँ, "सिखाओ और आपको मिलेगा।" मैंने पाया है कि मैं सीखने वालों को जितनी गंभीरता से, जितना ज़्यादा सिखाता हूँ, मैं भी उतना ही ज़्यादा सीखता हूँ। अगर आप पैसे के बारे में सीखना चाहते हैं तो इसे किसी और को सिखाएँ। ऐसा करने से आपके दिमाग़ में बहुत से नए विचारों और फ़ॉर्मूलों की बाढ़ आ जाएगी।

ऐसे भी समय आए हैं जब मैंने दिया है और कुछ भी वापस नहीं लौटा या जो मुझे मिला वह मैं नहीं चाहता था। परंतु क़रीबी जाँच और आत्म-अवलोकन से मुझे पता चला कि उन मामलों में मैं देने के लिए नहीं दे रहा था, बल्कि पाने के लिए दे रहा था।

मेरे डैडी ने शिक्षकों को सिखाया और वे एक मास्टर टीचर बन गए। मेरे अमीर डैडी ने युवा लोगों को अपना बिज़नेस करने का तरीक़ा सिखाया। मैं पीछे पलटकर देखता हूँ कि यह सीखने वालों की अपने ज्ञान के प्रति उदारता ही थी जिसके कारण वे ज़्यादा स्मार्ट बन गए। इस दुनिया में ऐसी ताक़तें हैं जो हमसे ज़्यादा स्मार्ट हैं। आप वहाँ ख़ुद अपने दम पर पहुँच सकते हैं, परंतु उन ताक़तों की मदद से वहाँ पहुँचना ज़्यादा आसान होता है। आपको बस इतना ही करना है कि आप उदार हों और वे ताक़तें भी आपके प्रति उदार होंगी।

अध्याय दस

और ज़्यादा चाहिए? कुछ काम जो आपको करने चाहिए

हो सकता है कि कई लोग मेरे दस क़दमों से संतुष्ट न हों। उनकी नज़र में यह फ़िलॉसफ़ी ज़्यादा है, और इसमें काम की बातें कम हैं। मैं यह मानता हूँ कि फ़िलॉसफ़ी भी उतनी ही महत्वपूर्ण है जितनी कि काम की बातें। ऐसे कई लोग हैं जो सोचने के बजाय करना चाहते हैं और ऐसे लोग भी हैं जो सोचते हैं परंतु करते कुछ नहीं हैं। मैं यही कहूँगा कि मैं दोनों प्रकार के लोगों का संयोग हूँ। मैं नए विचारों को पसंद करता हूँ और मैं काम करना भी पसंद करता हूँ।

तो उन लोगों के लिए जो "किस तरह शुरू करें" के बारे में कुछ मार्गदर्शक बातें जानना चाहते हैं, मैं संक्षेप में कुछ ऐसी बातें बताऊँगा जो मैं करता हूँ।

- आप जो कर रहे हैं, वह करना बंद कर दें। दूसरे शब्दों में, अवकाश लें और यह आकलन करें कि कौन सी चीज़ काम आ रही है और कौन सी चीज़ काम नहीं आ रही है। पागलपन की परिभाषा यही है कि आप वही चीज़ करते चले जाएँ और अलग परिणाम की अपेक्षा करें। जो सफल नहीं हो रहा है वह करना बंद कर दें और कुछ नया करने की खोज करें।

- नए विचारों की तलाश करें। नए निवेश के विचारों के लिए मैं पुस्तक की दुकानों में जाता हूँ और अलग-अलग और अनूठे विषयों पर पुस्तकें ढूँढ़ता हूँ। मैं उन्हें फ़ॉर्मूलों का नाम देता हूँ। मैं 'कैसे करें' पुस्तकें उस फ़ॉर्मूले के लिए ख़रीदता हूँ जिसके बारे में मैं कुछ भी नहीं जानता। उदाहरण के लिए मैंने एक पुस्तक की दुकान में जोएल मॉस्कोविट्ज़ की पुस्तक *द 16 परसेंट सॉल्युशन* देखी। मैंने वह पुस्तक ख़रीदी और पढ़ डाली।

तत्काल काम करो! अगले गुरुवार को मैंने बिलकुल वही किया जो पुस्तक में कहा गया था। मैंने हर क़दम पुस्तक के अनुसार उठाया था। वकीलों

के ऑफ़िसों या बैंकों में मैंने रियल एस्टेट के सौदों के साथ भी यही किया है। ज़्यादातर लोग तत्काल क़दम नहीं उठाते हैं या वे एक तरह से इस बात का इंतज़ार करते हैं कि कोई आएगा और उन्हें बताएगा कि उनके द्वारा सीखा गया नया फ़ॉर्मूला ग़लत है और उसका अनुसरण करना बिलकुल बेकार है। मेरे पड़ोसी ने मुझे बताया कि मेरा 16 फ़ीसदी का फ़ॉर्मूला क्यों बेकार है। बहरहाल, मैंने उसकी बात पर इसलिए ध्यान नहीं दिया क्योंकि उसने कभी ऐसा करके नहीं देखा था।

- किसी ऐसे व्यक्ति को खोजें जिसने वह किया हो, जो आप करना चाहते हैं। उन्हें लंच पर ले जाएँ। उनसे टिप्स लें, व्यवसाय की बारीकियाँ समझें। अपने 16 फ़ीसदी के प्रमाणपत्रों के लिए मैं काउंटी टैक्स ऑफ़िस गया और मैंने वहाँ पर काम करने वाली सरकारी कर्मचारी को खोजा। मैंने यह पाया कि वह भी इनमें निवेश करती है। तत्काल ही मैंने उसे लंच का न्यौता दे दिया। उसने रोमांचित होकर मुझे यह समझा दिया कि इसे कैसे करना है और उसने अपना पूरा ज्ञान मेरे सामने परोस दिया। लंच के बाद, उसने पूरे दिन मुझे वे जगहें दिखाईं जहाँ मैं इस तरह का सौदा कर सकता था। अगले दिन तक मैंने उसकी मदद से दो बड़ी जायदादों को पा लिया था और मैं तब से उन पर 16 फ़ीसदी की दर से ब्याज कमा रहा हूँ। मुझे पुस्तक पढ़ने में एक दिन लगा, क़दम उठाने में एक दिन लगा, लंच में एक घंटा लगा और दो बड़े सौदे करने में केवल एक दिन लगा।

- कक्षाओं में भाग लें और टेप ख़रीदें। मैं अख़बारों में नई और रोचक कक्षाओं की ख़बर खोजता रहता हूँ। इनमें से कई तो मुफ़्त होती हैं या उनकी फ़ीस बहुत कम होती है। मैं जो सीखना चाहता हूँ उस विषय पर मैं महँगे सेमिनारों में भी जाता हूँ। मैं इसलिए अमीर हूँ और मुझे इसलिए नौकरी करने की क़तई ज़रूरत नहीं है क्योंकि मैंने इस तरह के पाठ्यक्रमों में भाग लिया है। मेरे कुछ दोस्त हैं जो मुझे यह बताया करते थे कि इस तरह के कार्यक्रमों में भाग लेकर मैं अपना समय और पैसा दोनों बर्बाद कर रहा हूँ। वे आज भी वही काम कर रहे हैं।

- हमेशा ऑफ़र देते रहें। जब भी मैं कोई रियल एस्टेट की प्रॉपर्टी चाहता हूँ तो मैं कई प्रॉपर्टी देखता हूँ और सामान्यतः एक ऑफ़र लिख देता हूँ। अगर आप नहीं जानते कि 'सही ऑफ़र' क्या होना चाहिए, तो यह मैं भी नहीं जानता। यह तो रियल एस्टेट एजेंट का काम है। वे ऑफ़र का आँकड़ा देते हैं। मैं यथासंभव कम से कम काम करता हूँ।

मेरी एक मित्र चाहती थी कि मैं उसे अपार्टमेंट हाउस ख़रीदना सिखाऊँ। एक शनिवार को वह, उसका एजेंट और मैं गए और हमने छह अपार्टमेंट हाउस देखे। चार तो घटिया थे परंतु दो अच्छे थे। मैंने उससे कहा कि वह सभी छह पर ऑफ़र लिखे, और मालिकों द्वारा माँगी गई क़ीमत से आधी का ऑफ़र दे। यह सुनते ही उसे और उसके एजेंट को दिल का दौरा पड़ते-पड़ते बचा। उनके हिसाब से यह बदतमीज़ी होती और इससे मकान मालिकों को बुरा लग सकता था परंतु मैं वास्तव में नहीं सोचता कि एजेंट इतना कठोर श्रम करना चाहता था। इसलिए उन्होंने कुछ नहीं किया और वे एक बेहतर सौदे की तलाश में चले गए।

उन्होंने कभी कोई ऑफ़र नहीं दिया और वह आज भी सही क़ीमत पर 'सही' सौदे के लिए भटक रही है। आप नहीं जानते कि सही क़ीमत क्या है, जब तक कि सौदा करने के लिए आपके सामने दूसरी पार्टी न हो। ज़्यादातर बेचने वाले बहुत ज़्यादा क़ीमत माँगते हैं। यह दुर्लभ ही है कि कोई बेचने वाला वास्तव में ऐसी क़ीमत माँगे जो वास्तविक मूल्य से कम हो।

इस कहानी से हमें यह शिक्षा मिलती है कि हमें ऑफ़र देना चाहिए। जो लोग निवेशक नहीं होते उन्हें यह समझ ही नहीं होती कि कोई चीज़ बेचना कितना कठिन होता है। मेरे पास एक रियल एस्टेट की प्रॉपर्टी थी जिसे मैं महीनों से बेचना चाहता था। मैंने किसी भी चीज़ का स्वागत किया होता। मुझे इस बात से कोई फ़र्क़ नहीं पड़ता कि क़ीमत कितनी कम थी। उन्होंने अगर मुझे दस सुअरों का भी ऑफ़र दिया होता तो भी मैं ख़ुश हो गया होता। ऑफ़र की क़ीमत से नहीं, बल्कि इस बात से कि कोई तो मेरी प्रॉपर्टी में रुचि रखता है। इसके जवाब में मैं बदले में पूरे के पूरे सुअर फ़ार्म को हासिल करने की कोशिश करता। तो यह खेल इस तरह से खेला जाता है। ख़रीदने और बेचने का खेल बड़ा मज़ेदार होता है। इस बात का हमेशा ध्यान रखें। यह मज़ेदार है और यह केवल एक खेल है। ऑफ़र देते रहें। कोई तो कभी 'हाँ' कहेगा।

और मैं हमेशा अपने ऑफ़र में बचाव के वाक्य डाल देता हूँ। रियल एस्टेट में, मैं हमेशा अपने ऑफ़र में यह लिखता हूँ कि "बिज़नेस पार्टनर के अनुमोदन के बाद ही यह समझौता अंतिम माना जाएगा।" मैं यह कभी नहीं बताता कि मेरा बिज़नेस पार्टनर कौन है। ज़्यादातर लोग यह नहीं जानते कि मेरी बिज़नेस पार्टनर मेरी बिल्ली है। अगर वे ऑफ़र को मान लेते हैं और मैं सौदा नहीं करना चाहता तो मैं घर फ़ोन लगाता हूँ और अपनी बिल्ली से बात कर लेता हूँ। मैं यह अजीबोग़रीब वक्तव्य इसलिए बता रहा हूँ ताकि आप यह जान सकें कि यह खेल कितना आसान है। ज़्यादातर लोग चीज़ों को बहुत ज़्यादा जटिल बना देते हैं और उन्हें काफ़ी गंभीरता से ले लेते हैं।

एक अच्छा सौदा खोजना, या सही बिज़नेस ढूँढ़ना, सही लोग या सही

निवेशक ढूँढ़ना दरअसल डेटिंग की ही तरह है। आपको बाज़ार में जाना होता है और बहुत से लोगों से बात करनी होती है और बहुत से ऑफ़र देने होते हैं, कई ऑफ़रों का जवाब देना होता है, चर्चा करनी होती है, अस्वीकार या स्वीकार करना होता है। मैं जानता हूँ कि ऐसे भी अकेले लोग होते हैं जो घर पर बैठकर फ़ोन की घंटी बजने का इंतज़ार करते रहते हैं, परंतु जब तक आप सिंडी क्रॉफ़ोर्ड या टॉम क्रूज़ नहीं हों, मैं सोचता हूँ कि आपके लिए बेहतर तो यही होगा कि आप बाज़ार में जाएँ, चाहे सुपरमार्केट में ही चले जाएँ। खोजें, ऑफ़र दें, अस्वीकार करें, सौदेबाज़ी करें और स्वीकार करें- यह ज़िंदगी में हर चीज़ के बारे में दोहराई जाने वाली प्रक्रिया है।

- महीने में एक बार किसी निश्चित स्थान से दस मिनट तक जॉगिंग करते हुए या टहलते हुए या गाड़ी चलाते हुए निकलें। मैंने अपने कुछ बेहतरीन रियल एस्टेट के निवेश तो जॉगिंग करते समय ही खोजे हैं। मैं एक साल तक किसी निश्चित दायरे में जॉगिंग करता था। मैं परिवर्तन को देखता रहता था। किसी भी सौदे में फ़ायदे के लिए दो तत्वों का होना ज़रूरी है : एक तो सौदा और दूसरा परिवर्तन। हालाँकि सौदे तो बहुत से होते हैं, परंतु परिवर्तन को भाँप लेने से सौदा एक फ़ायदेमंद मौक़े में बदल जाता है। इसलिए जब मैं जॉगिंग करता हूँ तो मैं जॉगिंग करने के लिए ऐसी जगह चुनता हूँ जहाँ मैं निवेश करना चाहता हूँ। बार-बार उसी जगह के चक्कर लगाने से मैं वहाँ हो रहे छोटे-छोट परिवर्तनों को देख सकता हूँ। मैं ऐसे रियल एस्टेट के साइनबोर्ड को भाँप लेता हूँ जो वहाँ काफ़ी लंबे समय से लगे हुए हैं। इसका मतलब यह होता है कि बेचने वाला सौदा करने के लिए बहुत ज़्यादा इच्छुक होगा। मैं जाते हुए ट्रकों को भी देखता रहता हूँ, और आते हुए ट्रकों पर भी निगाह लगाए रहता हूँ। मैं रुककर ड्रायवरों से बात करता हूँ। मैं पोस्टमैनों से भी बात करता हूँ। उन्हें अपने इलाके के बारे में ग़ज़ब की जानकारी होती है।

मैं एक बुरा इलाक़ा खोज लेता हूँ, ख़ासकर ऐसा इलाक़ा जहाँ लोग किसी बुरी ख़बर से डरे हुए होते हैं। मैं वहाँ साल में कई बार यह देखने के लिए चक्कर लगाता हूँ कि सुधार के लक्षण कहाँ नज़र आ रहे हैं। मैं रिटेलर्स से बात करता हूँ, ख़ासकर नए दुकानदारों से और उनसे यह पूछता हूँ कि वे इस इलाक़े में क्यों आए हैं। इसके लिए महीने में कुछ मिनट का समय देना होता है और मैं इसे तब करता हूँ जब मैं कसरत कर रहा होता हूँ या इसी तरह का कोई दूसरा काम कर रहा होता हूँ जैसे स्टोर जाने या आने का काम।

- स्टॉक के मामले में मुझे पीटर लिंच की पुस्तक *बीटिंग द स्ट्रीट* इसलिए बहुत पसंद है क्योंकि इसमें ऐसे स्टॉक को चुनने का फ़ॉर्मूला दिया गया है जिनकी क़ीमत बढ़ने वाली है। मैंने यह पाया है कि

क़ीमत बढ़ने के सिद्धांत हर जगह एक जैसे होते हैं चाहे वह रियल एस्टेट हो, स्टॉक हो, म्यूचुअल फ़ंड हो, नया पालतू कुत्ता हो, नया घर हो, नया जीवनसाथी हो, या लॉन्ड्री के डिटर्जेन्ट पर बार्गेनिंग हो।

प्रक्रिया लगभग वही रहती है। आपको यह जानने की ज़रूरत होती है कि आप किसकी तलाश कर रहे हैं और इसके बाद आपको उसे तलाशना होता है।

- ग्राहक हमेशा ग़रीब क्यों रहेंगे। जब सुपरमार्केट में कोई सेल लगती है जैसे टॉयलेट पेपर की तो ग्राहक दौड़कर स्टॉक इकट्ठा कर लेते हैं। जब स्टॉक मार्केट में सेल लगती है जिसे सामान्यतः क्रैश या उतार या सुधार कहा जाता है तो ग्राहक इससे दूर भाग जाते हैं। जब सुपरमार्केट अपनी क़ीमतें बढ़ा देता है तो ग्राहक कहीं और जाकर ख़रीदारी करते हैं। जब स्टॉक मार्केट अपनी क़ीमतें बढ़ा देता है तो ग्राहक ख़रीदना शुरू कर देते हैं।

- सही जगहों पर खोजें। मेरे पड़ोसी ने कॉन्डोमिनियम (रियल एस्टेट) एक लाख डॉलर में ख़रीदा। मैंने उसके बग़ल में वैसा ही कॉन्डोमिनियम पचास हज़ार डॉलर में ख़रीदा। उसने मुझे बताया कि वह क़ीमतों के बढ़ने का इंतज़ार कर रहा है। मैंने उससे कहा कि फ़ायदा ख़रीदते समय होता है, न कि बेचते समय। उसने एक ऐसे रियल एस्टेट ब्रोकर को चुना था जिसकी ख़ुद की कोई प्रॉपर्टी नहीं थी। मैंने एक बैंक के फ़ोरक्लोज़र डिपार्टमेंट की मदद ली थी। मैंने एक कक्षा में 500 डॉलर की फ़ीस देकर यह सीखा था कि ऐसा कैसे किया जा सकता है। मेरे पड़ोसी का विचार था कि रियल एस्टेट के निवेश की कक्षा के लिए 500 डॉलर की फ़ीस बहुत महँगी थी। उसने कहा कि उसके पास न तो इतने पैसे हैं, न ही समय। इसलिए अब वह क़ीमत बढ़ने का इंतज़ार कर रहा है।

- मैं पहले तो उन लोगों की तलाश करता हूँ जो ख़रीदना चाहते हैं, फिर मैं उस व्यक्ति को ढूँढ़ता हूँ जो बेचना चाहता है। मेरा एक दोस्त एक प्लॉट ढूँढ़ रहा था। उसके पास पैसा था, परंतु समय नहीं था। मैंने भी ढूँढ़ना शुरू किया और मुझे अपने दोस्त की ज़रूरत से बड़ा ज़मीन का टुकड़ा मिल गया। मैंने इसे एक विकल्प के साथ जोड़ दिया, अपने दोस्त को फ़ोन किया और उसे इसका ऑफ़र दिया। उसे ज़मीन का छोटा टुकड़ा चाहिए था, इसलिए मैंने उसकी ज़रूरत का टुकड़ा उसे बेच दिया और ज़मीन ख़रीद ली। ज़मीन का बाक़ी बचा टुकड़ा मैंने मुफ़्त में ही अपने पास रख लिया। इस कहानी से हमें यह शिक्षा मिलती है : केक ख़रीदो और उसे टुकड़ों में बाँट दो। ज़्यादातर

लोग अपनी हैसियत के मुताबिक़ सामान की खोज करते हैं, इसलिए वे कम सामान की ज़्यादा क़ीमत चुकाते हैं। छोटे विचार वाले लोगों को बड़े अवसर नहीं मिलते। इसलिए अगर आप ज़्यादा अमीर बनना चाहते हैं तो पहले तो बड़े विचारों को सोचना शुरू करें।

दुकानदार ज़्यादा सामान ख़रीदने वालों को डिस्काउंट देते हैं और वे ऐसा केवल इसलिए करते हैं क्योंकि ज़्यादातर व्यवसायी ज़्यादा ख़र्च करने वाले लोगों को पसंद करते हैं। अगर आप कम ख़र्च भी करते हों, तो भी आपको हमेशा बड़े विचारों को ही सोचना चाहिए। जब मेरी कंपनी को कंप्यूटर ख़रीदने थे, तो मैंने अपने बहुत से दोस्तों से फ़ोन पर पूछा कि क्या उन्हें भी कंप्यूटर ख़रीदना है। हम सब मिलकर कई डीलरों के पास गए और एक बढ़िया सौदा कर लिया क्योंकि हमें बहुत से कंप्यूटर ख़रीदने थे। मैंने यही शेयरों के साथ भी किया है। छोटे लोग हमेशा छोटे ही रहेंगे क्योंकि उनकी सोच छोटी है। अकेले काम करें या फिर काम ही न करें।

- इतिहास से सीखें। स्टॉक एक्सचेंज की सभी बड़ी कंपनियाँ छोटी कंपनियों के रूप में शुरू हुई थीं। कर्नल सैंडर्स तब तक अमीर नहीं हुए थे जब तक साठ साल की उम्र में उन्होंने अपना सब कुछ नहीं गँवा दिया था। बिल गेट्स 30 साल से भी कम उम्र में दुनिया के सबसे अमीर लोगों में से एक हैं।

- सक्रियता हमेशा निष्क्रियता को हरा देती है।

अवसर पहचानने के लिए केवल कुछ ही चीज़ें हैं जो मैं करता आया हूँ और अब भी कर रहा हूँ। इनमें से सबसे महत्वपूर्ण शब्द हैं 'किया' और 'करो'। जैसा इस पुस्तक में कई बार दोहराया जा चुका है, संपत्ति के पुरस्कार को पाने से पहले आपको सक्रिय होना पड़ेगा। तो काम पर जुट जाएँ, अभी से ही।

उपसंहार

केवल 7,000 डॉलर में कॉलेज की शिक्षा

अब जब यह पुस्तक ख़त्म हो रही है और छपने जा रही है, मैं आपके साथ अपना एक अंतिम विचार बाँटने जा रहा हूँ।

इस पुस्तक को लिखने का ख़ास कारण लोगों को यह सिखाना था कि किस तरह पैसे की समझ से ज़िंदगी की सामान्य समस्याओं को सुलझाया जा सकता है। वित्तीय प्रशिक्षण के बिना, हम उन्हीं घिसे-पिटे फ़ॉर्मूलों के सहारे ज़िंदगी काट देते हैं, जैसे कड़ी मेहनत करो, बचाओ, उधार लो और बहुत ज़्यादा टैक्स चुकाओ। आज हमें ज़्यादा समझदारी की ज़रूरत है।

मैं नीचे दी हुई कहानी को एक ऐसी आर्थिक समस्या के अंतिम उदाहरण के रूप में प्रस्तुत कर रहा हूँ, जिससे कई युवा परिवार आज जूझ रहे हैं। आप अपने बच्चों के लिए किस तरह अच्छी शिक्षा का इंतज़ाम कर सकते हैं और अपने ख़ुद के रिटायरमेंट के लिए पैसा इकट्ठा कर सकते हैं? इसी लक्ष्य की प्राप्ति के लिए कड़ी मेहनत के बजाय वित्तीय बुद्धि का प्रयोग किस तरह किया जा सकता है, यह इसी का उदाहरण है।

मेरा एक दोस्त एक दिन अपना दुखड़ा रो रहा था कि चार बच्चों की कॉलेज की शिक्षा के लिए पैसों की बचत करना कितना कठिन था। वह हर महीने एक म्यूचुअल फ़ंड में 300 डॉलर जमा कर रहा था और अब तक उसने लगभग 12,000 डॉलर जमा कर लिए थे। उसे अपने बच्चों को कॉलेज भेजने के लिए 400,000 डॉलर की ज़रूरत थी। उसके पास इसे जमा करने के लिए 12 साल थे, क्योंकि उसका सबसे बड़ा बच्चा तब 6 साल का था।

यह 1991 की बात थी, और उस समय फ़ीनिक्स का रियल एस्टेट बाज़ार दुर्दशा में था। लोग-बाग अपना घर-बार बेचने में लगे थे। मैंने अपने इस सहपाठी को सुझाया कि उसके पास म्यूचुअल फ़ंड में जो पैसा जमा है, उसके कुछ हिस्से से वह एक घर ख़रीद ले। यह विचार उसे कुछ-कुछ जम गया और हम इस संभावना पर विचार करने लगे। उसकी मुख्य चिंता यह थी कि एक

और घर ख़रीदने के लिए उसके बैंक में क्रेडिट नहीं था और उसके पास इतना नक़द नहीं था। मैंने उसे भरोसा दिलाया कि किसी प्रॉपर्टी को फ़ायनैंस करवाने के लिए बैंक के पास जाने के अलावा दूसरे रास्ते भी होते हैं।

हमने दो हफ़्तों तक मकान खोजा, एक ऐसा घर जो हमारी सारी ज़रूरतों को पूरा करता हो। चुनने के लिए हमारे पास बहुत से घर थे, इसलिए हमें शॉपिंग में मज़ा भी बहुत आ रहा था। आख़िरकार, हमने एक अच्छे मोहल्ले में 3 बेडरूम और 2 बाथ वाला घर पसंद किया। मालिक उसी दिन घर बेचना चाहता था क्योंकि वह और उसका परिवार कैलिफ़ोर्निया के लिए जा रहे थे जहाँ उसकी नौकरी उसका इंतज़ार कर रही थी।

वह 102,000 डॉलर चाहता था, परंतु हमने उसे 79,000 डॉलर का ऑफ़र दिया। उसने तत्काल इसे मंजूर कर लिया। उस घर पर एक नॉन-क्वालिफ़ाइंग लोन था, जिसका मतलब यह था कि कोई बिना नौकरी वाला व्यक्ति भी उसे बैंकर के अनुमोदन के बिना ख़रीद सकता था। मकान मालिक पर 72,000 डॉलर का क़र्ज़ बाक़ी था, इसलिए मेरे दोस्त को केवल बचे हुए 7,000 डॉलर का इंतज़ाम करना था, जो क़र्ज़ की रक़म और ख़रीदने की राशि का अंतर था। जैसे ही मालिक ने घर ख़ाली किया, मेरे दोस्त ने मकान किराए पर उठा दिया। सारा ख़र्च निकालने के बाद जिसमें क़र्ज़ की क़िश्त भी शामिल थी, उसकी जेब में हर महीने 125 डॉलर आने लगे।

उसकी योजना थी कि वह मकान को 12 साल तक अपने पास रखे और हर महीने मिलने वाले अतिरिक्त 125 डॉलर का उपयोग करके जल्दी से जल्दी क़र्ज़ उतार दे। हमने अनुमान लगाया कि 12 सालों में क़र्ज़ का एक बड़ा भाग चुक जाएगा और जब उसका पहला बच्चा कॉलेज जाएगा तो उसके पास 800 डॉलर प्रतिमाह की आमदनी होगी। अगर उस मकान की क़ीमत बढ़ जाती है तो वह घर को बेच भी सकता था।

1994 में, फ़ीनिक्स में रियल एस्टेट मार्केट अचानक बदल गया और उसे उसी घर के लिए उसके किराएदार ने 156,000 डॉलर का ऑफ़र दिया जो उस घर में रहता था और उससे प्रेम करने लगा था। एक बार फिर, उसने मुझसे पूछा कि इस बारे में मैं क्या सोचता हूँ और मैंने स्वाभाविक रूप से कहा कि वह इसे 1031 टैक्स-विहीन एक्सचेंज के आधार पर बेच दे।

अचानक ही, उसके पास लगभग 80,000 डॉलर अतिरिक्त आ गए। मैंने ऑस्टिन, टैक्सास में अपने एक और दोस्त को फ़ोन किया जिसने इस अतिरिक्त धन को एक मिनी स्टोरेज फ़ैसिलिटी में लगा दिया। तीन महीने के भीतर, उसे हर महीने लगभग 1,000 डॉलर के चेक मिलने लगे, जिसे वह कॉलेज म्यूचुअल फ़ंड में जमा करने लगा जो अब बहुत तेज़ी से बढ़ रहा था। 1996 में, मिनी वेअरहाउस बिक गया और उसे बिक्री के हिस्से के रूप में

लगभग 330,000 डॉलर का चेक मिला जो उसने एक नए प्रोजेक्ट में लगा दिए जिससे उसे हर महीने 3,000 डॉलर से ज़्यादा आमदनी होने लगी, जो उसके कॉलेज म्यूचुअल फ़ंड में जाने लगी। उसे अब पूरा विश्वास है कि उसका 400,000 डॉलर का लक्ष्य आसानी से हासिल हो जाएगा और इसके लिए उसे शुरुआत में केवल 7,000 डॉलर और थोड़ी सी वित्तीय बुद्धि का इस्तेमाल करना पड़ा। उसके बच्चों को अब उतनी अच्छी शिक्षा मिल सकती है जो वे हासिल करना चाहते हैं और वह अपनी मूल पूँजी का प्रयोग अपने रिटायरमेंट के लिए कर सकता है जो अभी उसके सी कॉरपोरेशन में निवेश की हुई है। इस सफल निवेश रणनीति के कारण अब वह जल्दी ही रिटायरमेंट ले सकता है।

इस पुस्तक को पढ़ने के लिए धन्यवाद! मुझे आशा है कि इससे आपको कुछ समझ मिली होगी कि किस तरह पैसे की ताक़त का इस्तेमाल किया जाए ताकि पैसा आपके लिए काम करे। आज, हमें बचे रहने के लिए भी पैसे की समझ की ज़रूरत है। यह विचार कि पैसा बनाने के लिए पैसे की ज़रूरत होती है वित्तीय रूप से नासमझ लोगों का विचार होता है। इसका यह मतलब नहीं है कि वे समझदार नहीं हैं। इसका मतलब केवल इतना है कि उन्होंने पैसा बनाने की कला अभी नहीं सीखी है।

पैसा केवल एक विचार है। अगर आप ज़्यादा पैसा कमाना चाहते हैं तो केवल अपने विचारों को बदल लें। हर आत्म-निर्मित व्यक्ति ने छोटे पैमाने पर एक विचार से शुरुआत की थी और बाद में इसे बड़ा किया था। यही निवेश के बारे में भी लागू होता है। शुरू करने के लिए केवल कुछ डॉलर ही काफ़ी हैं और बाद में इनसे बड़ी रक़म बनाई जा सकती है। मैं ऐसे बहुत से लोगों से मिलता हूँ जो ज़िंदगी भर किसी बड़े सौदे के पीछे भागते रहते हैं या बड़े सौदे के लिए बहुत सा पैसा जुटाते रहते हैं, परंतु मेरी नज़र में यह मूर्खतापूर्ण है। ज़्यादातर मैंने नासमझ निवेशकों को अपना बड़ा अंडा एक ही समझौते में लगाते हुए और इस कारण उन्हें तेज़ी से बर्बाद होते हुए देखा है। वे अच्छे काम करने वाले हो सकते हैं, वे अच्छे नागरिक हो सकते हैं परंतु वे अच्छे निवेशक नहीं थे।

पैसे के बारे में शिक्षा और बुद्धि महत्वपूर्ण हैं। जल्दी शुरुआत करें। कोई पुस्तक ख़रीदें। किसी सेमिनार में जाएँ। अभ्यास करें। छोटी शुरुआत करें। मैंने छह साल से भी कम समय में 5,000 डॉलर को 10 लाख डॉलर की संपत्ति में बदला है जिससे हर महीने 5,000 डॉलर का कैशफ़्लो आता है। परंतु मैंने यह बचपन से सीखा है। मैं आपको सीखने के लिए इसलिए प्रोत्साहित करता हूँ क्योंकि यह इतना मुश्किल नहीं है। दरअसल, एक बार आपको इसकी लत पड़ जाए तो आपके लिए यह आसान हो जाएगा।

मैं समझता हूँ कि मैंने अपना संदेश बहुत स्पष्टता से पहुँचा दिया है।

आपके हाथ में क्या है, इस बात का निर्णय इस बात से होता है कि आपके दिमाग़ में क्या है। पैसा केवल एक विचार है। एक बहुत बढ़िया पुस्तक है 'थिंक एंड ग्रो रिच'*। इसका शीर्षक यह नहीं है कि कड़ी मेहनत कीजिए और अमीर बनिए। यह सीखें कि किस तरह आप पैसे से अपने लिए कठोर मेहनत करवा सकते हैं और आपकी ज़िंदगी किस तरह ज़्यादा आसान और सुखद हो सकती है। आज इस बात की ज़रूरत है कि आप सुरक्षात्मक खेल खेलने के बजाय स्मार्ट बनें और अपनी बुद्धि का प्रयोग करें।

---

* हिन्दी अनुवाद, 'सोचिए और अमीर बनिए,' मंजुल पब्लिशिंग हाउस।

काम में जुटें!

आप सभी को दो महान उपहार दिए गए थे : आपका दिमाग़ और आपका समय। यह आपके हाथ में है कि आप इनका मनचाहा उपयोग कर सकते हैं। आपके हाथ में आने वाले हर डॉलर से आपको और केवल आपको वह ताक़त मिल जाती है जो आपकी तक़दीर बनाती या बिगाड़ती है। अगर आप इसे मूर्खतापूर्ण तरीक़े से ख़र्च करते हैं तो आप ग़रीब रहने का विकल्प चुनते हैं। अगर आप इसे दायित्वों पर ख़र्च करते हैं तो आप मध्य वर्ग में बने रहने का विकल्प चुनते हैं। अगर आप इसे अपने दिमाग़ में निवेश करते हैं और यह सीख लेते हैं कि किस तरह संपत्तियों को बनाया जाता है तो आप दौलतमंद होने का विकल्प चुनते हैं। चुनाव आपका है और केवल आपका है। हर दिन, हर डॉलर के साथ आप अमीर, ग़रीब या मध्य वर्गीय होने का विकल्प चुनते हैं।

अगर आप इस ज्ञान को अपने बच्चों के साथ बाँटने का विकल्प चुनते हैं तो आप उन्हें उस दुनिया के लिए तैयार करने का विकल्प चुनते हैं जो उनका इंतज़ार कर रही है। यह कोई और नहीं करेगा।

आप और आपके बच्चों का भविष्य उस चुनाव पर निर्भर करता है जो आप आज करते हैं, आने वाले कल में नहीं।

हम ऐसी कामना करते हैं कि आपके पास बहुत सी दौलत हो और आप ज़िंदगी नाम के महान उपहार से बहुत सा सुख भोगें।

- रॉबर्ट कियोसाकी

- शेरॉन लेक्टर

रॉबर्ट कियोसाकी का एज्युमर्शियल

एक एज्युकेशनल कॉमर्शियल

तीन तरह की आय

अकाउंटिंग की दुनिया में तीन अलग-अलग प्रकार की आय होती हैं :

1. अर्जित आय

2. निष्क्रिय आय

3. पोर्टफ़ोलियो आय

जब मेरे असली डैडी ने मुझसे कहा था, "स्कूल जाओ, अच्छे नंबर लाओ और एक सुरक्षित नौकरी खोजो," तो वे मुझे यह सुझाव दे रहे थे कि मैं अर्जित आय के लिए काम करूँ। जब मेरे अमीर डैडी ने कहा, "अमीर लोग पैसे के लिए काम नहीं करते, वे पैसे से अपने लिए काम करवाते हैं," तो वे निष्क्रिय आय और पोर्टफ़ोलियो आय के बारे में बात कर रहे थे। ज़्यादातर मामलों में निष्क्रिय आय रियल एस्टेट के निवेशों से हासिल होती है। पोर्टफ़ोलियो आय पेपर एसेट्स से प्राप्त होती है। पेपर एसेट्स यानी स्टॉक, बॉन्ड और म्यूचुअल फ़ंड। पोर्टफ़ोलियो आय वह आय है जिससे बिल गेट्स दुनिया के सबसे अमीर आदमी बन गए, वे अर्जित आय के द्वारा अमीर नहीं बने।

अमीर डैडी कहा करते थे, "अमीर बनने की कुंजी है अर्जित आय को निष्क्रिय आय और/या पोर्टफ़ोलियो आय में जितनी जल्दी संभव हो सके बदलने की योग्यता।" वे कहते थे, "अर्जित आय पर टैक्स सबसे ज़्यादा लगता है। सबसे कम टैक्स निष्क्रिय आय पर लगता है। यह एक और कारण है कि आप अपने पैसे से अपने लिए कड़ी मेहनत करवाएँ। सरकार उस आय पर ज़्यादा टैक्स लगाती है जिसके लिए आप कड़ी मेहनत करते हैं, और उस आय पर कम टैक्स लगाती है जिसके लिए आपका पैसा कड़ी मेहनत करता है।"

मेरी दूसरी पुस्तक, द कैशफ़्लो क्वाड्रैन्ट में मैंने व्यापारिक जगत में मिलने वाले चार तरह के लोगों के बारे में समझाया है। वे हैं E - employee, S - self-employed, B - Business Owner और I - Investor. ज़्यादातर लोग 'ई' या 'एस' बनना सीखने के लिए स्कूल जाते हैं। द कैशफ़्लो क्वाड्रैन्ट इन

चार तरह के लोगों में मूलभूत अंतरों के बारे में लिखी गई है और उसमें यह भी सुझाया गया है कि किस तरह अपने क्वाड्रैन्ट को बदला जा सकता है। वास्तव में, हमारे ज़्यादातर उत्पाद ऐसे लोगों के लिए बनाए गए हैं जो 'बी' या 'आई' क्वाड्रैन्ट में हैं।

रिच डैड सीरीज़ की तीसरी पुस्तक *रिच डैड्स गाइड टु इन्वेस्टिंग* में मैंने इस महत्वपूर्ण तथ्य को ज़्यादा विस्तार से रेखांकित किया है कि अर्जित आय को निष्क्रिय और पोर्टफ़ोलियो आय में किस तरह बदला जा सकता है। अमीर डैडी कहा करते थे, "सच्चा निवेशक केवल यही करता है कि वह अपनी अर्जित आय को निष्क्रिय और पोर्टफ़ोलियो आय में बदल ले। अगर आप यह जानते हैं कि आप क्या कर रहे हैं तो निवेश करना ख़तरनाक नहीं है। यह केवल कॉमन सेन्स की बात है।"

आर्थिक स्वतंत्रता की कुंजी

आर्थिक स्वतंत्रता और ढेर सारी दौलत की कुंजी है किसी व्यक्ति की अपनी अर्जित आय को निष्क्रिय आय और/या पोर्टफ़ोलियो आय में बदलने की दक्षता या योग्यता। यही वह दक्षता है जिसे माइक और मुझे सिखाने में मेरे अमीर डैडी ने इतना ज़्यादा समय लगाया। उस योग्यता के कारण ही आज मेरी पत्नी किम और मैं आर्थिक रूप से स्वतंत्र हैं और हमें काम करने की कोई ज़रूरत नहीं है। हम केवल इसलिए काम करते हैं क्योंकि हमें काम करना अच्छा लगता है। आज हम एक रियल एस्टेट इन्वेस्टमेंट कंपनी के स्वामी हैं जिससे हमें निष्क्रिय आय प्राप्त होती है और हम पोर्टफ़ोलियो आय के लिए शेयर बाज़ार में आई.पी.ओ. या निजी रूप से भाग लेते हैं।

हमने अपनी पार्टनर शेरॉन लेक्टर के साथ मिलकर यह वित्तीय बौद्धिक कंपनी भी बनाई है जो पुस्तकें, टेप, और खेल बनाती और प्रकाशित करती है। हमारे सभी शैक्षणिक उत्पाद इस तरह बनाए गए हैं कि लोग वही सीख सकें जो मेरे अमीर डैडी ने मुझे सिखाया था, वे योग्यताएँ जिनके द्वारा अर्जित आय को निष्क्रिय और पोर्टफ़ोलियो आय में बदला जा सकता है।

हमने जो तीन बोर्ड गेम्स बनाए हैं वे महत्वपूर्ण हैं क्योंकि उनसे हमें वे बातें सीखने को मिलती हैं जो किसी पुस्तक से नहीं सीखी जा सकतीं। उदाहरण के तौर पर, आप केवल पुस्तक पढ़कर कभी साइकल चलाना नहीं सीख सकते। हमारे फ़ायनेंशियल एज्युकेशन गेम्स *कैशफ़्लो 101*, जो वयस्कों के लिए परिष्कृत खेल है और *कैशफ़्लो फ़ॉर किड्स* खिलाड़ियों को मूलभूत निवेश दक्षताएँ सिखाते हैं कि किस तरह अर्जित आय को निष्क्रिय आय और पोर्टफ़ोलियो आय में बदला जा सकता है। वे अकाउंटिंग और वित्तीय साक्षरता के सिद्धांत भी सिखाते हैं। ये गेम्स दुनिया में अपनी तरह के अनूठे शैक्षणिक

उत्पाद हैं जो इन सारी दक्षताओं को एक साथ सिखाते हैं।

कैशफ़्लो 202, कैशफ़्लो 101 का वृहद संस्करण है और इसमें *कैशफ़्लो 101* के गेम बोर्ड की ही ज़रूरत होती है। *कैशफ़्लो 101* और *कैशफ़्लो फ़ॉर किड्स* निवेश के मूलभूत सिद्धांतों को सिखाते हैं। *कैशफ़्लो 202* तकनीकी निवेश के सिद्धांत सिखाता है। तकनीकी निवेश में परिष्कृत ट्रेडिंग तकनीकों जैसे शॉर्ट सेलिंग, कॉल ऑप्शन्स, पुट ऑप्शन्स, स्ट्रैडल्स इत्यादि आते हैं। कोई व्यक्ति जो इन परिष्कृत तकनीकों को समझता है पैसा कमा सकता है चाहे बाज़ार ऊपर जाए, चाहे बाज़ार नीचे आए। जैसा मेरे अमीर डैडी कहा करते थे, "एक सच्चा निवेशक ऊपर जाने वाले बाज़ार और नीचे आने वाले बाज़ार दोनों में ही पैसे कमा सकता है।" उनके ज़्यादा पैसे कमाने के कारणों में से एक यह होता है कि उनमें ज़्यादा आत्मविश्वास होता है। अमीर डैडी कहा करते थे, "उनमें ज़्यादा आत्मविश्वास इसलिए होता है क्योंकि उन्हें हारने का डर कम होता है।" दूसरे शब्दों में, औसत निवेशक उतना ज़्यादा पैसा इसलिए नहीं कमा पाता क्योंकि उसे पैसा गँवाने का डर होता है। औसत निवेशक यह नहीं जानता कि वह किस तरह नुक़सान से ख़ुद को बचा सकता है और यही *कैशफ़्लो 202* में सिखाया जाता है।

औसत निवेशक सोचता है कि निवेश ख़तरनाक है क्योंकि औसत निवेशक को प्रोफ़ेशनल निवेशक होने का औपचारिक प्रशिक्षण नहीं मिलता है। जैसा अमेरिका के सबसे अमीर निवेशक वॉरेन बुफ़े का कहना है, "ख़तरा तब होता है जब आप नहीं जानते कि आप क्या कर रहे हैं।" मेरे बोर्ड गेम्स मूलभूत निवेश और तकनीकी निवेश की बुनियादी बातें सिखाते हैं और साथ ही लोगों को इसमें मज़ा भी आता है।

मुझे कभी-कभार यह सुनने को मिलता है, "आपके शैक्षणिक खेल महँगे हैं।" (अमेरिका में *कैशफ़्लो 101* की क़ीमत है 195 डॉलर, *कैशफ़्लो 202* की क़ीमत है 95 डॉलर और *कैशफ़्लो फ़ॉर किड्स* की क़ीमत है 39.95 डॉलर।) हमारे सभी खेल उत्पाद संपूर्ण शैक्षणिक कार्यक्रम हैं और इनमें ऑडियो कैसेट्स, वीडियोज़ और/या पुस्तकें भी शामिल हैं। (हमारी क़ीमतों का एक कारण यह भी है कि हम हर साल केवल एक सीमित मात्रा में ही उत्पादन करते हैं।) मैं अपना सिर हिलाता हूँ और जवाब देता हूँ, "हाँ, वे महँगे हैं... ख़ासकर जब उनकी तुलना मनोरंजन के लिए बने बोर्ड गेम्स से की जाए।" और तब मैं ख़ुद से चुपचाप यह कहता हूँ, "परंतु मेरे खेल इतने महँगे नहीं हैं जितनी महँगी कॉलेज की शिक्षा है, अर्जित आय के लिए पूरी ज़िंदगी कड़ी मेहनत करनी है, ढेर सारा टैक्स चुकाना है, और निवेश बाज़ार में अपना सारा पैसा गँवाने के आतंक में जीना है।"

जब इस तरह का कोई व्यक्ति ज़्यादा क़ीमत के बारे में बड़बड़ाता हुआ

जाता है तो मैं अपने अमीर डैडी की आवाज़ सुन सकता हूँ, "अगर आप अमीर बनना चाहते हैं तो आपको पता होना चाहिए कि आप किस तरह की आय के लिए कड़ी मेहनत कर रहे हैं, इस आय को किस तरह अपने पास रखा जाए और उसे नुक़सान से कैसे बचाया जाए। यही प्रचुर संपत्ति का रहस्य है।" अमीर डैडी हमेशा कहा करते थे, "अगर आप तीन तरह की आय के बीच के अंतर को नहीं जानते हैं और आप वे दक्षताएँ नहीं सीखते हैं जिनसे आप इन्हें प्राप्त और सुरक्षित कर सकते हैं तो आप शायद ज़िंदगी भर अपनी ज़्यादा मेहनत से कम आय प्राप्त कर पाएँगे।"

मेरे ग़रीब डैडी सोचते थे कि आपको सफल होने के लिए केवल एक अच्छी शिक्षा, एक अच्छी नौकरी, और सालों की कड़ी मेहनत की ज़रूरत होती है। मेरे अमीर डैडी का विचार था कि अच्छी शिक्षा महत्वपूर्ण है, परंतु उनके लिए यह भी महत्वपूर्ण था कि माइक और मैं इन तीन प्रकार की आयों के बीच के अंतर के बारे में जानें और यह भी कि हम किस तरह की आय के लिए कड़ी मेहनत कर रहे हैं। उनके लिए यह मूलभूत वित्तीय शिक्षा थी। तीन आयों में अंतरों को जानना और भिन्न-भिन्न आय प्राप्त करने की निवेश की दक्षताओं को सीखना हर उस व्यक्ति के लिए मूलभूत शिक्षा है जो अमीर बनना चाहता है और वित्तीय स्वतंत्रता हासिल करना चाहता है... एक ख़ास क़िस्म की स्वतंत्रता जो केवल कुछ ही लोग हासिल कर पाएँगे। जैसा अमीर डैडी सबक़ एक में कहते हैं, "अमीर लोग पैसे के लिए काम नहीं करते। वे पैसे से अपने लिए कड़ी मेहनत करवाते हैं।" अमीर डैडी कहते थे, "अर्जित आय वह धन है जिसके लिए आप मेहनत करते हैं, जबकि निष्क्रिय और पोर्टफ़ोलियो आय वह धन है जिसके लिए आपका पैसा मेहनत करता है।" और आयों के बीच के इस छोटे से अंतर को समझना मेरे जीवन में बहुत महत्वपूर्ण साबित हुआ। या जैसा रॉबर्ट फ़्रॉस्ट की कविता के अंत में है, "और इसी बात से सारा फ़र्क़ पड़ा।"

सीखने का सबसे आसान और बेहतरीन तरीक़ा कौन सा है?

1994 में, वित्तीय रूप से स्वतंत्र होने के बाद, मैं दूसरों को अमीर डैडी की नसीहतें सिखाने के तरीक़े के बारे में सोच रहा था। आप पढ़ने से इतना ही सीख सकते हैं। आप पुस्तक पढ़कर साइकल चलाना नहीं सीख सकते। मुझे अचानक समझ में आया कि अमीर डैडी ने बार-बार दोहराकर मुझे सिखाया था। इसीलिए मैंने शैक्षणिक बोर्ड गेम्स को बनाना शुरू किया। मेरे विचार में जटिल विषयों को सीखने के लिए वे सबसे आसान और बेहतरीन तरीक़े हैं।

अगर आप यह सीखने के लिए तैयार हैं कि किस तरह ज़्यादा निष्क्रिय

और पोर्टफ़ोलियो आय हासिल की जा सकती है, तो आपके लिए कैशफ़्लो का खेल पहला महत्वपूर्ण क़दम साबित हो सकता है। अगर आप अपनी वित्तीय शिक्षा को सुधारने के लिए तैयार हैं तो आप हमारे खेल उत्पाद परखने के लिए ९० दिन की रिस्क फ्री कोशिश कर सकते हैं। मैं आपसे सिर्फ़ यही अपेक्षा रखता हूँ कि आप खेल ख़रीदने के बाद इन ९० दिनों में अपने दोस्तों के साथ कम से कम इसे छह बार पूरा खेलें। अगर आपको यह लगता है कि आपने कुछ भी नहीं सीखा है या यह खेल ज़्यादा मुश्किल है तो आप खेल को अच्छी हालत में लौटा दें और हमें आपका पैसा वापस लौटाने में ख़ुशी होगी।

नियमों और रणनीतियों को समझने के लिए आपको खेलों को कम से कम दो बार खेलने की ज़रूरत होगी। दूसरी बार के बाद खेलना आपके लिए आसान हो जाएगा और आपको इसमें मज़ा आने लगेगा और आपका ज्ञान तेज़ी से बढ़ने लगेगा। अगर आप एक कैशफ़्लो गेम ख़रीदते हैं और इसे नहीं खेलते हैं तो यह आपके लिए बहुत महँगा खेल साबित होगा। अगर आप इसे कम से कम 6 बार खेलते हैं तो मैं समझता हूँ कि आपके लिए हर खेल एक अनमोल खेल साबित होगा।

CASHFLOW for KIDS

CASHFLOW 101

CASHFLOW 202

लेखकों के बारे में

रॉबर्ट टी. कियोसाकी

"लोगों के आर्थिक रूप से संघर्ष करने का मुख्य कारण यह है कि सालों तक स्कूल जाने के बावजूद उन्होंने पैसे के बारे में कुछ भी नहीं सीखा है। इसका परिणाम यह है कि लोग पैसे के लिए काम करना सीख जाते हैं... परंतु वे पैसे से अपने लिए काम करवाना कभी नहीं सीख पाते।" रॉबर्ट का कहना है।

हवाई में पले-बढ़े रॉबर्ट चौथी पीढ़ी के जापानी-अमेरिकी हैं। वे शिक्षकों के गरिमामय परिवार से आए हैं। उनके डैडी हवाई राज्य के शिक्षा प्रमुख थे। हाई स्कूल के बाद, रॉबर्ट की शिक्षा न्यूयॉर्क में हुई और ग्रैज्युएशन के बाद वे यू.एस. मरीन कॉर्प्स में शामिल होकर एक ऑफ़िसर और हेलिकॉप्टर गनशिप पायलट के रूप में वियतनाम चले गए।

युद्ध से लौटने के बाद, रॉबर्ट का बिज़नेस करियर शुरू हुआ। 1977 में उन्होंने एक कंपनी स्थापित की जिसने बाज़ार में पहले नायलॉन और वेलक्रो सर्फ़र वॉलेट्स उतारे, जो करोड़ों डॉलर का विश्वव्यापी उत्पाद बन गया। वे और उनके उत्पाद *रनर्स वर्ल्ड, जेन्टलमेन्स क्वार्टरली, सक्सेस मैग्ज़ीन, न्यूज़वीक,* और यहाँ तक कि *प्लेबॉय* में फ़ीचर हुए हैं।

व्यवसाय जगत को छोड़कर उन्होंने 1985 में एक अंतर्राष्ट्रीय शैक्षणिक कंपनी की सहस्थापना की जो सात देशों में काम कर रही है और लाखों ग्रैज्युएट्स को व्यवसाय और निवेश सिखा रही है।

47 साल की उम्र में रिटायर होने के बाद रॉबर्ट वही कर रहे हैं जिसमें उन्हें सबसे ज़्यादा आनंद मिलता है... निवेश। अमीरों और ग़रीबों के बीच बढ़ती खाई के बारे में चिंतित, रॉबर्ट ने कैशफ़्लो गेमबोर्ड की रचना की जो धन का खेल सिखाता है, जो अब तक केवल अमीरों को ही आता था।

हालाँकि रॉबर्ट का व्यवसाय रियल एस्टेट और छोटी पूँजी की कंपनियों को विकसित करना है, परंतु उनका असली प्रेम और मक़सद शिक्षा देना है। उन्होंने ऑग मैन्डिनो, ज़िग ज़िग्लर और एन्थनी रॉबिन्स जैसे महान लोगों के साथ स्टेज कार्यक्रमों में भाषण दिए हैं। रॉबर्ट कियोसाकी का संदेश स्पष्ट है। "अपने धन के लिए ज़िम्मेदारी लें या फिर ज़िंदगी भर दूसरों के आदेशों का पालन करें। आप या तो अपने पैसे के मालिक हैं या फिर इसके ग़ुलाम हैं।" रॉबर्ट की कक्षाएँ एक घंटे से लेकर तीन दिन तक चलती हैं जिसमें लोगों को

अमीरों के रहस्य सिखाए जाते हैं। हालाँकि उनके विषय निवेश से लेकर ज़्यादा मुनाफ़े और कम जोखिम होते हैं; आपके बच्चों को अमीर बनना सिखाना होता है; कंपनी शुरू करना और उसे बेचना होता है; उनका एक ज़ोरदार संदेश है। और यह संदेश है अपने भीतर सोए हुए पैसे के जीनियस को जगाएँ। आपका जीनियस बाहर निकलने का इंतज़ार कर रहा है।

विश्वप्रसिद्ध वक्ता और लेखक एन्थनी रॉबिन्स रॉबर्ट के काम के बारे में यह कहते हैं।

"शिक्षा में रॉबर्ट कियोसाकी का काम सशक्त, प्रभावी और ज़िंदगी बदलने वाला है। मैं उनकी कोशिशों को सलाम करता हूँ और उनकी बहुत ज़्यादा अनुशंसा करता हूँ।"

महान आर्थिक परिवर्तन के इस दौर में, रॉबर्ट का संदेश अनमोल है।

शेरॉन एल. लेक्टर

पत्नी और तीन बच्चों की माँ, सी.पी.ए., व्यावसायिक मैनेजर और गेम्स तथा प्रकाशक उद्योगों की सलाहकार, शेरॉन लेक्टर ने शिक्षा के क्षेत्र में अपने व्यावसायिक प्रयास समर्पित किए हैं।

उन्होंने फ़्लोरिडा स्टेट युनिवर्सिटी से अकाउंटिंग में डिग्री ली। वे बिग एट अकाउंटिंग फ़र्म्स में से एक में उच्च पदों पर काम करने वाली पहली महिला बनीं। वे कंप्यूटर उद्योग में एक बड़ी कंपनी की सी.एफ़.ओ. बनीं। राष्ट्रीय बीमा कंपनी की टैक्स डायरेक्टर के साथ ही वे विस्कॉन्सिन में पहली क्षेत्रीय महिला पत्रिका की संस्थापक और एसोशिएट प्रकाशक बनीं और इनके साथ ही साथ उन्होंने सी.पी.ए. के रूप में अपने व्यावसायिक अस्तित्व को बनाए रखा।

जब उन्होंने अपने तीन बच्चों को बड़े होते देखा तो उनका ध्यान तत्काल शिक्षा की ओर मुड़ा। उन्हें पढ़ने के लिए प्रेरित करना बड़ी मुश्किल का काम था। वे इसके बजाय टीवी देखना चाहते थे।

इसलिए उन्होंने पहली इलेक्ट्रॉनिक 'बोलने वाली पुस्तक' के आविष्कारक के साथ गठबंधन किया और इलेक्ट्रॉनिक पुस्तक उद्योग को वर्तमान के करोड़ों डॉलर के अंतर्राष्ट्रीय बाज़ार तक फैलाने में सहयोग दिया। वे बच्चों की ज़िंदगी में पुस्तकों को लौटाने के लिए नई तकनीकों को विकसित करने में अग्रणी भूमिका निभाती रही हैं।

बच्चों के बड़े होने के साथ ही वे उनकी शिक्षा में पूर्ण रुचि लेने लगीं। वे गणित, कंप्यूटर, पढ़ने और लिखने की शिक्षा के क्षेत्र में प्रबल कार्यकर्ता बन गईं।

"हमारा वर्तमान शिक्षा तंत्र आज की दुनिया में हो रहे विश्वव्यापी और तकनीकी परिवर्तनों के साथ बदल नहीं पाया है। हमें अपने बच्चों को ऐसी स्कूली और आर्थिक दक्षताएँ सिखानी हैं, जिनसे वे न केवल आने वाले समय में बचे रह पाएँ, बल्कि ख़ुशहाल और समृद्ध भी रहें।"

रिच डैड पुअर डैड और *द कैशफ़्लो क्वाड्रैन्ट* की सह-लेखिका के रूप में वे अपने प्रयासों को शैक्षणिक साधन रचने में लगा रही हैं ताकि कोई भी अपनी वित्तीय शिक्षा को बेहतर कर सके और जीवन में सफलता हासिल कर सके।

कैशफ़्लो टेक्नोलॉजीज़, इन्क.

रॉबर्ट कियोसाकी, किम कियोसाकी और शेरॉन लेक्टर ने मिलकर कैशफ़्लो टेक्नोलॉजीज़, इन्क. स्थापित की है ताकि वे आधुनिक वित्तीय शैक्षणिक उत्पाद निर्मित कर सकें।

कंपनी का मिशन है :

"मानवता की आर्थिक समृद्धता को ऊपर उठाना।"

कैशफ़्लो टेक्नोलॉजीज़, इन्क. रॉबर्ट की शिक्षा को कई उत्पादों द्वारा सिखाती है जैसे *रिच डैड पुअर डैड, द कैशफ़्लो क्वाड्रेन्ट* और पेटेंटेड बोर्डगेम *कैशफ़्लो* (पेटेंट नंबर 5,826,878), और पेटेंट पेंडिंग बोर्ड गेम *कैशफ़्लो फ़ॉर किड्स*। अतिरिक्त उत्पाद उपलब्ध हैं और उन लोगों के लिए कई उत्पाद विकसित किए जा रहे हैं जो वित्तीय स्वतंत्रता की राह पर चलने के लिए मार्गदर्शक की तलाश कर रहे हैं।